G000143705

COMÉDIE FRANÇAISE

Du même auteur

Mémoires interrompus (avec François Mitterrand), Odile Jacob, 1996.

Le Dernier Mitterrand, Plon, 1997.

C'était un temps déraisonnable, Robert Laffont, 1999.

Jeune homme, vous ne savez pas de quoi vous parlez, Plon, 2000.

Un mensonge français, Robert Laffont, 2003.

Si la gauche savait (avec Michel Rocard), Robert Laffont, 2005.

Le Fantôme de Munich, Flammarion, 2007.

Les Rebelles de l'An 40, Robert Laffont, 2010.

Georges-Marc Benamou

Comédie française

Choses vues
au cœur du pouvoir

Fayard

Ouvrage publié sous la direction de Fabrice d'Almeida.

Couverture : Antoine du Payrat,
photo © Warrin/Sipa.

ISBN : 978-2-213-67845-0

© Librairie Arthème Fayard, 2014

Pour Emmanuel, qui sait

« J'étais convaincu que,
loin de ce volant de l'Histoire,
la vie n'était pas vie mais demi-mort,
ennui, exil, Sibérie. »

Milan Kundera, *La Plaisanterie*

Avertissement

Ce livre est le récit d'un singulier voyage. Durant dix-huit mois, j'ai travaillé avec Nicolas Sarkozy ; d'abord au sein de son « braintrust » de campagne dès 2006, puis à l'Élysée comme conseiller. J'ai connu le temps de la conquête héroïque ; celui de l'éblouissement, l'arrivée au palais, quand s'invente un règne et s'installe un pouvoir ; le temps de l'ambition contrariée et des tourments intimes du jeune président ; puis – certains s'en souviennent – celui de ma propre chute.

Au cœur de la Cité interdite, là où le regard ordinaire ne se porte jamais, j'ai vu vivre et gouverner le *Premier Sarkozy*, et j'ai consigné ces « choses vues » – le journaliste n'a pu faire autrement. Du temps a passé. L'écume des jours s'en est allée, mais l'écrivain en a gardé la trace et, à l'heure où l'on s'interroge sur le destin de ce pays malmené, mal gouverné, le citoyen en a tiré les leçons. Ces pages apporteront, à leur modeste mesure, un éclairage sur la Ve République, la France et ses chimères, les élites qui nous gouvernent, le processus de décision comme celui du renoncement, sans oublier la Cour et le prince.

1

Retour sur les lieux

En traversant le pont Alexandre-III, je me suis aperçu que j'étais guéri. Je pouvais revenir sur les lieux. Enfin, je n'évitais plus cet itinéraire, rive droite par les Invalides, le pont Alexandre-III et, à l'instant où le ciel est si grand, cette perspective bordée par le Grand Palais et le Petit Palais, le solide Churchill, le vaillant Clemenceau, et cette statue de De Gaulle, pied en l'air, martial, mal faite, que tous les matins, en allant travailler au palais de l'Élysée, je trouvais un peu ridicule. Audace, j'osai même m'enfoncer dans l'allée sombre que forment, passé le théâtre, les platanes de l'avenue de Marigny. Je longeai le palais sans l'éviter : la grille du Coq, cette porte secrète pour romans d'espionnage par laquelle Mitterrand s'amusait à rentrer ; la place Beauvau, où tout commença avant que Nicolas Sarkozy ne fût élu ; le petit bistrot rue des Saussaies bourré de flics, d'indics et de taxis où j'allais décompresser des lourdeurs du palais, en reluquant les seins de la serveuse, une beauté à l'ancienne digne de figurer dans un film de Melville. Je me risquais même Faubourg Saint-Honoré, je passai devant le palais au 55, puis un peu plus loin, rue de l'Élysée, où se trouvait mon bureau (et où, m'avait-on dit, les militaires m'avaient remplacé). Je n'y pensais plus. Je ne m'interrogeais plus sur le rendez-vous qui devait se tenir à cette heure-là, dans le bureau du président, ou dans cette salle malcommode, au premier, qui nous servait de lieu de réunion. Je ne cherchais plus à dévisager ce flic ou ce gendarme qui tous les matins me saluait. Je ne levais plus la tête sur cette petite fenêtre, angle Beauvau-Saint-Honoré, où j'avais passé quelques nuits de permanence, avant qu'Emmanuelle Mignon ne supprime cet archaïsme, où, un soir, je fus chargé de guetter un message en provenance de Colombie (la libération d'Ingrid Betancourt ne surviendrait pas), et, terrorisé de manquer une annonce explosive, je m'endormis sur un vieux téléscripteur. Je ne me demandais plus quelle idée saugrenue ou trop sage, quelle réunion d'urgence, quelle volonté du président venait à cette heure affoler son administration assoupie, ses conseillers crânes d'œuf ; faire paniquer le calme Guéant et enrager le sanguin Guaino ; ni quel était le thème de la réunion de fin de journée, où tout se décidait, à la différence de celle du matin, qu'il avait choisi de déserter...

Le palais. Le lieu de tous les fantasmes...

La Cité interdite. Dire que j'y avais cru, que j'étais tombé dans le panneau, comme tant de Français, républicains dehors et monarchistes à l'intérieur, peut-être parce que, comme le soulignait Renan, ils ne se remettent pas d'avoir coupé la tête du roi. J'avais été moi-même, sans le savoir, adepte d'une secte étrange qui avait fait parler d'elle dans les années 1980. À cette époque-là, en effet, un savant farfelu, sorte d'émule de Nostradamus, faisait circuler un mémoire ésotérique où, à l'aide de calculs alambiqués, il tirait la conclusion que l'Élysée était le centre du monde ; le cœur d'un périmètre magique, mathématique et symbolique. Le palais commandait à l'Histoire, depuis des siècles et jusqu'à la chute du mur de Berlin.

Ma folie n'était pas allée aussi loin, mais ce qui restait en moi de cette révérence monarchique, religieuse, avait disparu. J'allais mieux, je le vérifiais comme on se palpe après un crash. J'étais venu, j'avais vu, j'avais été vaincu. Je venais enfin de me relever. J'observais le ballet des huissiers et des gardes républicains derrière les grilles. Je me souvenais de leur pas sur le gravier ou du cliquetis de leurs armes qui résonnaient de façon si particulière dans la cour du palais, et je m'étonnais de ne plus ressentir le moindre manque. Plus une trace, pas même ce pincement qui me prenait naguère lorsque je pensais à eux, qui avaient continué le chemin sans moi : le prince, le chambellan Guéant, qui me glaçait, Guaino le faux frère, le technocrate qui m'avait lâché ; eux qui tiraient sans moi désormais les ficelles du monde. Je n'étais plus ce paria pour la droite, ce traître pour la gauche, ce « courtisan » pour mes collègues de la presse.

Incroyable, j'allais si bien que je m'étonnais même d'avoir pu un jour éprouver goût, passion, addiction pour cette comédie qui continuait à les occuper. Une comédie du pouvoir alors que – tout le monde le sait – le pouvoir ne réside plus dans ce pauvre hôtel particulier, l'un des plus moches de Paris, mais à Bruxelles, à Berlin, à Washington ou à Pékin, et dans les banques. J'avais perdu le goût de cette mauvaise dramaturgie des médias qui consiste, comme le disait Juppé, à « lécher, lâcher puis lyncher ». Et même la nausée me prenait devant cet inconscient monarchico-people qui à tout instant surgit dans notre prétendue République. Les chaînes d'info transformées en commentateurs assoiffés du règne, avec ces potins qui flambent sur Internet dès qu'il s'agit des « affaires royales », ces correspondants plantés sans aucune raison journalistique valable devant le palais, avec ce label magique « en direct de l'Élysée ». Cette comédie française, j'en connaissais trop les dessous, les ficelles, la machinerie. Moi aussi, j'avais connu l'idiote fascination des journalistes pour le pouvoir et ses allées. J'avais été dans ce train-là, j'avais été ce malade ; et la maladie du pouvoir m'avait frappé plus sérieusement que les autres.

2

Tombé de cheval

6 juin 2012, rendez-vous avec lui.

La défaite a été cuisante. Dans quel état sera-t-il un mois jour pour jour après le 6 mai de sa chute ? Il revient de Marrakech, où il a passé son temps claquemuré dans un palais prêté par le roi. Son équipe s'est installée deux jours plus tôt dans ses bureaux au 77, rue de Miromesnil. C'est la première fois que je vais le voir ainsi : ex-président. Il a tout de suite répondu à mon message d'amitié après l'échec, et il a voulu me voir sans tarder. Il doit savoir, par Jean-Michel Goudard, un de ses communicants, que j'ai désapprouvé sa campagne de 2012, et que cette fois je n'ai pas voté pour lui.

J'essuie les plâtres ; l'interphone ne marche pas ; le vigile novice, perdu, me guide jusqu'à l'étage. Sur sa feuille de service, je constate que je suis le deuxième rendez-vous dans sa nouvelle vie. Avant moi, Jean-David Levitte, le chef de la cellule diplomatique de l'Élysée avec lequel il s'était bien entendu ; après moi, Vincent Bolloré. Je me demande quel peut bien être le sens de ce rendez-vous. Nous ne sommes plus proches, je me suis éloigné depuis le discours de Grenoble et ses glissements progressifs vers le populisme ; mais je reste curieux de le découvrir ainsi, en roi républicain déchu, dans son exil récent à l'heure où tout le monde se demande, cherche des nouvelles, y va de sa prévision sur son état, le traumatisme qu'il a subi, et la suite de l'histoire. Les rumeurs les plus folles courent sur lui. Pour les uns, il serait « au fond du trou » ; pour les autres, il serait « inoxydable », il aurait « tourné la page » et voudrait « faire du fric ».

Rue de Miromesnil… Quelle drôle d'idée de s'installer dans ce quartier d'avocats, sans âme. S'il a choisi de se poser là, dans cet endroit singulier, c'est peut-être parce que cette rue descend en pente douce jusqu'au palais tout proche. Il aurait pu trouver des bureaux ailleurs, dans un quartier plus chic, ou plus tranquille. La République est bonne fille, elle traite bien ses anciens présidents. Elle met des locaux à leur disposition. Ils sont « meublés », « équipés », et leur superficie généralement avoisine les 300 m²[1]. En 2007, Jacques Chirac avait choisi de s'installer rue de Lille, non loin de son domicile quai Voltaire. François Mitterrand était allé rue Frédéric-Le Play ; il ne voulait plus reprendre sa vie avec Danielle rue de Bièvre. En 1981, Valéry Giscard d'Estaing avait voulu retrouver sa sociologie et s'était établi rue de Benouville, dans le meilleur XVIe arrondissement. Tous s'étaient éloignés du palais. Sarkozy, lui, ne craint pas de camper dans cette annexe provisoire, à deux pas de l'Élysée perdu. Ce n'est pas Sainte-Hélène, plutôt l'île d'Elbe, et déjà, cela en dit long sur la supposée énigme de son retour.

---

1. René Dosière, *L'Argent de l'État*, Points, 2013.

Un appartement haussmannien, de beaux volumes, un large couloir où sont exposées les plus belles photos de lui et de Carla, une sorte de musée de son quinquennat heureux. De la petite salle d'attente, on voit circuler quelques figures du règne passé : Mme Burgel, la secrétaire particulière depuis toujours, quelques policiers restés à son service, le préfet Michel Gaudin qui a remplacé Claude Guéant dans le rôle de chambellan. Ils sont là, compétents, fidèles, grognards partageant l'exil ; il y a quelque chose de saisissant à voir la machine État d'hier, énorme, intrusive, et si efficace disait-on, tout à coup réduite à ce train de vie de sous-préfecture.

Dans son bureau personnel, on a voulu organiser à Sarkozy un semblant d'Élysée : sa table de travail, d'où il téléphone beaucoup, mais se tient rarement longtemps ; son coin salon, où il aime recevoir, discuter, échanger, mettre les pieds sur la table basse ; et, entre les deux, ces quelques mètres carrés qui lui permettent de bouger, d'aller, de venir, d'accueillir, de raccompagner, de piétiner. Sauf que ce nouveau décor donne une impression visuelle désastreuse : on se croirait dans *Chéri, j'ai rétréci l'Élysée*.

Le voici tout à coup qui surgit, essoufflé (comme avant), s'excusant (comme avant) du retard qu'il n'a pas, et m'accueillant (comme avant) d'une tape affectueuse. Il est marqué, moins flamboyant qu'hier. Il a l'air un peu gauche dans son costume d'ancien président, un peu décalé, mais il ne baisse pas la garde, jamais. Il porte beau, même avec cette barbe naissante dont on ne sait si elle dit le deuil ou les vacances.

Tout de suite, il me parle de cette campagne présidentielle à peine achevée. Elle a l'air de vibrer encore en lui. Il veut me convaincre, moi comme tous les autres, qu'il s'agissait d'une « presque victoire » : « La preuve, ce frémissement dans la courbe durant le dernier week-end... Oui, quinze jours, il m'a manqué quinze jours... Une si belle campagne. Les derniers jours, t'aurais vu ça... » Il se souvient de ses morceaux de bravoure, et semble encore ne pas en être revenu, « à Lyon, à Rennes, à Toulouse, la France était là », avant de lâcher à regret : « Il m'a manqué du temps. » La défaite ? Il n'y a pas de défaite, à peine quelques centaines de milliers de voix qu'en quelques jours il aurait rattrapées. Il n'a pas perdu, il lui a manqué une semaine.

D'ailleurs, il n'y a que ses ennemis pour ne pas le croire, des « ennemis de l'intérieur, ces nuls de l'UMP », des ennemis de l'extérieur, « la gauche, tes copains et leurs coups tordus », et « l'autre » (il parle de Hollande) qui, « rappelle-toi ce que je te dis, n'est pas du tout la sainte-nitouche qu'on veut bien croire ». Sans oublier l'ennemie allemande, Merkel, qui porte aussi la responsabilité de son échec à lui : « une égoïste, il n'y en a eu que pour elle, ses intérêts... »

Ensuite, il reprend, plus grave, moins exalté. Il me parle de la « haine ». « Tu aurais vu cette haine, on n'avait jamais vu un tel déferlement de haine contre un candidat, mon Georges-Marc. » Je suis donc devenu « son » Georges-Marc, et voici qu'il entame alors un étrange verbatim. Il a tout en tête, la liste des dérapages sur tel site d'extrême droite, celle des attaques « nauséeuses » de Mélenchon, celle des coups tordus du Parti socialiste, et celle des comploteurs dans les médias. Il ressasse, comme si cela l'aidait à panser ses plaies. Il veut poursuivre sa liste, il a oublié quelque chose : la haine antisémite contre lui et Carla. La haine antisémite, voilà donc ! Mais ça ne marche pas, je reste froid. Il en a reçu, c'est vrai, des tombereaux de merde, au comptoir de tous les bistrots du pays, il a failli se faire lyncher dans les rues de Bayonne par des Basques ; et sur les réseaux sociaux, la haine des fachos, conjuguée à celle des gauchos, forma, c'est vrai, un cocktail délirant. Mais qui a allumé la mèche ? Qui a commencé avec la haine, dans cette histoire entre la France et lui ? Qui a rompu avec l'idée sacrée de nation en choisissant de diviser les Français, de les opposer, d'alimenter la pire droite avec de mauvaises passions que lui soufflait Patrick Buisson, le dealer de haine qu'il avait pour conseiller ?

Après le choc, il en est encore à refaire le match. À quoi bon lui rappeler mes mises en garde contre cette campagne de 2012, suicidaire et dégueulasse ?

Hollande ? Durant tout le rendez-vous il ne nommera pas son successeur. Il parle de « l'autre » et pas encore de « M. Bidochon » (il ne commencera à le faire qu'au rendez-vous suivant, après l'été et les vacances de François Hollande et Valérie Trierweiler à Brégançon et sur les plages varoises). Ce qui est frappant, c'est qu'il vient d'être défait et qu'il est décidé à y retourner. Même sonné, il veut prendre sa revanche contre « l'autre ». Il n'a pas l'air d'en douter ; les « doutes », ça ne le connaît pas, c'est fait pour la galerie et le *storytelling* dont la presse va se repaître. Il sait que ce ne sera pas tout de suite et précise, avec l'assurance du mécanicien qui relève la jauge : « Il faut laisser passer 2014. » Il a tout prévu. Il a conscience qu'il faut faire durer le suspense, gérer son silence et son absence. Il saura être le recours, se faire désirer. D'ailleurs, Goudard semble avoir déjà largement étudié la « traversée du désert » du général de Gaulle. Je lui dis qu'il faut se méfier, qu'elle a duré douze ans, il passe à autre chose. À ce qui l'intéresse vraiment, son retour, pas le désert.

Il ne feint pas. Il ne fait pas semblant, comme il le fera avec les autres visiteurs, mauvais comédien mimant la retraite. Il sait, je sais, et déjà, nous énumérons les deux conditions nécessaires à son retour gagnant : premièrement, les difficultés économiques de Hollande, inévitables du fait de son programme ; deuxièmement, le « bordel à l'UMP ». « Je ne reviendrai jamais par l'UMP. Ce n'est pas, ce n'est plus de mon niveau. Tu me vois aller dans les fédérations ? Non… *(un silence)* L'idéal serait une victoire ric-rac de Fillon. »

Voilà le plan initial pour cette UMP dont il ne veut « plus s'occuper ». (Par la suite, durant la campagne pour la présidence de l'UMP, il ne saura pas doser son soutien à l'outsider Copé. Il le dopera tellement qu'il provoquera – indirectement, mais avec quelle force ! – la crise dont le parti de la droite n'est toujours pas sorti.)

La feuille de route est claire, et malgré la défaite, il est déjà sur la ligne de départ.

En le voyant ainsi agité, déjà prêt à un autre combat, je m'interroge. Cette histoire d'une « presque victoire » qu'il se raconte, ce déni de défaite sont des signes inquiétants. Il refuse la critique comme toujours, ne semble pas connaître le silence, l'introspection, et n'a pas le moindre recul sur l'épopée ratée qu'il vient de vivre. Pourra-t-il se relever de cet échec ? Y parviendra-t-il sans faire retraite véritable, sans une remise en question profonde, sans réfléchir à ses erreurs, sans procéder à ce que Boris Cyrulnik appelle la « résilience » ? Car, dans son cas, il s'agit bien de cela. J'ai vérifié : cette théorie de la résilience peut s'appliquer à lui.

Nicolas Sarkozy vit un stress post-traumatique. Il était roi et il ne l'est plus. Devant moi, j'ai non pas un perdant, mais un grand accidenté. Lui qui prétendait, à force de sondages et de gourous, avoir dompté l'*animal*. L'*animal*, justement – la France rétive, sanguine, imprévisible, on le lui avait bien dit –, vient de le mettre à terre.

Le prince est tombé de cheval, il a été désarçonné.

Et cette blessure au fond de lui nous est méconnue, inimaginable.

Quelle plus grande violence en effet que d'avoir été l'Élu et de ne plus l'être tout à coup ? La secousse doit être terrifiante, le choc inouï. Un président élu entretient une relation mystérieuse à l'Histoire et au pouvoir. Il y a quelque chose d'archaïque dans la fonction présidentielle sous la Ve République ; le chef de l'État devient un chef gaulois, fût-il élu. Il entame alors avec les chefs gaulois qui l'ont précédé un dialogue privilégié, qui échappe au commun des mortels. Il fréquente des sphères, des mondes et des forces qui nous échappent. Généralement, les grands présidents meurent peu après la fin de leur dernier mandat : un an pour de Gaulle, la même chose pour Mitterrand. Quant aux autres, ils ne s'en remettent pas et survivent, comme Giscard... Un destin à la Giscard ? Son cauchemar, j'imagine.

Première partie

LA CONQUÊTE

1

Débuts Place Beauvau

Place Beauvau. Un mercredi matin de novembre 2006. Le saint des saints de la République, le ministère de l'Intérieur. Un décor à la Fouché qui n'a guère changé en deux siècles. Le centre du pouvoir, en même temps que le lieu où se partagent les eaux troubles, inquiétant à cause des Vautrin que l'on y croise, les policiers douteux, ces « corsaires urbains » selon Balzac. Mais, cette fois, je suis en territoire connu. *Nicolas* m'a demandé de passer à une réunion importante. Sommes-nous amis ? Ce serait impropre, exagéré. Nous avons connu nos premiers faits d'armes de bonne heure tous les deux : lui, à 28 ans, en s'emparant de la mairie de Neuilly contre le puissant Charles Pasqua ; moi, au même âge, en créant *Globe* qui allait bousculer à gauche. Lui qui a eu l'oreille de Balladur, et moi celle de Mitterrand. Disons que, depuis quinze ans, nous ne nous sommes pas quittés du regard. Depuis quelques mois, il me parlait, à chacune de nos rencontres, de sa future « campagne de 2007 » avec des étoiles dans les yeux. Il m'avait prévenu récemment : « Viens me donner un coup de main. Je vais monter un petit groupe qui réfléchit avec moi, tous les mercredis… Oh, c'est un peu off. Te fais pas de souci… J'ai besoin de toi, quelqu'un de ta sensibilité. » Une formule qui devait désigner la gauche, les intellos, les trublions ; et c'est vrai qu'il n'y en avait guère Place Beauvau ou à l'UMP. Au moment où la candidature de Ségolène Royal s'imposait, je jetai mes derniers scrupules à la rivière. J'acceptai de me rendre à cette « réunion importante ».

Je connais le chemin du bureau de *Nicolas* ; quinze jours plus tôt, j'avais été présenté à Claude Guéant, ce cerbère – alors inconnu du public – qui me dévisagea étrangement, au moment où le ministre me présenta. Je décelai une insistance de Nicolas pour le convaincre du bien-fondé de ma présence dans ce petit club, avec un argument du genre « on a aussi besoin de saltimbanques » que Guéant reçut sans enthousiasme. Il n'exprima rien, mais je le sentais bien : il me scannait, il se demandait ce que je faisais là. C'est sûr, ce grand flic du clan Pasqua aurait bientôt sur son bureau toutes les fiches des RG me concernant. De ce poisson froid se dégageait quelque chose d'inquiétant en même temps que d'indéfini, que rien, même sa ressemblance avec Ban Ki-moon, ne put dissiper. Je me suis dit que ça passerait, *j'étais l'ami de Nicolas...*

Le bureau du ministre. Sous les lambris, une vingtaine de personnes patientent. Un désordre savant, des cercles concentriques autour de celui qu'on attend. Des technocrates, des mondains, des politiques, et dans un coin ma copine Yasmina Reza. Légèrement en retrait, mais près de ce qui doit être son siège, Claude Guéant est figé, dans une posture de scribe antique. À ses côtés, la fameuse *dream team* de Sarkozy, ses conseillers techniques, trentenaires, impeccables, kennediens, que l'on vient de découvrir en double page de certains magazines. Il y a la jeune Rachida, dont on parle sans cesse autour de moi – chez Lagardère, on a beaucoup misé sur elle ; Catherine Nay et Albin Chalandon sont ses chaperons dans le monde de la grande entreprise, tout comme Simone Veil ou Roger Hanin. Elle est encore inconnue, mais son carnet d'adresses vibrionnant impressionne déjà. À côté d'elle, David Martinon, un intello moderniste. Il m'accueille avec chaleur ; ce jour-là, avant que la réunion ne commence, il ne cesse de parler d'un certain Barack Obama. Il prétend qu'il sera le prochain président des États-Unis, et autour de lui on accueille ce pronostic avec indifférence, puisque Nicolas n'a d'yeux que pour Bush Junior qui vient de le recevoir à la Maison-Blanche. Un peu plus loin, Laurent Solly, sympathique, bronzé, playboy et surdiplômé. Tout-puissant après Claude Guéant, il gère l'agenda du ministre-président. Il n'est pas une brute droitière lui non plus, cela me rassure. Franck Louvrier, lui, m'est plus familier, avec son air de nounours, il est l'attaché de presse que les journalistes adorent, et que le patron supporte depuis 1997, il l'avait repéré au RPR. Et enfin, Emmanuelle Mignon, surdouée, ultralibérale, à l'allure de cheftaine scout. Elle est considérée comme le « cerveau » de cette *dream team*.

Le deuxième cercle, plus informel, est constitué d'hôtes de passage : on y trouve Antoine Rufenacht, le maire du Havre, un vieux gaulliste élégant qui fut le directeur de campagne de Jacques Chirac en 1995 et que l'on traite avec déférence ; Jean-Michel Goudard, le G de RSCG, matois, cinglant, un des stratèges chiraquiens de 1995, tous ceux qui comptent dans la campagne passent dans sa cuisine ultramoderne. Il est le vrai *Mad Man* français ; un mythique et riche pionnier de la pub. José Frèches, chiraquien indépendant, ancien patron du *Midi libre*, devenu romancier de la Chine ; Christine Albanel, agrégée de lettres modernes, toulousaine, ancienne « plume » de Chirac à l'Élysée, venue, elle aussi, de cette Chiraquie qui tarde à rallier Sarkozy.

À côté de ce pack chiraquien, il y a les « copains de Nicolas », une sorte de garde-manger comme en entretiennent les grands fauves de la politique.

François de La Brosse, sympathique pubard à l'allure de cow-boy Marlboro, un « homme de Cécilia », dit-on ; Henri de Castries, jeune et surdiplômé patron d'Axa, un des patrons les mieux payés de France ; Henri Guaino, épuisé, inspiré, ronchon dans son coin, un ex-séguiniste, malheureux comme les pierres sous Chirac. Non loin, Nicolas Baverez, venu comme Guaino et quelques autres du séguinisme. Les deux ne s'adressent pas la parole : ces séguinistes sont fâchés, comme tous les séguinistes. Chacun, y compris Fillon (qui d'ailleurs n'est pas là), voulant être l'héritier exclusif de ce gaullisme social, cette chimère convoitée. Pour la Sarkozie, le séguinisme est une aubaine, un vivier où l'on puise des hommes, des idées, un corpus « régalien » ; séguinisme, mais sans l'encombrant Séguin.

Yasmina Reza est donc là aussi. Mon éditrice d'alors, Teresa Cremisi, m'avait annoncé : « Ah bon, toi aussi ? Décidément, il y a beaucoup d'écrivains autour de Sarkozy... Yasmina aussi prépare quelque chose. » La présence de Yasmina me rassure, je l'aime bien, je me sens moins seul dans ce zoo ; en même temps, je m'interroge sur mon statut dans cette instance. Je suis un peu jaloux de son état d'écrivain « *embedded* ». Moi, je me suis rendu place Beauvau sans savoir, sans réfléchir, sans vraiment m'être situé. Suis-je un de ces intellectuels ralliés, comme Max Gallo, Alain Finkielkraut, Pascal Bruckner, André Glucksmann et autres « néoconservateurs » à la française ? Ou bien un journaliste « ami », un journaliste « connivent » comme on dit à présent, dans la tradition de mon cher Emmanuel Berl qui, dans les années 1930, hantait les cabinets ministériels au nom de sa conception « briandiste » et pacifiste du monde ?

En vérité, je suis un peu dans le brouillard. Je ne suis pas assez inconditionnel, ou trop sceptique pour théoriser mon ralliement, comme l'avait fait Gallo ou Glucksmann. Je ne peux pas non plus rester un journaliste « objectif ». Je me dis que je trouverais. Je me vois en conseiller de l'ombre, grand manipulateur, en *spin doctor*, un élève de ce Jacques Pilhan qui m'avait impressionné. De 1986 avec Mitterrand jusqu'à 1995 avec Chirac, j'avais pu pénétrer dans son « laboratoire », prendre des leçons d'« écriture médiatique ». Celle-là même que, croyais-je, j'allais apporter à Nicolas Sarkozy, ce surdoué, un peu trop droitier et brouillon à mon goût.

Le Conseil des ministres, en face, doit traîner. Il n'est toujours pas là. Tous se regardent en chien de faïence. Les « hôtes de passage » se demandent, dans une attente polie, quel peut bien être l'ordre du jour de cette singulière réunion ; tandis que les jeunes conseillers continuent, comme si de rien n'était, leur cyber-réunion, penchés sur leur BlackBerry.

Il arrive enfin. Et, avant même d'être assis, lance la réunion. Ou plutôt son corps la lance. Car ce n'est pas un homme, un visage, un masque qui entre dans la pièce, comme j'avais pu l'observer avec Mitterrand ou d'autres majestés. Là, c'est une force qui déboule et d'un coup occupe l'espace. Un corps charpenté, trop carré, étrange quand on le détaille ; une main puissante à laquelle est greffé un portable d'ancienne génération ; un torse fixe qui en impose, et par-dessous des jambes qui tressautent sans cesse. Le visage a du charme, un regard, des attentions, mais l'air de fonctionner indépendamment de cette masse de muscles toujours en mouvement. Le corps gigote sur le fauteuil, la tête se tourne et se retourne, la bouche ordonne au scribe Guéant de tout noter, les yeux suivent plusieurs conversations de front. On imagine quel type de déconstruction aurait pu sortir de l'esprit de Picasso en le voyant.

Voilà pourquoi je suis là aujourd'hui. Par attrait, curiosité pour ce Bonaparte postmoderne.

— J'ai réuni ce petit groupe d'amis pour m'aider dans la future campagne. Ce n'est plus un secret pour personne, même s'il faut encore régler quelques formalités *(rires clairsemés – il parle de la primaire UMP).*

— Ce sera Ségolène... Toutes les indications que nous avons vont dans ce sens. Son investiture va créer une dynamique... Et puis c'est une femme...

Il a l'air ennuyé, comme si, face à un tel adversaire, il ne connaissait pas vraiment le mode d'emploi : il ne laisse rien paraître, mais être confronté à une femme est inédit. Quelqu'un l'interroge sur la rumeur du jour, une troisième candidature Chirac :

— Chirac ? Non ! Il ne se représentera pas pour un troisième mandat. Les chiraquiens racontent cela pour me barrer la voie ; mais non, ce n'est pas possible...

Il reprend, résigné :

— Nous allons devoir aller à des primaires. Ce sera Alliot-Marie contre moi... Il faudra s'y faire, je me prêterai à ce cirque mais que de temps perdu, la gauche sera déjà en campagne...

Ce n'est pas une réunion, mais un monologue curieux, une pensée vagabonde et brillante qui suit son cours, que personne n'ose interrompre.

— Au fond, cette présidentielle, ça sera une épreuve de vérité... Veut-on le changement ? la rupture ? le sursaut de la France ? ou pas... ? Vous verrez... Ce sera un référendum. Les Français devront se prononcer...

Je bondis pourtant à cette évocation d'un référendum et l'interromps avec une brutalité mal dosée :

— Tu ne dois pas parler de référendum ! C'est un piège mortel pour toi... Tu ne dois pas !

Le ministre-président reste interdit, les autres aussi, sans parler de moi, qui mesure à l'instant mon audace. Dans cette assemblée compassée, je n'avais qu'à me taire. Je sortais d'une conversation avec Jean-Marc Lech, le patron d'Ipsos. Il m'avait convaincu que si l'élection se transformait en référendum « pour ou contre Sarkozy », celui-ci la perdrait. Il fallait absolument éviter que se sédimente ce « Tout sauf Sarkozy ». Et d'autorité, ayant coupé le sifflet du chef, je rapporte, en plaidant, ma conversation avec Lech.

Silence.

J'insiste.

Je vois passer un éclair de désapprobation dans les yeux de Guéant, de la surprise dans ceux du premier cercle, un agacement chez Sarkozy interrompu. Je me demande tout à coup si j'ai été trop familier, ou trop irrévérencieux.

Sarkozy se tait toujours, puis finit par concéder :

– Tu as raison... Il ne faut plus parler de référendum. Ce qu'il faut, c'est vrai, c'est casser ce « Tout sauf Sarkozy » que je sens monter.

L'arène, après avoir suspendu son souffle, me fête du regard.

Ensuite, il est question de sa déclaration de candidature à la primaire. Elle doit intervenir fin novembre. Quelle forme doit-elle prendre ? Dans quel média ? Radio, télé, presse ? Des désaccords semblent exister. Nous sommes quelques-uns à le convaincre, dans cette assemblée prudente (étrangement prudente, je comprendrais pourquoi), que le choix de la presse quotidienne régionale est le plus pertinent.

Ces choix étant arbitrés, il reprend son monologue. Il semble rêver, envisager à haute voix les mois à venir, répéter le rôle, jusqu'à cette phrase étrange qui paraît le réveiller de son songe :

– Je vais me lancer. Mais dès que je serai en campagne, je veux être un homme libre, vous entendez, un homme libre !

Il se tourne vers Guéant, qui pique du nez sur son cahier. Un ange passe. Son regard panoramique se porte alors sur son équipe rapprochée. Il répète, avec un ton presque poignant :

– Je serai un homme libre dans cette campagne, vous m'entendez ? Je serai un homme libre...

Il se lève, la réunion se perd, et il leur répète de nouveau, comme hors de lui :

– Je veux être libre...

De quoi parle-il donc ?

Je veux être libre... Veut-il être *libre* de son agenda, rompre avec ce train d'enfer, toutes les obligations que son cabinet doit lui coller ? Ou bien libre à l'égard de l'UMP et de ses notables, sur lesquels il n'a cessé de taper durant la réunion ? Ou encore libre d'assumer le retour de Cécilia, qui est dans toutes les têtes, dans toutes les gazettes, et qui, dit-on, ne ravit pas tout le monde dans le premier cercle de la Sarkozie ?

Je m'interroge sur cette phrase qui sonne comme une menace à l'égard de son entourage, au moment où je note l'absence, justement, des barons de ce premier cercle.

Où sont donc passés Hortefeux, son bras droit de toujours, Pierre Charon, Fréderic Lefebvre, les plus fidèles de ses mousquetaires ? J'arrive visiblement après une crise intestine. Je le comprends à des allusions, des silences, quelques confidences que me fait Martinon. Cécilia et Guéant venaient de défaire le clan des sarkozystes historiques de « la firme[1] ». De ceux-ci, il ne reste dans la réunion que Laurent Solly. Je saisis enfin, en découvrant cette ambiance assassine, pourquoi on les appelle ainsi.

Sarkozy, sitôt fini son sermon sur l'homme libre qu'il sera, file par la porte de son secrétariat comme on rejoint la coulisse. À cet instant surgit, comme dans un scénario bien réglé, Cécilia. Magnifique et sévère, elle toise l'assemblée intimidée, semble compter les présents, puis se met à faire son tour de maîtresse de maison. Elle évite

---

1. « La firme » : « expression trouvée par le journaliste Jean-François Achilli (France Inter) pour désigner la garde rapprochée de Nicolas Sarkozy. Pierre Charon, Frédéric Lefebvre, Franck Louvrier et Laurent Solly en sont les membres. », Marie-Laure Delorme, *Les Allées du pouvoir*, Seuil, 2011.

ses ennemis ostensiblement, néglige ses protégés, choisit de saluer avec gravité quelques nouveaux venus. Nous nous connaissions peu ; elle se penche vers moi, pour me chuchoter, comme l'aurait fait une Catherine de Médicis :

— Vous, au moins, ça me fait plaisir de vous voir.

2

Slogan de campagne

Derrière la façade de rêve, kennedienne en diable, il y avait donc des fractures. Je les observe, me gardant bien de me mêler aux disputes claniques. Pourtant, quelques jours plus tard, au sortir d'une réunion, je commets ma première erreur. Cécilia me voit en train de plaisanter avec Laurent Solly. Elle se raidit, me foudroie du regard, et, de ce jour, son comportement envers moi change... Pour elle, je suis passé à l'ennemi. Qu'importe, les réunions du mercredi se succèdent, et dans cette assemblée un peu compassée, je fais merveille. Je lance des idées un peu dingues qui ont l'air de plaire à Sarkozy. J'aime ces audaces que ni les conseillers ni les « hôtes de passages » ne s'autorisent, et visiblement il a besoin des miennes. Depuis l'enfance, je suis très à mon affaire dans ce genre de compétition, je fais feu de tout bois. Je suggère d'adopter la stratégie d'« écriture médiatique » chère à Jacques Pilhan – Sarkozy adopte l'expression, mais hélas pas toujours les méthodes de Pilhan. Je propose l'idée de « cartes postales mémorielles » dans lesquelles le candidat s'inscrira, comme le Mont-Saint-Michel. Il s'en empare tout de suite, et Guaino est bien obligé d'être d'accord. Je décrète que mieux vaut l'ouverture façon de Gaulle 1958 que celle de Mitterrand en 1988 ; il s'enthousiasme avec la foi du novice. Je plaide contre les conformismes, il biche et se tourne pour me donner en exemple à Guéant, qui acquiesce mécaniquement. J'insiste pour qu'on célèbre de Gaulle et Churchill à Londres, ou Rimbaud à Charleville. Il prend et enjoint au vaillant Solly de chambouler son agenda. De réunion en réunion, je sens que mon crédit s'affirme.

Mais le morceau de bravoure qui me rendit indispensable, c'est un mot.

Un seul mot qui dit bien le dérisoire et le comique de ce genre de situation, et de ce milieu.

La tension est vive, en ce début de campagne.

Nous sommes en novembre 2006 et le précandidat n'a toujours pas son slogan. Il s'en agace. On sait l'importance du slogan. Il va structurer, porter ou au contraire défaire une campagne. Il est sacré, on va le répéter, et il va agir comme un mantra. C'est ce qu'on croit avant le démarrage d'une compétition électorale, le candidat le survalorise et mythifie le rite. Il se réfère à la religion du marketing et aux grands succès politiques du passé... Sarkozy rêve de cette folle martingale lexicale qui le fera triompher, de sa « force tranquille » à lui qui écrasera les mots des autres, de cette formule magique qui en fera le vainqueur de la joute. L'équipe a analysé, trituré, comparé les slogans vainqueurs depuis la création de la Ve République ; étudié les grands référents étrangers, surtout américains ; passé au crible les slogans perdants, du genre Giscard 81 – « il faut un président à la France » –, pour préférer l'esprit de celui de Pompidou, « le changement dans la continuité ». On a tout mis en équation, mais hélas rien ne sort. On ne voit toujours pas venir la formule attendue, toujours retardée.

En vérité, le slogan fait l'objet d'une terrible bataille. En coulisse, deux clans s'opposent, et, à travers eux, leurs deux créatifs. D'une part, François de La Brosse, patron d'une agence de pub et ami de Cécilia. D'autre part, Jean-Michel Goudard, intime de Sarkozy, et haï par Cécilia, qui a fait toutes les campagnes de Chirac. Dans les couloirs, avant les réunions, durant les réunions, par sms, et même par écho du *Canard enchaîné*, la guerre fait rage. Des pistes de slogans rivalisent. Les uns plaident, les autres démolissent. Chacun débine l'autre. La situation paraît bloquée, le temps passe, et Sarkozy s'en agace donc ce mercredi.

Aucun slogan de campagne n'a été validé, mais *Le Canard enchaîné* vient de faire fuiter une « proposition ». On voit la tête de Sarkozy, sur un sac promotionnel, assorti de ces mots : « Tout est possible avec Nicolas Sarkozy. » En clair, Sarkozy en Superman !

Ce slogan, digne de la réclame des années 1950, est stratégiquement inepte et politiquement dangereux. La France va se crisper devant ce côté « homme providentiel » (dont elle n'a pas besoin).

Est-ce un ballon d'essai ? Un piège de la firme pour discréditer La Brosse ? Ou au contraire une fuite organisée par celui-ci afin d'imposer son slogan ?

Je les entends parler benoîtement de ce slogan, de ses avantages comme de ses inconvénients. Le chef paraît satisfait, et donc les membres de son cabinet aussi. Personne pour critiquer, personne pour contredire, tant il a l'air content. Personne pour lui dire la vérité sur ce slogan impossible. Goudard n'est pas là, les représentants de la firme ayant été purgés, chacun se tait. Seul Solly échange un regard avec moi. Il semble consterné. Je bous.

Devant cette silencieuse unanimité, je mets les pieds dans le débat :

— Il n'est pas possible, ce slogan de campagne. C'est un appel à l'homme providentiel, peu crédible et contre-productif... Tout ce qu'il faut éviter...

— Ah bon, tu trouves ?

Sarkozy, si bienveillant d'ordinaire, a l'air rogue tout à coup. Je lui gâche sa fête. Je romps la concorde, sa fierté enfantine d'exhiber son slogan, la joie servile de l'entourage. Il me lance comme un défi :

— Ah bon ? Et alors qu'est-ce tu proposes... ?

Silence, perplexité, et comme dans les westerns, quand on voit le héros en danger sentir son pouls, la bouche sèche, je cherche mes mots. Trouver quelque chose, vite, un mot bêta pour faire avancer le débat. Un mot qui fasse mouche, un pauvre adverbe, avant que ne résonne le gong de son impatience. J'en jette un, intuitivement, sans conviction.

— Ensemble.

— Quoi, ensemble ?

— Bah... « Ensemble », oui, il faut intégrer le mot...

Je me hasarde, j'improvise. C'est vrai, cela sonne mieux, « Ensemble, tout est possible »... La nature arrogante, homme « providentiel », de ce « Avec Sarkozy, tout est possible » se trouve ainsi atténuée.

J'insiste, je répète, forçant mon assurance.

— Oui, « Ensemble, tout est possible »...

Grognements. Regards à la ronde. L'instant où, dans les assemblées de fayots, on se met aux abris. Un conseiller croit faire le malin : il manque le nom du candidat.

Je me défends.

— Pas besoin de mettre le nom dans le slogan. Ta photo sera sur l'affiche. On saura qu'il s'agit de toi. On identifiera ce slogan à ta personne. Il veut dire la même chose, mais n'est pas attaquable… Et puis tu as besoin de rassembler…

Puis un nouveau silence de western.

— « Ensemble, tout est possible », c'est tout de même mieux que « Avec Sarkozy, tout est possible ».

Visiblement, ils attendent l'exécution.

Elle ne vient pas.

Il garde cette moue contrariée qui est la sienne, lorsqu'il ne sait pas. Il lève la séance. Il se laisse le temps de réfléchir.

Après d'autres péripéties, la campagne sera placée sous la formule « Ensemble, tout devient possible ».

3

L'oreille du chef

C'est David Martinon qui me le révèle d'un air bougon, un jour où il avait dû encore s'être fait rabrouer par *Nicolas*.

— Oh, tu sais, toi, tu peux lui dire. Tu es un des seuls qu'il écoute… Tu sais, tu as l'oreille du chef, et c'est rare.

Il insiste sur « c'est rare ». L'information m'étonne, je n'ai mesuré ni mon influence ni surtout sa solitude dans cette campagne qui commence. Visiblement, *avoir l'oreille du chef*, cela compte chez ces gens-là. Quiconque rencontre Sarkozy comprend le problème. Cet homme est bluffant, mais il n'écoute jamais, il ne sait pas écouter. Alors il parle, et on le laisse parler. Il parle sans cesse. Il parle pour expliquer, prouver, plaider, se défendre, illustrer. Il parle comme on pose ; il prend l'autre à témoin comme on prend la lumière. Il parle et ne laisse jamais son interlocuteur placer un mot, pour avoir un avis, tester une idée, ou en faire son miel, comme l'enjoint la maxime élémentaire de Machiavel au prince. Il ne vous en laisse pas le temps, et souvent s'il pose une question il n'attend pas la réponse. Il parle pour dominer, mais aussi, j'ai fini par en être convaincu, pour se protéger des autres, les tenir à distance, eux, leur corps, leurs mots, et aussi ces silences qu'il ne supporte pas. Sa vie, ses réunions dans le Salon Vert plus tard, dans les Conseils des ministres, sa passion : soliloquer. Ni les ministres silencieux, car menacés quand ils prennent le risque de parler, ni les conseillers rapidement rééduqués, ni les visiteurs sidérés ne peuvent le contester. Pour ce mâle dominant, une trop bonne idée devient vite une idée rivale, et risque d'être considérée comme une insulte à son intelligence.

Pour lui, gouverner, c'est parler. Aux autres, à Guéant, et à *la machine*, de transformer sa parole en action.

J'ai l'oreille du chef... Il m'écoute, en ce temps-là. Il suit plusieurs de mes idées, il m'en réclame, ou pousse ce « pauvre Claude » (Guéant) à mettre à exécution certaines de mes dingueries : qu'il s'agisse de monter une *war room* électorale ou de griller la politesse au président Chirac à l'anniversaire du Centre Pompidou. Il me sollicite à tout moment, petit coup de fil du matin, du soir, entre deux avions, pour rien, pour faire le point, tester une idée, me tenir en éveil. Il me parle de tout, de la dernière de Chirac et comment il va « le faire rentrer dans l'enclos », des manigances de cette « sorcière de MAM », de la « dernière saloperie de Raffarin », de ces notables ex-UDF qui lui « chient dans les bottes » ou même de s'inquiéter des faiblesses de son dispositif, de ce conseiller qui le préoccupe parce qu'il parle trop à la presse...

Certains dimanches de solitude, en fin de journée quand il doit faire le tour de son état-major de fortune, il s'épanche. Il me parle de son grand-père et moi du mien ; nous nous souvenons ensemble de ces longues promenades du dimanche, sans but ni limite, avec ces géants de nos enfances. J'ai le sentiment que nous avons eu des jeunesses jumelles, grises, à la lisière de la bourgeoisie des années 1960. Il nous arrive même d'avoir quelques joutes républicaines, des chamailleries. Ainsi, j'aime Clemenceau, pas lui ; mais nous nous retrouvons sur Georges Mandel, son bras droit, son héritier. Au sortir d'une de ces conversations émues, il me jure qu'une fois élu, il fera « entrer Mandel au Panthéon, tu verras », comme s'il voulait me prouver son affection.

Avoir l'oreille du chef... Je n'ai pas connu cela, cette douce et vaniteuse ivresse, depuis le vieux Mitterrand, qui parfois m'écoutait. Je sors de cinq livres, de cette année aux Archives nationales à travailler sur les accords de Munich, et où j'ai frémi en voyant la France décliner, d'une lourde série, solitude, deuil, divorce, bataille pour mon fils. Je reviens de loin, de l'exil où m'ont jeté Lagardère et Chirac, et là, tout à coup, je revis. J'ai son oreille. Je suis sollicité pour mes avis, pour une affiche, une réaction, un discours, le réécrire, le couper, le massacrer, pour savoir s'il faut accepter un débat avec tel ou tel, pour organiser une contre-offensive.

J'ai le contact. Je me permets tout, cette familiarité franche, parfois brutale que je crois être un privilège durable. Tout semble facile. Je m'étonne même qu'il suive à ce point mes mises en garde, la moindre de mes idées, mes conseils un peu trop directifs, cette forme de coaching parfois intrusive et sévère. Sur le moment, je plane. J'ai l'impression de voler de victoire conceptuelle en victoire. Durant cette période de mise en place et de flottement, tout devient possible avec Sarkozy. Il accepte avec tant de facilité que je n'en reviens pas. Je suis comblé. Le grand Hugo écrivait : « Avoir l'oreille du roi, c'est tirer et pousser à sa fantaisie le verrou de la conscience royale, et fourrer dans cette conscience ce qu'on veut[1]. » Cet exercice procure en effet un sentiment puissant et trouble. Parfois une griserie, il faut l'avouer. Celui qui a l'oreille du maître est un oracle, un maître du monde par procuration.

D'où vient cette étrange faculté qui, de Mitterrand à Sarkozy, me permet d'accéder à l'oreille du chef ? Au fond, les grands politiques sont comme les grandes actrices, apparemment inabordables. Ils sont très seuls. Il suffit de trouver la (bonne) fréquence, et le (bon) moment. *Avoir l'oreille du chef.* Cette recherche semble bien avoir occupé mon enfance : des peurs qui, durant la guerre d'Algérie, me firent considérer la foule comme dangereuse, et chercher un refuge (républicain) pour m'en protéger ; avoir été le « petit-fils préféré » d'un grand-père dont la ressemblance avec Charles de Gaulle m'emplissait, du haut de mes cinq ans, de confiance orgueilleuse ; avoir préféré la fréquentation des morts et de mes instituteurs à celle des jeunes vivants qui me terrifiaient dans la cour de récréation... Voilà pour les manifestations de ce qu'il faut peut-être appeler une névrose.

Le moteur réside là, dans la recherche inassouvie de l'oreille du père. Trouver le bon instant et le bon ton pour lui parler ; se faire entendre de lui ; saisir son attention, distraite trop souvent ; et au moment où tout à coup je ne suis plus le centre du monde (mon frère arrive), et où autour la guerre menace, se faire valoir auprès de lui. J'avais développé des stratégies. J'avais très tôt appris à rechercher le

---

1. Victor Hugo, *L'Homme qui rit*, tome 2, page 28, éd. 1869.

point précis, la bonne fréquence. Comme sur le gros poste de la maison familiale, où je recherchais des radios exotiques. La bonne fréquence, ni avant, là où le son s'annonce et les graves rebondissent, ni le millimètre d'après, où cette voix se perd dans la nuit. Le point de contact, trouver les mots, le ton, la petite musique, le sujet qui intéressera.

Cette oreille-là, faute d'avoir été celle du père, est devenue celle du chef.

Vivre auprès d'eux, dans cet exil imaginaire, plus que dans mon siècle, a toujours été chez moi une tentation. Trouver dans l'Histoire et ses gloires le moyen de fuir la grisaille contemporaine. L'écrivain chez moi avait fini par aimer ce dialogue impossible avec les chefs gaulois du passé. J'avais écrit sur le de Gaulle de juin 1940, splendide ; sur celui de la traversée du désert, prophétique, noir, presque acariâtre, puis sur celui de 1958 à la recherche incertaine de son Idée de la France. J'avais traqué Pétain, sondé son âme ; j'avais poursuivi avec le plus piteux des chefs gaulois, Daladier, dans l'intimité duquel j'avais vécu durant deux ans. Ce dialogue impossible avec l'Homme de l'Histoire, celui dont parle Malraux dans *Les Chênes qu'on abat,* je l'avais trouvé dans mes livres. C'était le même cheminement, un peu buissonnier, mais au fond déterminé, autour de la France, de ses derniers monarques, de son coucher de soleil.

Avec Sarkozy, je faisais un saut périlleux.

Je passais du rêve au réel. Je changeais d'exercice mais je parviendrais, c'est sûr, à transmettre à ce « sauvageon de la politique », qui comme moi aimait son grand-père, la rageuse utopie de Clemenceau. J'y croyais ; en vérité, j'étais mal sorti de mon roman.

4

Abandonné par Cécilia

L'autre condition pour « avoir l'oreille du prince », c'est d'arriver au bon moment.

C'était le cas pour moi, et ceux qui allaient faire la campagne.

Sarkozy vient alors de perdre celle qui est sa seule conseillère. Officiellement, à l'automne 2006, Cécilia est *rentrée à la maison* depuis quatre mois. Nicolas a voulu immortaliser la scène. On a pu les voir dans un décor grandiose, sur cette pirogue en Guyane, sur le fleuve Maroni. Tout est rentré dans l'ordre, il n'y a plus d'ombres au tableau ; il n'y a jamais eu de rival, d'Attias ou quiconque ; il n'a même jamais été question de divorce. C'est la vérité autorisée, celle que les médias s'empressent de propager et les proches de répéter. Fin de la séquence « famille en crise ».

Mais je sens un flottement dans ce récit trop parfait. Cécilia est-elle vraiment de retour ou est-ce une comédie ? La question n'est jamais formulée, à peine chuchotée, de crainte des oreilles hostiles ou des « grandes oreilles ». Elle ne sort jamais dans le *Canard* ou dans les confidentiels des hebdomadaires, alors que la moindre vacherie entre

Rachida et la firme s'y étale chaque semaine ; la question Cécilia est tue, verrouillée, sous contrôle. Taboue. La vie du cabinet, et plus tard celle de la campagne, sera rythmée par cette énigme : Cécilia, là ou pas là ?

De son premier cercle, Sarkozy doit se méfier aussi, car on a parfois l'impression d'un ballet trop bien réglé. C'est ainsi qu'on a pu voir surgir Cécilia à la fin de la première réunion du mercredi ; avant qu'elle ne disparaisse de toutes les instances réunies autour de son mari ; puis réapparaître après une longue éclipse, le temps de faire de simples salutations puis de se retirer. Elle va et vient, passe en coup de vent (de moins en moins souvent). Elle donne l'impression de faire de la figuration. Nul ne sait, sauf Guéant peut-être, ni n'oserait demander à son voisin, si Cécilia loge encore Place Beauvau, ou si cette rumeur d'un appartement loué le long du bois de Boulogne, sans lui, est vraie ; si, comme on le murmure, Attias est revenu des États-Unis et a quitté sa compagne pour retrouver Cécilia. Ou s'il est exact que Nicolas est si malheureux qu'il dort de plus en plus souvent à Neuilly, chez son frère François, « où au moins on s'occupe de lui »...

On se perd en conjonctures, échangées avec parcimonie et dans la crainte. Est-elle revenue ? Ou pas ? L'important, c'est qu'elle l'a abandonné. Cela saute aux yeux, il est perdu sans elle. Il a beau ne jamais en parler, feindre la sérénité ou faire le faraud, personne n'est dupe ; son désarroi est flagrant. On peut l'évaluer à son air du matin, à sa tenue vestimentaire moins soignée, à un mot, à une humeur, à ses nerfs, à sa barbe ou à ses traits creusés sur ce visage qui, plus qu'un autre, accuse la souffrance ; parfois à sa mine de mauvais comédien qui surjoue la bonne humeur, à d'autres moments à un regard trop fixe après une phrase automatique, ou encore à sa disponibilité en début de soirée, entre chien et loup, alors qu'il vous appelle trop affectueusement « mon Georges-Marc ». Ces indices ne trompent pas.

En réunion, son humeur est indexée sur la situation du couple. Les mauvais jours, il s'agace de tout, d'un rien, de son cabinet, de ses compagnons les plus anciens comme Hortefeux, de ses hussards Estrosi ou Morano, de sa *dream team*, épuisée par le rythme du ministère, auquel s'ajoute le début de campagne. Il trouve trop sages les idées des réunions du mercredi et en suscite d'autres en petit comité le dimanche soir, qu'il trouve cette fois trop folles. Il cherche, il flotte. Il est parfois si injuste avec les membres de son cabinet qu'il semble leur en vouloir du départ de Cécilia.

Pourtant, tous s'étaient donné du mal durant les périodes d'éclipse de la reine. Guéant, chambellan docile, omniprésent et omniscient, avait fleuri toutes les semaines le bureau de Cécilia, resté immaculé place Beauvau, et le lui avait fait savoir. Les membres de la firme avaient agi autrement. Ils avaient soigné le roi comme un grand brûlé, puis distrait au mieux sa solitude, avec en tête Pierre Charon, l'ennemi juré de Cécilia. Tandis que, dit-on, toutes les informations de la nouvelle vie de Nicolas étaient régulièrement rapportées à Cécilia par Rachida, « restée fidèle »...

Bientôt deux ans que cette guerre sentimentale avec ses multiples batailles, le mobilise, et il ne cède rien. Il paraît épuisé, ministre marathonien, patron de l'UMP, homme à tout faire de la droite ; il mène le combat Cécilia avec la même vigueur et le même sérieux qu'il traite ses dossiers politiques. Il connaît ce conflit-là et il pense le gagner. Depuis ce week-end à Petra, en mai 2005, où Richard

Attias a fait basculer leur vie, il y a eu bien des rebondissements, des vrais retours, des faux départs ; et ce sportif d'endurance s'acharne. Il ne renonce pas là où un autre se serait incliné, il y croit toujours, malgré les incessants Paris-New York de la dame. Son autre combat, il ne le perd pas de vue, bien sûr, c'est l'Élysée, mais tout est lié : l'Élysée et Cécilia. Y entrer avec elle, pour elle, par elle. Il le lui a dit : « Nous gravirons les marches du pouvoir ensemble[1]. »

À présent, comment rester fidèle à ce serment ? Il n'a rien imaginé d'autre dans la vie de légende. Il est resté accroché à ce rêve. Il conquerra le monde pour elle, avec elle. Ils seront la Jeunesse, la Modernité, ils seront les Kennedy, en mieux.

Mais elle n'est plus là.

Elle a délaissé ce rêve, il n'est plus le sien. Pour la première fois depuis vingt ans, il va devoir affronter l'obstacle sans elle. Et quel obstacle ! Il avance d'un pas mal assuré dans ces moments décisifs, moins pro, moins exigeant que je ne l'aurais cru. Il n'a plus personne vers qui se tourner, pour savoir, pour trancher, pour monter un coup ou pour éviter de tomber dans un piège ; pour savoir s'il faut se montrer avec untel plutôt qu'untel ; pour se méfier ou se fier. Il aimait l'avoir tout près de lui, tout le temps, son cerveau, son premier public, sa bulle. Il avait besoin d'elle comme on respire.

Du coup, je l'observe, il n'a pas sa campagne en tête, et ça se sent. Sa feuille de route n'est pas claire. Il me fait parfois penser à un culbuto idéologique. Tantôt, il va trop à gauche, comme ce jour où, avec moi, il s'enthousiasme

---

1. Anna Bitton-Cabana, *Cécilia*, Flammarion, 2008, p. 80.

pour une idée choc que je lui propose afin de gommer son image « autoritaire » : l'introduction en France d'un *habeas corpus*[1] inspiré de la tradition anglo-saxonne. Parfois il va trop à droite, quand il voit beaucoup Guaino ou revient de rendez-vous avec de mystérieux conseillers, il n'y en a alors que pour le « régalien » – mot qui signifie tout et rien, mais sent le durcissement. Bref, il a du mal à marcher, comme jadis, sur ses deux jambes, la gauche et la droite. Il cherche son ancrage ; depuis le départ de Cécilia, il est mal arrimé.

Elle a encore un bureau Place Beauvau et y a laissé des reliquats de vie. En vérité, son retour aux affaires a des allures de faux-semblant. Ont-ils un accord, ou bien trouvé une solution provisoire ? Avec le recul, je crois à la thèse d'Anna Cabana : ce fut un retour « par devoir[2] ».

Cécilia sait qu'il n'y arrivera pas sans elle. « Son devoir » est donc de contrôler, cadrer, surveiller la machine. Il suffit de poser un regard freudien sur la vie de Sarkozy, de comprendre son besoin d'absolutisme maternel pour s'inquiéter quand ce pilier se dérobe. Elle reste pour lui. Pour lui éviter un effondrement prévisible. Le seul à être dupe, c'est lui. Il est convaincu que la faire entrer à l'Élysée est la seule manière de la reconquérir. Une fois au palais, il fait le pari qu'elle ne pourra plus partir... Il se trompe mais c'est son moteur dans cette bataille.

---

1. L'habeas corpus énonce la liberté fondamentale de ne pas être emprisonné sans jugement, au contraire de l'arbitraire, qui permet d'arrêter n'importe qui sans raison valable.

2. Anna Bitton-Cabana, *Cécilia, op. cit.*, p. 77.

*

Décembre 2006. À l'heure de la pause, après une longue séance de travail sur le positionnement du candidat, je suis chez Jean-Michel Goudard, dans la cuisine de son gigantesque appartement vide dominant Paris. Il fait froid. Je fume une cigarette. Je lui confie mes inquiétudes sur l'état de *Nicolas*. Peut-il tenir le choc de la campagne ? Peut-il tenir sans Cécilia ?

Goudard est celui qui sait et le connaît le mieux, le plus finement. Une vieille complicité les unit qui remonte à la « période Chirac » de Sarkozy, celle où il est si proche de Claude Chirac, presque le fils de famille, et Goudard l'ami inséparable. La dévotion de Goudard est complexe ; il est lucide, critique parfois son poulain, mais il s'est donné à lui. Il n'a besoin de rien, il a de l'argent, il a sa carrière derrière lui. Il s'est mis au service d'un destin.

— Tu ne comprends pas, Nicolas est un surdoué ; mais il est fragile, plus fragile qu'on le croit, c'est un personnage insécure... Elle jouait le rôle de la *mamma*, elle n'est plus là. Il est déboussolé.

Il se tait, puis ricane avec tendresse, comme en lui-même, avant de me souffler un aveu :

— Tu sais, notre petit génie a deux talons d'Achille. Le premier : la personne qui a raison, c'est la femme qui est dans son lit... Pense toujours à ça avec lui.

Je veux en savoir plus, il s'en tire par une pirouette :

— Le second talon d'Achille, je t'en parlerai plus tard.

Le talon de notre Achille, le premier du moins, c'est donc cela.

Sa déroutante capacité à s'attacher, vite, absolument. Sa dépendance, sa tendance à l'addiction.

La dépendance à la femme dans son lit, ou qui n'y est plus. Cette faiblesse que je découvre le place forcément sous l'emprise de quelqu'un : Cécilia hier, à présent Guéant, figure du père sévère, Guaino, Goudard, Minc le week-end... Ou encore la science rassurante des sondages, dont il commence à abuser. J'entrevois cette faille.

Goudard est intarissable quand il s'agit de son héros ; il est remonté maintenant contre Villepin, le rival haï, qui dans Paris répète à qui veut l'entendre qu'« un homme qui ne tient pas sa femme ne sera jamais choisi par les Français ».

Je lui objecte que la thèse de Villepin n'est pas absurde : la France veut un chef, elle ne l'aime pas faible et trompé. Cette « question virile » peut même être un problème dans la campagne.

Il a dû y réfléchir. Il me rétorque avec la tendresse amusée du grognard :

— Tu sais, entre eux, c'est un peu comme entre Bonaparte et Joséphine !

Je n'y crois pas ; je me dis que c'est là une vision bien indulgente, que son admiration pour Sarkozy l'aveugle.

Puis je lis les lettres de Joséphine... On a oublié ses nombreux amants tandis que Bonaparte menait sa campagne d'Italie. Qu'elle eut, elle aussi, son Richard Attias — un capitaine de hussards nommé Hippolyte Charles —, avant qu'à son retour, Bonaparte ne se venge en lui faisant subir la présence de rivales.

5

Le sacre de Guaino

Sarkozy revient de Charleville-Mézières, où il a lancé son tour, le 18 décembre 2006. C'est une de ces « cartes postales symboliques » que tentent Goudard et Solly. Opération réussie. Il a l'air heureux, sûr de lui à nouveau. L'exercice était à haut risque : faire du neuf avec du vieux ; remplacer la « fracture sociale » gagnante en 1995 avec Chirac par la même idée, celle de « la France qui souffre ». Bref, faire du Chirac sans Chirac, et de plus en installant l'idée de « rupture ». L'équation paraissait impossible, mais la sphère médiatique a aimé ce « nouveau Sarkozy ». Elle n'a vu que du feu dans ce tour de passe-passe symbolique.

De Sarkozy l'Américain, nous sommes passés ni vu ni connu à Sarkozy l'homme des usines. L'image ouvriériste s'est imprimée dans le cortex français.

Mais ce qui l'enchante par-dessus tout, ce n'est pas la réussite de ce saut périlleux politique, c'est le discours. Son discours. Il en est encore plein, encore vibrant. Il raconte l'épopée de Charleville-Mézières devant le petit cercle, en oubliant l'ordre du jour :

« Cette France qui souffre mais qui veut vivre debout sur sa terre et qui ne demande rien d'autre que la justice, je veux parler en son nom...

La France qui souffre, ce n'est pas seulement celle des exclus, celle des désespérés, celle des laissés-pour-compte, celle des sans-domicile, celle des pauvres sans travail.

La France qui souffre, c'est aussi celle des travailleurs pauvres, de tous ceux qui estiment ne pas avoir la récompense de leur travail, de leurs efforts, de leurs mérites... »

Il aime tant cette scansion, *La France qui souffre...* Tel un grand interprète qui inaugure son tour de chant, il a besoin de faire le point. Il s'étonne de l'effet produit à Charleville, il jubile, revit, veut retrouver les meilleurs moments – comme j'ai vu Yves Montand le faire au lendemain de son historique retour à la chanson, en 1981 à l'Olympia.

Un instant plus terre à terre, il débriefe à l'attention de Guéant et des autres – « Je propose que celui qui veut travailler plus pour gagner davantage ait le droit de le faire... » – et souligne le bon accueil de la notion de « travailleur pauvre ». Il relève que le « travailler plus pour gagner plus » va prendre dans l'opinion, mais c'est à son « grand discours » qu'il revient. Pas de place pour les idées, les dépenses, l'économie, la dette, comme Nicolas Baverez ou Henri de Castries l'auraient voulu... Il est aux anges, se tourne et se retourne vers Guaino avec gratitude.

Dans cette course au prince à laquelle se livre l'entourage, l'événement est d'importance. Guaino a gagné, il a relevé le défi que j'ai esquivé. Il vient d'être sacré « parolier officiel » – et je sens une morsure de jalousie.

Depuis des semaines, Sarkozy me demande d'écrire pour lui. « Des textes, des discours, ce que tu veux... Mon Georges-Marc, écris pour moi... » Il est pressant et enjôleur. Il sait que j'ai aidé Mitterrand sur un ou deux textes, ses vœux présidentiels de 1993 sur lesquels l'ancien président séchait ; ça l'a épaté, je crois. J'avais refusé, toujours trouvé un prétexte, jusqu'au jour où je ne pus plus y échapper. Je m'y étais mis. Une tribune demandée par un grand journal international. Un conseiller m'avait fourni une trame, intéressante mais trop spécialisée. J'avais commencé à rédiger ; les phrases étaient sans rythme ; les développements artificiels et creux. Tout était pesant. Je n'y arrivais pas. En fait, je détestais ce travail de nègre. Plutôt que de livrer une bouillie, j'avais renoncé. Je m'en étais sorti en prétextant des retouches urgentes sur mon livre. J'avais déclaré forfait. Il l'avait noté, un peu agacé : « Bon, t'en fais pas, mon Georges-Marc... »

Désormais, c'est Guaino qui aura accès non seulement à son oreille, mais aussi à sa fraternité, à son action, à son âme qu'il est désormais chargé – on vient de le comprendre – de traduire, de défendre et d'illustrer. Déjà, dans la préparation de ce discours, il y avait eu des signes. Guaino avait imposé l'inacceptable, dans ce milieu rigide : sa mauvaise humeur de diva, ses colères, ses tocades, ses retards et ses portes claquées, bref tout le théâtre de sa passion.

Mais cette jalousie était vaine, je m'en rendais compte. Il avait une longueur d'avance. Il avait travaillé dur. Il avait su fabriquer ce dont j'aurais été incapable ; suer, j'imagine, sang et eau pour sortir ce beau texte un peu fou : « Ce département des Ardennes où s'est joué tant de fois le sort de la nation et où, dans l'ombre des grands arbres, d'anciennes légendes entretiennent le mystère des vieilles forêts qui ont vu passer les légions de César et les armées de Charles Quint. »

De ce jour, et des années durant, Henri Guaino sera le grand prêtre de ce culte. Il avait voulu ce destin. Il l'avait raté avec Chirac en 1995 et n'avait pu le réaliser avec Séguin. Lui seul, l'amoureux, l'orphelin, le Petit Chose arlésien, pouvait réussir cet exercice fusionnel de haute voltige.

6

L'affaire Johnny

« Johnny Hallyday a décidé de vivre dans la station de ski de Gstaad six mois – plus un jour – par an pour des raisons fiscales. »

La nouvelle est une catastrophe. Le chanteur national qui déserte. L'intime de Sarkozy qui ne veut pas payer ses impôts en France. Le repositionnement à peine entamé avec la « carte postale de Charleville-Mézières », voilà que cette casserole d'« ami des riches » le rattrape. Il y a de quoi plomber sa candidature s'il ne fait rien. En me rendant à cette réunion Place Beauvau, j'ai beau me dire qu'une campagne n'est pas un long fleuve tranquille, là, c'est la tuile. Un coup de théâtre qui vient d'anéantir toute une stratégie. Il faut vite trouver quelque chose, éteindre l'incendie, ne pas laisser croire que notre candidat pourrait le moins du monde cautionner cet incivisme, tout tenter pour empêcher que s'installe cette funeste idée d'amis des riches.

Nous allons trouver quelque chose, c'est évident.

Mais durant la réunion, pas la moindre trace d'inquiétude. J'ai, avant de commencer, échangé sur le sujet avec un jeune conseiller également préoccupé par cette affaire. La réunion traîne en longueur et rien sur le sujet du jour... Nous avons examiné toutes les questions d'organisation possibles, en vue des débats qui vont l'opposer à MAM ; envisagé les sondages sous tous angles, toutes les coutures marketing ; analysé cette remontée inespérée sur Ségolène Royal ; critiqué une sortie de Nadine Morano à *Envoyé spécial* et acquiescé à la fatwa de Nicolas Sarkozy contre elle, « qu'il ne veut plus voir nulle part à la télé ou à la radio, durant la campagne »... Et toujours rien sur l'affaire Johnny. Alors que l'incendie prend sur le Net, dans les bistrots, dans les têtes, fera la une des « 20 heures » ! Tout à l'heure pourtant, alors qu'ils étaient penchés sur leur BlackBerry, cette affaire avait l'air de les tracasser. Le vertueux Guéant ne peut cautionner cela. Guaino non plus, qui ne cesse de nous rappeler qu'il est fils de pauvre (comme s'il était le seul !). Et Louvrier sait que bientôt les médias flamberont, le sage Goudard aussi. Quelqu'un va bien en parler...

Rien ne vient, on va lever la séance.

Je n'y tiens plus.

Je me lance.

Je sens bien que le sujet est sensible, mais je me pense autorisé à l'aborder, au nom de cette espèce de liberté de ton qui m'a valu quelque succès. S'ils ne peuvent pas le dire, eux les conseillers trop proches, moi, son copain, je parviendrai à me faire entendre. Puisque j'ai, comme me l'a dit Martinon, l'oreille du chef, il faut bien que je m'en serve.

Je me lance donc, plutôt assuré de mon fait, de sa pertinence, aussi naturellement que l'aurait fait un bon *spin doctor* dans la série *À la Maison-Blanche*.

— Et puis, Nicolas…

Il se tourne vers moi avec sa bonne gueule de teckel affectueux, comme il sait le faire quand il est en confiance ou désireux de séduire.

— Oui, mon Georges-Marc…

— Il y a cette affaire Johnny… C'est…

Il me regarde, et pour la première fois, il n'a plus ce visage tendre et complice. Il aboie.

— Quoi, cette « affaire Johnny » ? Il n'y a pas d'affaire !

Puis un silence assourdissant. Tous les regards sont braqués sur moi, ils attendent, gourmands devant cet impromptu où le « chouchou » se fait malmener pour la première fois. Je tente de me reprendre.

Je vacille intérieurement.

— Nicolas, on ne peut pas nier que cette affaire va avoir une résonance chez les Français… Il a beau être ton ami, tu ne peux pas totalement cautionner son attitude. Tu dois te distancier… Ne pas le faire est dangereux…

Il me coupe d'une reprise foudroyante, la voix haute, tout tendu vers moi, la gueule carnassière, où je ne vois plus que son œil mauvais.

— Dangereux ? Tu dis dangereux ? Tu as peur, toi ?

— Bah…

— Moi, je n'ai pas peur… Je n'ai pas peur des moralisateurs… Je n'ai pas peur de les affronter… Je n'ai pas peur de défendre quelqu'un comme Johnny, qui a tant donné à la France… Je n'ai pas peur du petit milieu parisien…

Il insiste sur ce terme, qui a l'air de me viser, comme s'il avait dit « Saint-Germain-des-Prés » ou « Café de Flore ».

Je tente de trouver un appui, un soutien, un regard ; Solly avec qui j'ai, sans retenue, évoqué ce problème stratégique ; Guéant, qui a, je n'en doute pas, un bon sens de père de famille. Je ne rallie personne à ma cause. Tous, la tête dans les épaules, ou penchés sur leur BlackBerry :

Je ne veux pas perdre la face alors j'ose un :

– Tu comprends, ton image d'ami des riches...

Et là, il reprend de plus belle.

– Quoi, mon image d'« ami des riches »... Tu es contre les riches, toi aussi ? Tu veux qu'ils disparaissent de France et que nous devenions un pays d'assistés ?

Ça tourne en boucle, ça ne cesse pas, et il a toujours cet œil mauvais.

– Oui, il faut des riches, et encore plus de riches... Et il faudrait avoir peur d'avoir des « amis riches », comme tu dis ?

Le silence tout à coup est théâtral, il cherche l'adhésion de l'assemblée et la trouve sans mal. On ricane avec lui, on n'a pas peur des riches, quelle idée !

– Mais s'ils le sont, c'est qu'ils l'ont mérité...

Puis il revient vers moi, échauffé comme je ne l'ai jamais vu, avec un regard en vrille qui me crucifie. Il finit, par sa furie, à m'inquiéter vraiment.

– Ah oui, c'est dangereux d'avoir des amis qui ont réussi ?

Je tente une dernière réplique.

– Tu aurais raison aux États-Unis ou dans un pays du Nord protestant, mais pas ici, pas en France, pays de tradition cathol...

Un torrent se déverse, cette machine à mots qui ne cesse de canonner, de marteler, de pilonner. Il poursuit sa leçon de courage, et les autres acquiescent ; et il a fallu mon silence, mon absence de réponse, pour que la pluie de coups cesse.

Je sors ébranlé de cette séance, ça doit se voir ; et je peux lire sur les visages un mélange de connivence et de commisération. Je suis des leurs ; désormais je partage leur vie et leurs tourments, leur vraie vie, pas celle pour la galerie. Je suis des leurs, et non plus le copain du patron ; je viens de vivre une cérémonie d'initiation. La connivence est narquoise chez ceux, comme Guéant, qui doivent se réjouir de la mise à mal du dernier favori en date, et semblent dire : « Ah oui, tu ne savais pas, tu découvres... » ; elle est apeurée chez les jeunes technocrates qui n'osent pas m'adresser la parole, à l'issue de la réunion ; ou elle est compassionnelle dans le cas de Martinon avec ses marques de réconfort : « Ne t'en fais pas. Il faut relativiser, avec lui ça passe toujours. »

7

Premiers doutes

Et pour la première fois, je doute.

Viennent les fêtes de fin d'année. J'en profite pour m'échapper de Paris, de la pression de cette campagne, de la firme et de ses mœurs. Je file dans le Midi corriger les épreuves de mon *Fantôme de Munich*. La pause est bienvenue. J'ai du mal à me remettre de cette scène. Je pense à m'éloigner, je me dis qu'il faut rompre. Ou plutôt décrocher, comme on décroche du tabac ou d'une addiction. Je suis heureux de retrouver le roman, là où je serai le maître du monde. Je renoue avec mes héros, mes salauds, mes minables, mais je ne peux m'empêcher de repenser à cette scène, au regard en vrille de Sarkozy durant l'empoignade Johnny.

Il m'est impossible de me concentrer sur mon livre. J'y reviens sans cesse, en me disant tout et son contraire. Et s'il était fou ? Ce regard dans la colère est celui d'un fou, pas caractériel, ou autoritaire, non, mais vraiment fou. C'est la thèse des gens de *Marianne*, de Jean-François Kahn[1]. Moi

---

1. *Marianne* titrait son numéro du 27 novembre 2004 : « Sarkozy est-il fou ? ».

aussi, je l'ai cru un instant durant cette scène : son œil, son regard méchant, transperçant tout à coup ; cette rageuse certitude qui doit s'achever par l'humiliation, le silence de l'autre. Je repense à mon autre découverte ce jour-là : cette tendance à la transgression à tout prix (vouloir défendre Johnny au-delà du raisonnable) qui semble être pour lui une jouissance. Pourtant, elle affaiblit son formidable sens politique, elle vient dérégler la machine.

J'ai été frappé par cette délectation qu'il a eue de me mettre sur le gril, moi qui suis l'« ami qui rend service ». Cette tendance à la cruauté du mâle dominant, je l'ai vue s'exercer sur le dos de son cabinet, de Fillon, de ses grognards, je pensais en être préservé. Mais il n'y a pas d'impunité dans ce zoo-là. Je suis arrivé, tout beau, tout neuf, j'ai séduit, je suis rentré dans l'enclos, et désormais, il me traite *comme un collaborateur*. Ainsi, dans cet univers impitoyable, l'oreille du prince peut se fermer à tout instant.

Puis, les effets du séisme retombés, je me suis mis à penser le contraire.

Peut-être ai-je eu tort ? J'ai dû surinterpréter, je dois être trop sensible… Il faut le comprendre, lui, avec ses malheurs privés, la vie d'enfer que lui font Chirac et Villepin, sa guerre pour la primaire UMP… Nicolas vit une tragédie grecque, c'est ce que dit Goudard… Non, ce n'est pas lui, le problème, ce doit être moi. Je me suis trompé sur cette affaire. Je n'ai pas les nerfs : trop timoré, tout encombré de prudence juive et de scrupule barrésien ; je viens du *Monde d'hier* et lui est de ce temps…

Sa volonté farouche, à cet instant Johnny, avait fini par me déstabiliser. Un peu comme la force taurine du Doriot fasciste avait dû séduire Drieu dans les années 1930. Nous n'en étions pas là ; je ne suis pas Drieu, il est mieux que Doriot, un républicain au moins, mais je ressens quelque chose de honteux. Un mauvais sentiment s'insinue.

Je vacille, non pas tant sous la violence de la scène, mais parce qu'il a réussi à ébranler mes plus solides certitudes ; à me faire douter de mon bon sens politique, des leçons enseignées par le vieux Mitterrand, et même de mon identité dans cette affaire. Que fais-je là ? Qui suis-je ? Un copain ? un conseiller ? un allié ? un rallié ? un intellectuel passé à droite ? un journaliste complice ? ou bien un otage ?

Ce matin-là, je me suis un peu réconcilié avec moi-même et, comme souvent lorsque j'écris, j'écoute Léo Ferré chantant Aragon – je n'ai jamais aimé Johnny Hallyday, cet Elvis Presley régional. Je peaufine. J'apporte la touche finale au portrait du diable, cet Hitler de 49 ans pas encore le pair de Mussolini, son mentor, et en train de déployer ses ailes. Quant à mon Daladier, ce Taureau du Vaucluse, je veille à ce qu'il soit fidèle au plus saisissant des portraits : « Un taureau avec des cornes d'escargot ». Je me dis qu'on peut lui reprocher bien des choses, à Sarkozy, mais pas d'avoir des « cornes d'escargot », quand le téléphone sonne :

– Ne quittez pas, je vous passe le ministre…

Je ne suis pas vraiment étonné par cet appel ; je savais qu'il appellerait ; mais je me demandais quand, et, c'est vrai, de plus en plus souvent.

– Quoi de neuf ? Où es-tu… ? Alors, pas de nouvelles ?

Je flotte un peu. J'ai du mal à quitter Daladier et la fiction, à revenir à la vie de 2006, à retrouver mes réflexes, un peu de vaillance.

Il insiste :

— Que penses-tu de la situation ?

Qu'est-ce que je pense de la situation ? Rien ! Je suis en octobre 1938, enfermé au Führerbau avec Hitler et Mussolini, qu'est-ce que je peux savoir de la vie, de l'UMP, de Ségolène et des autres ? Je cherche une idée, à éviter la banalité obligée, à combler ce silence au bout du fil. Je tombe sur le journal local, pendant qu'il parle : « L'exécution dans cette parodie de procès de Saddam Hussein ». Élémentaire réflexe camusien : « Ce n'était pas digne de la justice internationale, ni de la justice des hommes »... Je lui propose de réagir.

— Nicolas, tu devrais condamner cette barbarie, Saddam Hussein. Cela contrarierait un peu cette image pro-Bush qui te colle à la peau... La France ne peut cautionner cela.

J'avance cette idée, de façon inhabituelle, mollement, sans plaider, avec scepticisme. Comme si, dans mon esprit un peu embrumé, je lui donnais une nouvelle chance, je lui tendais une perche.

L'attrapera-t-il ? Ou bien, sans réfléchir, impulsif et violent, refusera-t-il de jouer la « belle âme » pour faire plaisir au « petit milieu parisien » dont il a parlé, à propos de l'affaire Johnny ? Je suis curieux de sa réaction. De quel côté tombera-t-il ?

Non, cette fois l'écoute est prudente ; malgré ce léger scepticisme que l'on sent chez lui, quand on n'a pas, ou plus vraiment son oreille.

— Ah oui, tu crois ?

— Ce serait ton honneur de t'élever dans une tribune de « chef d'État »...

J'ai employé cette expression à dessein ; rendra-t-elle l'idée plus séduisante ? Il me répond, tout à coup pressé :

— Oui... Moui... Je vais voir... Bon, je t'embrasse.

*

Quelques minutes plus tard, le téléphone sonne. *Le ministère de l'Intérieur, ne quittez pas...* La vie reprend, le monde arrive de nouveau jusqu'à moi et me sort de cette authentique épreuve qu'est justement la correction d'un livre ; une période de doute, de rétention, de crises... David Martinon, chargé (aussi) des questions internationales, est à l'appareil. Il doit rédiger cette tribune, semble d'accord avec moi, et se félicite d'une telle initiative – sincèrement, je crois... Je commence à me méfier des uns et des autres.

Nicolas Sarkozy a donc suivi mon conseil.

Cela me fait sourire, ou plutôt me rassure. Ah, j'ai donc toujours son oreille... Il n'est donc pas si fou, pas seulement le mâle dominant qui m'a effrayé l'autre jour. Il peut donc entendre, juger, comprendre ce qu'est une position de chef d'État... Il a réussi à surmonter, déjouer sa ligne pro-américaine acharnée, et ce côté « faucon » idiot qu'il a parfois... Et je passe à autre chose. Je me remets à mon roman, sans y parvenir, je cherche à décrocher de ce qui – je m'en rends compte – commence à devenir une addiction.

Trois jours plus tard, coup de téléphone matinal.

Il est fébrile au bout du fil.

— Tu as vu… Formidable… le texte sur Saddam Hussein a été repris partout[1]… Repris et commenté. Ah, ils ne m'attendaient pas sur ce terrain… Tu as raison. Le tuer, ce ne sont pas des manières ; et même si les Américains sont nos amis, ce ne sont pas des manières.

Puis, comme si notre conversation d'il y a deux jours n'avait pas eu lieu, il me ressort mot pour mot mes propres arguments. Cet homme est une éponge.

Puis il change de ton et me demande d'un ton sucré :

— C'était une bonne opération… Et je me suis dit, mon Georges-Marc, que j'allais vraiment avoir besoin de toi dans les temps qui viennent.

— Oui, Nicolas, tu peux compter sur moi, ça m'amuse…

Il me reprend, en corrigeant, attentif aux mots cette fois :

— Mais ce n'est pas un amusement… Ça va devenir du sérieux, du dur, tu comprends.

J'aurais dû l'écouter.

---

1. Tribune libre dans *Le Monde*, le 2 janvier 2007.

8

Ferrari et gants blancs

La pression n'a jamais été aussi grande. Chirac et Ville-pin cherchent à évincer Sarkozy du gouvernement. Mais il tient bon. Il me confie qu'il redoute un « mauvais coup », une autre affaire pourrie après Clearstream. Il veut survivre et pour cela il lui faut rester Place Beauvau, avoir la police à sa main, contrôler le dispositif mis en place au ministère de l'Intérieur ; neutraliser les ennemis comme le patron des RG, Yves Bertrand ; et pouvoir compter sur les « services » dirigés par ses hommes, Squarcini, Péchenard, Gaudin.

Il veut « tenir » mais ne précise pas jusqu'à quand ; et lorsqu'on évoque le sujet, sa réponse est digne de Fernand Raynaud : « Un certain temps. » La question fait débat autour de lui, c'est inévitable. Certains veulent lui faire quitter le ministère de l'Intérieur au plus vite : « On n'a jamais été élu président de la République avec un costume de flic. »

Il les laisse parler. Il ne veut pas s'enfermer dans un horizon trop lointain ou trop proche. Alors, il jongle entre le ministère, l'UMP à surveiller, et sa campagne de can-didat à lancer.

Et quand les « conseilleurs » – comme il dit – lui chauffent trop les oreilles, il se sert désormais de cette formule pour les rabrouer. Elle semble baroque, excessive, impossible, fruit de l'imagination du scénariste du film *La Conquête*, elle est pourtant authentique.

« Faites attention, les amis… Vous me parlez, vous me conseillez… Mais sachez que je suis une Ferrari… quand vous ouvrez le capot, c'est avec des gants blancs. »

Il prononce cette phrase, avec un geste délicat, précis, du mécanicien de compétition ; et le ton du chef de bande.

La remarque me frappe, j'en reparle avec Goudard, complice et traducteur dans cette aventure.

Il s'amuse de mon trouble :

– Ah, il a dit ça, l'animal ? C'est vrai, c'est une Ferrari. Une machine de compétition terriblement puissante, mais aussi fragile. C'est un surdoué, mais attention, il est très sensible. Un rien peut l'atteindre. Il a raison. Avec lui, il faut mettre des gants blancs pour accéder au moteur… Il faut régler ses mots, choisir son moment, et aussi la musique qu'on va donner à son propos… »

Goudard est l'homme qui maîtrise le mieux la « bête », sa langue et ses signes.

Moi qui ai eu l'oreille du prince, et parfois le sentiment de perdre la fréquence magique, je suis obligé de reprendre des cours chez Goudard, de réapprendre la langue du monarque, de savoir quand il faut ouvrir le moteur, enfiler les gants blancs. Je retiens de Goudard qu'il faut :

– toujours positiver, jamais de mauvaises nouvelles lorsqu'on lui parle – c'est classique chez le prince ;

– capter son attention par des idées simplissimes ; et donc bannir toute pensée complexe ;

— et j'y ajouterai cette règle personnelle, dont j'ai compris l'implicite nécessité dans la firme : disparaître derrière lui et son égo. Être comme Goudard, ébahi, amoureux, inconditionnel, devant ce « Mozart de la politique ».

J'ai beau accepter ces préceptes, l'incident des « gants blancs dans la Ferrari » m'a marqué. Dès lors, je vis sur mes gardes. Je n'ai plus l'insolence féconde. Je suis inquiet à l'idée d'oublier les gants blancs, de faire tomber un outil dans le moteur, de maltraiter le bolide.

9

Compte à rebours

Samedi 13 janvier 2007 au matin, dans le bureau de Nicolas Sarkozy, Place Beauvau. J-1 avant la mise sur orbite de sa campagne. Là-bas, porte de Versailles, on attend 70 000 personnes ; les machinos finissent d'installer des caméras tournantes sur des grues ; les pubards s'activent à dresser des écrans géants pour ce « show à l'américaine » dont la recette originelle revient à un certain Richard Attias[1]. Des drapeaux tricolores sont disposés un peu partout, décision de dernière minute due à une inflexion de la campagne. L'énorme machinerie bat son plein à quelques heures de l'événement ; tandis que, de toutes les régions de France, plus de cinq cents cars et sept trains spéciaux se mettent en route. Les médias parlent de « sacre ». En arrivant dans son bureau, je pense à tout cela, à tout ce qui se met en branle pour lui, à ce Barnum, au peuple qui va déferler sur Paris pour lui, à cette pression et à son trac, à cette

---

1. Il fut président de Publicis Events et mit en scène l'intronisation de Nicolas Sarkozy comme président de l'UMP le 28 novembre 2004.

première marche demain qu'il ne faudra pas louper. À quoi peut donc ressembler son sentiment de l'instant ? La solitude du rocker ? le vertige ? la trouille ? l'exaltation ?

Nous ne nous sommes pas revus en tête à tête depuis ma bouderie. Il m'a parlé de son projet de discours pour le 14 janvier. Nous avons échangé au téléphone, pour préparer l'événement, censé être « fondateur » de la campagne. Je me suis vivement opposé à ce qui semblait être sa première idée : faire un discours-programme, avec un catalogue UMP de mesures et de promesses. Je n'ai pas suivi son conseil, cette fois je n'ai pas enfilé mes gants blancs pour lui dire ce que j'en pensais : « Ce serait un discours de ministre, à la rigueur de Premier ministre. Tu dois prendre de la hauteur. Parler de la France, et de toi… »

J'ai tenté de le convaincre, élaboré une note stratégique. Je pointais trois défauts à corriger dans son discours fondateur :

1) Il était trop « américain » ; il allait falloir en faire un homme d'histoire inscrit dans la tradition de ce que Malraux appelait le « Bloc Michelet » ; lui faire parler aussi de Renan, l'admirable Renan. Bref faire de Sarkozy l'Américain une sorte de fils de Mitterrand de 1981, celui de l'affiche un peu pétainiste que lui avait concoctée Jacques Séguéla.

2) Il était libéral, ultralibéral économiquement, ou perçu comme tel. Une posture impossible. Il fallait ressusciter la fibre gaulliste et sociale en lui, revenir à la « nouvelle société » de Jacques Chaban-Delmas. Sur ce point, je ne doutais pas que je serais aidé par Guaino, et par le lointain social-gaulliste Fillon.

3) Enfin, il y avait un « Sarko-facho », comme il y avait eu dans les années 1980 « Chirac-facho ». Il fallait s'en débarrasser ; c'était la seule manière de casser le « Tout sauf Sarkozy », sans quoi une bonne partie du centre et du centre gauche ne voterait jamais pour lui. Il suffisait pour cela qu'il prenne deux engagements simples pour faire entrer la Ve République dans la modernité démocratique. Je m'entretins de ces axes stratégiques avec mon complice Goudard. Il me dit partager mon analyse mais semblait dubitatif sur le dernier point. Guaino bientôt allait pulvériser ces deux idées.

J'allais enfin savoir ce que Sarkozy avait fait de mes préconisations.

J'entre dans son bureau vide et, tout de suite, il brandit fièrement une liasse de feuilles. Il ne perd pas de temps en bavardages, me pousse dans un fauteuil, et m'enjoint :

— Lis… Assieds-toi ici et lis.

Il s'agit de son discours, attendu, annoncé, espéré, et constamment retardé. Un retard qui a entretenu le feuilleton du cabinet sur Guaino, ses humeurs, son talent, et le suspense sur ce qui va en surgir. Il est enfin là, sort de la frappe, il a dû être livré dans la nuit. D'un coup d'œil, je constate : l'épaisseur, la mise en forme, les parties, les scansions. Trente pages. Un discours-fleuve, une œuvre en soi, décidément rien à regretter. Ce que Guaino avait dû souffrir pour sortir cela, les jours, les nuits, le sang et les larmes !

Il est monté sur ressorts, il jubile et répète :

— Lis, mais lis bien. C'est important, tu sais bien… *(Et puis, en me tendant un stylo)* Corrige si tu penses que c'est nécessaire.

Alors je lis. Ou plutôt je tente de lire. Je parcours, je relève le coup de chapeau à Juppé, « bien vu, et nécessaire après toutes les méchancetés que tu débites sur son compte » ; l'hommage aux résistants, à la France libre, au début, « magnifique » ; l'« enfant au sang mêlé », qui doit être un rajout de dernière minute... « Je suis bluffé que tu aies osé. » Je suis fier de lui. Mais pour le reste, impossible de lire vraiment. Il ne cesse de tourner autour de moi. À tout instant, il se penche sur mon épaule pour pointer une phrase, me prendre à témoin de sa beauté, et la déclamer à haute voix : « J'ai compris qu'est fort celui qui apparaît dans sa vérité. J'ai compris que l'humanité est une force, pas une faiblesse... » Puis il m'enjoint de poursuivre, mais j'ai perdu le fil. Je tente alors une lecture mécanique, un survol des paragraphes, sans y parvenir non plus. Mais là il trouve que je lis trop vite et me demande de relire le passage très long qui décline « J'ai changé » dix fois. Il aime cette partie. Il la reprend à haute voix, extasié. Il la connaît par cœur... Alors qu'en milieu de texte il craint que je m'essouffle, il va directement aux passages qui devraient me faire plaisir. Pour me montrer fièrement qu'il m'écoute, à propos de Clemenceau ou des différents visages de la France.

Il me questionne, il veut écarter ses derniers doutes, me demande encore de lui proposer des corrections.

Je n'ai rien à redire. Le discours est très réussi, mieux, il est fait sur mesure, il est fait pour lui, pour sa voix et ses émotions. D'ailleurs, je n'en demandais pas tant, en direction de la gauche...

Dans ce discours, je trouve plus que mon compte.

Et lui aussi.

Il semble métamorphosé. Il trépigne d'impatience à l'idée de monter sur cette scène, d'emporter les vivats de la foule, de combler les 70 000 en train d'accourir. Il a enfin de quoi nourrir son rôle. Un texte. Des paroles. Du rythme. Des cymbales. Des pulsations. Il est un fauve prêt à sortir de sa cage.

Il se passe quelque chose avec ce discours. Nicolas est porté par lui, il est transfiguré. Alors que Cécilia l'a abandonné, il se redresse. Après le désarroi, il trouve par la force du discours un vent favorable, les mots pour se dire. La partition qui, jusque-là, manquait dans cette campagne brouillardeuse. Mieux, une chimie s'opère entre le chef de bande et l'orphelin lyrique. Guaino réussit à renvoyer à travers ces phrases une image totalement autre de lui. Plus question en effet de ce « Sarko l'Américain » que je redoutais avec son projet de discours clientéliste, mais une image sublimée qui va bien au futur prince. Il s'aime dans ce miroir. Le garnement de la République se trouve à son avantage, parmi la cohorte des écrivains qui lui est offerte et les héros du manuel Mallet et Isaac. Il donne l'impression, en citant Camus ou en frayant avec de Gaulle ou Jaurès, d'entrer un peu endimanché dans un panthéon de géants, de fréquenter les vieux chefs gaulois qui dirigèrent la France, d'être accepté par eux. Il va « changer » sous l'effet de ces formules ; et ce miroir narcissique, ce moi idéal va devenir sa force motrice. Guaino a visé juste. Il a trouvé le ton, l'emphase, les images, la symphonie. Mieux, il a installé un Sarkozy idéal. Auquel il lui faudra désormais ressembler...

Il est tellement heureux qu'il ne veut pas être seul. La matinée ne fait que commencer ; il a tant de choses à faire encore d'ici demain 15 heures, où il va prononcer son discours, mais il veut me revoir vite, au « déjeuner tout à l'heure ? » Son insistance sonne étrangement. Il ne veut pas de temps mort. Je devine à cette disponibilité nouvelle que Cécilia est absente, disparue à New York ou ailleurs, peut-être sur le terrain à régler les éclairages ; mais en tout cas pas là, près de lui, disponible, omnisciente, *mamma* globale comme jadis. Elle n'est pas là et il se sent fragile. Il redoute que, d'ici demain et son entrée dans l'arène, la tension ne retombe.

À 13 heures, au restaurant Tong Yen avec François Fillon, Jean Sarkozy, que je ne connais pas, Conrada de La Brosse et sa fille, Alexandra.

C'est un déjeuner au sommet avant le grand jour. Maintenant qu'il tient son discours, il rêve à haute voix de la suite. Fillon et moi l'écoutons avec une confiance un peu euphorique. « Nous allons faire de grandes choses, mes amis… » « Nous allons réformer la France. » Il va réussir, lui, il nous le jure, ce que les rois fainéants qui l'ont précédé n'ont pas su faire. Le futur président, le futur Premier ministre. Et moi, traité en pair, en pote, qui me demande quelle peut bien être ma place dans cette course au sommet…

Et puis il y a son fils Jean. Je redoute une mauvaise surprise. Je m'attends à trouver un gosse de riche, un fils à papa inculte et un père absent comme bon nombre de politiques ; au contraire le garçon est sensé, grave, cultivé. Il me parle avec passion et précision, durant une bonne partie du déjeuner, d'Albert Cohen, que j'ai bien connu au soir de sa vie, et de son *Belle du seigneur*, qu'il adule. Je me souviens d'un moment de qualité, des regards de Nicolas père exigeant sur Jean. Pourquoi tout cela a-t-il changé, une fois qu'il a été élu ? Que s'est-il passé avec cette affaire de l'Epad ?

10

14 janvier, dîner intime

Neuilly. Un très bel appartement en rez-de-chaussée, chez son frère cadet François et sa belle-sœur Sophie. Un beau couple comme on en voit dans les magazines ; des gens heureux, très hospitaliers. Une vingtaine de convives, debout. Ils arrivent tous du meeting de la porte de Versailles, rouges, échauffés, heureux de se retrouver après un tel spectacle. On attend le champion sortant de scène.

« Dîner intime », disait le carton envoyé par le cabinet. Je connais peu de monde et me rapproche d'un jeune conseiller qui semble agité, préoccupé. La première chose qu'il me demande, c'est : « elle est là ? » Il parle de Cécilia. Je me moque de lui et de cette guéguerre que je juge dérisoire. Pourtant, l'information semble capitale pour lui. On murmure qu'elle est son ennemie. Il veut vérifier sans tarder ; et en passant de pièce en pièce, me fait, à mi-voix, le compte des présents et des absents, tout en décryptant l'humeur du prince. La droite, l'UMP, qui vient de lui donner une onction triomphale, n'est pas représentée. Aucun grand cacique, pas même les proches. Fillon et Bertrand sont absents. La firme est décimée : Hortefeux,

Charon, Lefebvre absents. Seuls Solly et Goudard ont été invités. Martin Bouygues est là mais les amis du show-biz n'ont pas été conviés : absents Johnny, Jean Reno, Christian Clavier. Pas de paillettes. Pas trace de Didier Barbelivien non plus. Aucune preuve de la vie sans Cécilia.

Cécilia... Elle est là, en effet, mais un peu à l'écart de la fête. Elle se tient dans un angle, belle toujours, mais en retrait, amaigrie, comme éteinte. Elle ne parle pas, ne sourit pas, semble n'être au centre de rien, comme elle avait dû l'être jadis, au temps de leur bonheur. Ce soir, ce n'est pas elle l'hôtesse de cette soirée, mais sa belle-sœur Sophie. Elle n'est que de passage, ça se voit. Elle a beau saluer ou acquiescer aux propos des rares qu'elle laisse approcher, elle a du mal à faire illusion. La dérive des sentiments se lit sur son visage. Elle est ailleurs, elle n'est plus de son monde, de cette fête où l'on s'extasie pour *Nicolas*. Elle ne joue pas la comédie, elle n'est plus qu'un fantôme ici. Si elle avait été présente, d'ailleurs, cela se serait vu. Elle aurait fait les choses en grand, à sa manière, comme avant.

La mère de Nicolas Sarkozy, statue du Commandeur de cette singulière famille, occupe une place centrale, elle. Elle lui ressemble de manière saisissante, Dadu. Elle est émouvante. Elle me fait penser à une vieille tante institutrice ; un petit bout de femme, maigre, fragile, mais solide. Elle doit être incommensurablement fière, mais elle ne montre rien. Une élégance gentille et aride ; pas une *mamma* fusionnelle, volubile, invasive, non, une petite dame sur la réserve et qui porte sur un corps frêle de sacrées épaules. Tenir seule cette famille, dans les années 1960, divorcée, déclassée, demi-juive ; élever ses trois garçons, abandonnés par un mari volage, qui, c'est vrai, a dû être très beau. Pál Sarkozy est là d'ailleurs, et c'est notable, compte tenu de ses relations avec son fils Nicolas. On les dit mauvaises depuis toujours. Nicolas Sarkozy a avoué avoir « beaucoup souffert[1] » du manque d'amour de son père, et du peu d'argent qu'il lui a donné. Alors il a dû reporter son affection sur des pères de circonstances, des hommes admirés, comme Jacques Chirac et Édouard Balladur.

Mondain inoxydable, bronzage Saint-Tropez façon Gunther Sachs, près de quatre-vingts ans, Pál Sarkozy a une allure folle, des rires de salon et un maintien hérité de l'Empire austro-hongrois. Un aristocrate, un vrai, un faux ; en creusant un peu on apprend que Nicolas n'a jamais pris les prétentions aristocratiques de son père très au sérieux ; ni retrouvé le moindre château de la famille lors de son retour au bercail, la Hongrie.

Lui, personnage d'opérette, elle, vertueuse Mme Brindacier. Quelle couple étrangement dépareillée ce dut être, avant qu'il ne quitte sa femme et ses trois fils pour se remarier dans l'aristocratie ! Je pense à lui, Nicolas, fils de ce père-là, absent, déserteur, dans ces années 1960, au fond de ce 17e qui ne ressemble à rien ; lui qui étouffe, qui serre les poings, qui lorgne les autres, les établis, les vrais bourgeois, ceux installés un peu plus loin, du 16e et de Neuilly, dont il n'est pas. Pauvre chez les riches. Sa rage de jeune fauve en cage.

Les proches du cabinet, Guéant, Martinon et Rachida ont été invités à ce dîner privé, ils sont au centre de toutes les attentions. C'est un grand soir pour eux aussi. Guéant vient d'être désigné directeur de campagne. Ce n'était pas évident : jusqu'au dernier moment, Laurent Solly voulait

---

1. Catherine Nay, *L'Impétueux*, Grasset, 2012, p. 96.

le poste et s'est battu, avec ses amis de la firme. Sarkozy avait hésité entre Guéant, la sécurité, et Solly, la modernité, d'autant qu'un drame avait mis la décision en suspens : le cancer foudroyant de l'épouse de Laurent Solly, qui supporta dignement l'épreuve de cette longue maladie. Certains avaient cru que Sarkozy se laisserait émouvoir et choisirait Solly. Il a finalement tranché, lors d'une de nos réunions du dimanche soir : ce serait Guéant. Celui-ci avait habilement manœuvré, soutenu par Cécilia. Elle ne pardonnait pas à Solly, qui a été à Bercy son jeune protégé, son complice (ils partageaient le même secrétariat) de l'avoir lâchée alors qu'elle était en Amérique. À la différence de ceux qui, durant ses éclipses, ont su entretenir un lien permanent outre-Atlantique avec elle : Rachida Dati et David Martinon. Ils viennent d'être récompensés. Rachida n'est-elle pas la « sœur » de Cécilia ? Hortefeux et l'UMP « canal historique » ne voulaient pas entendre parler de cette « beurette » comme porte-parole. La lutte a été féroce, le clan Hortefeux défait. Demain, Rachida participera à sa première émission, et ce soir elle fait partager son trac à tout le monde, avec ce charme enfantin dont elle use et abuse. Nul ne se doute alors que va naître, le lendemain matin au micro de Jean-Pierre Elkabbach sur Europe 1, une bête politique atypique, indomptable.

Le troisième gagnant de la soirée, c'est David Martinon. Les autres, les anciens, ceux de la firme, le détestent autant que Rachida ; alors Cécilia a décidé de le protéger. Il est donc promu lui aussi, il sera le chef de cabinet de la campagne. En ayant confirmation de la nouvelle, Martinon a l'air soulagé, il parle des « mines de sel » auxquelles il a échappé, et où « les autres » vont être envoyés. Je me souviens m'être moqué de lui, et de leurs enfantillages ; je me voulais œcuménique, ça ne pouvait pas être du sérieux ; ils jouaient à se faire peur… Martinon avait protesté : « Tu te trompes, c'est du dur. »

Cette Cécilia éteinte et en retrait triomphe, à travers eux, ce soir-là. Ces nominations sont-elles des signaux pour la faire revenir ? lui prouver qu'il l'écoute et n'est pas ce « zozo aux mains de la firme » ? Situation paradoxale où celle qui a déserté son lit prend le contrôle des opérations. Elle n'est plus qu'une présente-absente, un fantôme mondain ce soir ; elle est ailleurs, de cœur comme de corps, mais elle a décidé de faire le job jusqu'au bout. « L'emmener » à l'Élysée, comme elle le dit. Un service minimal, à sa guise, sans démonstration d'affection ou présence aux réunions ; une présence de l'ombre qui veille à tout, diablement efficace, qui consiste à le *border*, et à verrouiller son dispositif de campagne.

Nicolas Sarkozy prend la parole.
Tout à coup, les groupes convergent dans le salon principal. Le voilà donc *après*. Après l'épreuve, la nuit blanche, le rabâchage de son discours, l'exaltation de l'entrée sur scène ; et la rencontre charnelle avec cette foule immense qu'il a renversée d'enthousiasme. Il est vidé et heureux. Il ne me fait pas penser à un politique sorti de scène, pas à Mitterrand ou Chirac dans une telle situation. Mais à un rocker après une générale. Le décor, les amis, le charisme, cette manière naïve de se raconter son triomphe. Oui, un rocker. Il a laissé sur scène ses vieux démons, et ses violences. Il a fait corps avec la foule. Il l'a fait jouir. Il est apaisé, un verre à la main, ce qui est rare. Son regard est tout de tendresse

et de bienveillance, pour tout le monde. Ce regard de chien battu.

Il lève son verre et remercie « notre Jackie Kennedy » qui ce soir nous reçoit « merveilleusement ». Quelques secondes de flottement, on cherche du regard Cécilia, on ne la trouve pas, elle se terre dans son coin. Il précise : « Notre Jackie, c'est Sophie. » Ah bon, vraiment, on pensait ce rôle dévolu, depuis toujours, à Cécilia. Non, il insiste et multiplie les grâces à sa belle-sœur. Une pique ? Une bourde, une maladresse ? Un regret exprimé à haute voix à Cécilia, un reproche ?

Puis il débriefe sa journée. Il a besoin de la raconter, comme une épopée, d'en repasser le film, de connaître l'avis du spectateur, de se rappeler les transes de la foule quand il scande l'ultime « j'ai changé », ou de reparler de l'étonnant succès à l'applaudimètre de son portrait de la France, et du bon accueil au moment de ses références à Jaurès et à Blum – « Vous avez vu, ça s'est bien passé, non ? »

Maintenant, il envisage la suite, le reste de la course, jusqu'au 6 mai.

Tout à son enthousiasme, il décide de présenter sa « nouvelle équipe de campagne ». C'est une surprise ; on savait pour Guéant, Rachida, et Martinon ; mais personne ne s'attendait à cette sorte de cérémonie. Le silence s'épaissit. Et voilà qu'après avoir rendu hommage à Nicolas Bazire, et confirmé les trois pressentis, il énumère solennellement les amis qui l'ont rejoint dans cette équipe de campagne :

– Henri Guaino, Pierre Giacometti, Georges-Marc Benamou...

Ma surprise est grande. Il ne m'en a pas parlé ; rien n'a été discuté. Cette officialisation unilatérale me tétanise ; mon inclusion dans cette bande est pourtant dans l'ordre des choses.

En vérité, je ne voulais pas sortir de l'ambiguïté, et je sentais (sans vraiment le formuler) que je n'en sortirais qu'à mon détriment. J'étais bien dans ce clair-obscur, homme de l'ombre, *spin doctor*, ami intransigeant, intellectuel iconoclaste, tout cela me convenait plutôt jusque-là. Mais, avec cette assignation, il faut que j'assume. Il l'a dit, il l'a annoncé. Ils le savent tous, et demain tout Paris sans doute. Ce n'est en effet plus un « amusement », comme je l'avais laissé échapper l'autre jour. C'est donc du vrai, du *dur,* du sérieux, presque officiel désormais.

Il est trop tard pour reculer.

Une fois cette équipe dont il est si fier présentée, il retrouve ses accents de l'après-midi, pour nous dire son affection, sa gratitude, le besoin qu'il a de nous tous, sa famille, ses amis, ses conseillers. Le silence est revenu lorsqu'il prend un engagement solennel. Celui de nous donner rendez-vous « le 6 mai au soir, les mêmes, dans la même configuration, pour fêter ensemble la victoire ».

Tous sont attentifs. Tous sont émus, chacun a retenu la promesse et inscrit ce rendez-vous solennel à son agenda, comme un mantra.

11

Casser le TSS : l'affaire *Charlie Hebdo*

Charlie Hebdo et son directeur, Philippe Val, sont poursuivis en justice par l'Union des organisations islamiques de France (UOIF), la Grande Mosquée de Paris et la Ligue islamique mondiale pour « injures publiques envers un groupe de personnes, en raison de leur appartenance à une religion ». Le journal satirique avait repris en février 2006 certaines des caricatures de Mahomet, publiées initialement en septembre 2005 dans le journal danois *Jyllands-Posten*. Le 7 février, le procès commence, et je vibre d'indignation.

Je soutiens Philippe Val, fraternel compagnon de nos combats camusiens. Je me mobilise pour lui, et me mets en tête de lui apporter le soutien de Sarkozy. Cela me paraît justifié à double titre, comme ministre de l'Intérieur et des Cultes, c'est-à-dire de la laïcité ; et aussi, bien sûr, en tant que futur président. De plus, je vois là l'occasion pour lui de quitter son uniforme de « Sarkofacho ». Il pourra, en aidant *Charlie Hebdo* et cette équipe qui ne l'aime pas, montrer autre chose que ce populisme de comptoir vers lequel certains le poussent. Oui, je le convaincrai. J'en parle à Philippe Val, qui s'amuse, je crois, de mon idée :

« Impossible, Sarkozy soutenant *Charlie* ! Ça serait fou ! »

Ce matin-là, Sarkozy est injoignable. Il bat la campagne. Une de ces journées marathons où il enchaîne déplacements, visites et meetings. Il est à Toulon pour visiter la frégate *La Fayette* et le porte-avions *Charles-de-Gaulle*, et rencontrer le personnel, avant de donner un meeting au Zénith de la ville. À coup sûr, je le trouverai le soir. Il déteste coucher hors de chez lui, et cet impératif régit donc tous les agendas. En attendant, je décide de parler de cette idée à son équipe.

Le premier conseiller ne cherche même pas à comprendre. Il hausse les épaules :

– Tu n'y penses pas… *Charlie Hebdo*… ! Ce torchon…

Il va dire « gauchiste », mais se retient, craignant sans doute de me vexer, car chez ces gens-là, je passe – c'est fou quand on y pense – pour un gauchiste…

Le second conseiller que j'arrive à joindre a l'air effrayé :

– Se mettre à dos les musulmans ! Nous avons déjà eu assez de mal à nous entendre avec eux, en fabriquant le CFCM, et en négociant avec l'UOIF… Mettre les pieds dans cette sale affaire des caricatures danoises… Non, non.

Il incarne, lui, et avec zèle, la ligne de la Place Beauvau, où l'on considère les « intégristes modérés » de l'UOIF comme « des amis » ; et les militants laïques, comme des « fanatiques ».

Mais je n'en démords pas.

Charlie Hebdo a besoin de lui. Je veux l'en convaincre en dépit de l'hostilité de son cabinet. Je rêve pour lui d'un grand geste : c'est l'une des caractéristiques du *spin doctor*, rêver pour le chef.

Je le trouve enfin, entre deux avions, sur le tarmac d'un aéroport, et lui explique mon idée, et l'urgence à agir. Les forces en présence, y compris l'UOIF qui va entrer en guerre contre lui ; et aussi les avantages de prendre le contre-pied d'une image de « Sarko-facho ». Le procès s'ouvre. Il n'y a pas un instant à perdre.

« Il faut foncer, t'as raison. » À la différence de son entourage, lui a compris tout de suite. Nous convenons d'une lettre de soutien à *Charlie Hebdo*. Nous la ferons passer à l'avocat du journal, Mᵉ Kiejman, qui la lira à l'audience. Quelques instants plus tard, la lettre est rédigée, validée, portée. C'est une course contre la montre. Cette fois, pas besoin de colloquer, d'y réfléchir, de consulter les sondages ou je ne sais quel cabinet de technos... Je l'aime bien dans ces moments-là.

La lettre de soutien de Nicolas Sarkozy à *Charlie Hebdo* frappe de stupeur la société du spectacle politique. Les médias ne s'attendaient pas à un tel contre-pied. La gauche est grillée sur le poteau, ce courrier inattendu arrive avant l'audition de François Hollande, alors patron du PS, et l'occulte.

Peu après, en pleine réunion, il me félicite bruyamment pour ce bon coup, c'est rare de sa part, lui qui s'attribue toutes les victoires. Je m'en étonne. Il en oublie tout le reste. Les notes stratégiques si sophistiquées que nous lui adressons, Goudard et moi, les préconisations *d'écriture médiatique* que je veux savantes, le logiciel idéologique que je lui ai concocté... De cela, pas un mot. Tout à coup, il n'y en a que pour cette « séquence *Charlie Hebdo* » !

À présent que je ne suis plus collé à l'événement, je comprends mieux l'importance de cette lettre de soutien. J'avais, bien sûr, en le poussant à prendre cette position « scandaleuse », le dessein de brouiller les pistes, mais je n'avais pas mesuré la rupture qu'elle constituerait. Ce jour-là, le « Tout sauf Sarkozy » allait être défait. Lui, l'animal, l'avait flairé tout de suite, par instinct. Il avait beau avoir réussi son lancement de campagne le 14 janvier, rattrapé son retard dans les sondages sur Ségolène Royal, il restait inquiet devant l'obstacle du « Tout sauf Sarkozy ». Mur sociologique, politique, que rien n'avait entamé jusque-là. Grâce à cette lettre, ce mur – qu'il avait cru infranchissable – se fissurait. Et tout devenait possible.

La France, voltairienne dans ses profondeurs, commençait à le regarder d'un autre œil.

12

Sa « famille politique »

Jusque-là, c'était une bande de joyeux pirates. Une petite équipe déchirée, mais pionnière, réactive, inventive, habituée aux circuits courts de ses décisions, vivant dans la fièvre et les « coups », pour le chef et par le chef (et Cécilia). Tout allait changer avec la « campagne officielle », et l'installation dans les bureaux de la rue d'Enghien, au lendemain du triomphe du 14 janvier.

Dans ce cycle nouveau de la campagne, Nicolas Sarkozy va disparaître. Il est moins présent, saute d'un meeting à un autre ; enchaîne les réunions de notables en province, les tournées de bars, les visites aux commerçants, tout ce qu'il déteste ; pose pour les « cartes postales » mémorielles que nous lui concevons, ou se rend, à l'heure du laitier, à Rungis. Parfois, je le croise pour déjeuner sur un coin de table, dans une salle vide du local de campagne. Il est épuisé par l'effort, encore dans l'épreuve, et dévore deux plateaux-repas à lui tout seul, avant de repartir battre à nouveau les estrades géantes que des tourneurs ont installées.

En son absence, je vais découvrir, rue d'Enghien, sa « famille politique ». Une tribu : la droite.

C'est l'embouteillage. Cette droite jusque-là prudente, sceptique, difficile à convaincre, hésitante, qui avait dans les provinces propagé les rumeurs de divorce, la haine antisémite ou relayé les intox de Villepin, se rue littéralement.

Dans cet immeuble de verre, sur trois étages, on peut la découvrir dans tous ses états. C'est un spectacle exotique pour moi qui avais connu les campagnes de gauche. Ce n'est ni le même monde ni les mêmes mœurs ; une autre planète. Les députés, les sénateurs, les battus d'hier et leurs attachés parlementaires, les ambitieux de demain, les technocrates de droite négligés par Chirac ; les vieux chevaux de retour du giscardisme, comme Olivier Stirn ; les Juppettes de 1995 qui, quinze ans après l'affront, voient en Nicolas un rédempteur ; les anciens fachos passés par le clan Pasqua ; les anciens communistes passés par la case Carignon ; Jean-Marie Bockel et Éric Besson, cette pauvre aile gauche que l'on s'acharne à fabriquer ; les centristes amenés par Guéant contre les centristes amenés par Hortefeux ; et nombre d'« espoirs autoproclamés de la droite » cherchant leur destin aux premiers et deuxième étage de la rue d'Enghien. Pas au troisième, chez les grands chefs ; c'est zone interdite pour eux.

Une ruée, que dis-je, c'est un pack de rugby, une poussée si forte que les offres de service et autres suppliques arrivent jusqu'à moi, pauvre conseiller. La ruée est géographique : on voit les poids légers du Sud-Est, Mariani et Estrosi, rivaliser sur le plan sécuritaire ; les Hauts-Normands et les Bas-Normands se disputer les faveurs du futur souverain ; les Savoyards se diviser entre chiraquiens infidèles et convertis récents. La ruée est thématique aussi : il faut contenter les clientèles horizontales et verticales qui affluent, les amis des animaux, les protecteurs du patrimoine, les harkis, les chasseurs, les marins, les très riches, les très pauvres, les ouvriers, dont il a décidé d'être le héraut – c'est ainsi que s'instaure la payante habitude de se faire photographier dans les usines –, les métallos, les paysans, les grands céréaliers comme les petits producteurs laitiers, les gaullistes, les pionniers d'Internet, les victimes, toutes les victimes, puisqu'il a choisi d'être à lui tout seul le Parti des victimes.

C'est un spectacle inédit et insolite. La fameuse thèse de René Rémond sur les « trois droites » – la droite légitimiste (contre-révolutionnaire), la droite orléaniste (libérale) et la droite bonapartiste (césariste) – incarnée, en chair, en os, et en version kaléidoscopique. Car ce n'est pas trois droites que je distingue, mais à force de croiser ces hommes aux airs de président de Rotary traquant le maroquin, c'est trente droites, trois cents, trois mille droites. Chacune ayant le visage de ces notables qui, à quelques rares exceptions près, ne sont en rien des militants. L'UMP que je découvre est de fait l'union des droites, mais les pires. Pour le corps, c'est une sorte de super UDF, une forme molle, un parti de notables, et pour la tête, c'est Bonaparte. Voilà le paradoxe de cette droite abâtardie...

Ce jour-là, Nicolas revient de Londres avec Juppé. Il aurait dû se féliciter de ce ralliement de poids, mais il faut le plaindre d'avoir passé quelques heures avec l'ancien Premier ministre : « Une journée avec Juppé... On dit qu'il a changé depuis son retour d'exil au Canada... »

Il marque un silence ému. Les autres sont suspendus à la suite.

– C'est vrai *(autre silence)*...

– Il a changé. En pire !

Il se gondole et il poursuit ; les autres, bon public, compatissent au « calvaire enduré avec ce type qui a une arrogance, une morgue, une gueule, vous auriez vu ça ».

Je le vérifie une fois de plus, il n'aime pas sa « famille politique », à la différence de Chirac qui savait si bien compagnonner et ripailler. Il fait semblant, il fait tout dans les formes. Il a décidé de canaliser cette ruée, de l'organiser, et de les gratifier le jour venu. Mais en fait il ne les supporte pas.

François Fillon est chargé par Nicolas Sarkozy d'animer un comité stratégique restreint. En font partie une dizaine de proches, au nombre desquels Brice Hortefeux, Gérard Longuet, Pierre Méhaignerie, Jean-Claude Gaudin. Mais il faut également monter un deuxième cercle, le « comité politique », sorte de miniparlement de la campagne, où se retrouveront toutes les personnalités sans responsabilités opérationnelles, « afin de ne froisser personne ». Michèle Alliot-Marie devra quant à elle être l'un des « snipers » chargés de Ségolène Royal. Enfin, c'est la personnalité « fédératrice » de Simone Veil qui incarne le troisième cercle : elle est choisie pour présider les comités de soutien.

Mais tout ça, c'est pour la galerie. « Il faut bien les occuper », me souffle-t-il lorsque je le mets en garde contre l'« embourgeoisement » de la campagne. De fait, tout continue à se décider dans le petit cercle. Toutes ces instances sont consultatives : elles n'ont d'autre but que de réduire le pouvoir de nuisance des derniers carrés de mauvaises têtes, comme Raffarin (« Il faut se méfier de cet homme. C'est une hyène... la hyène de la droite »), d'isoler les récalcitrants chiraquiens, François Baroin et Jean-François Copé (« cette petite frappe »), et de tuer définitivement Dominique de Villepin (« l'autre cinglé ») en le dépouillant de ses dernières troupes. Tous sont des figurants, avec leurs tickets de 1re, 2e ou 3e classe, qui sont autant de numéros gagnants pour les gouvernements ou les chambres à venir. En vérité, je le découvre, Sarkozy ne respecte qu'une chose, le rapport de force. C'est la règle en politique, mais dans son cas elle s'applique avec une vigueur incroyable, parfois jusqu'à la caricature. Les « fidèles » de Sarkozy ne comptent pas ; il peut aisément sacrifier ses compagnons de route comme il vient de le faire avec Hortefeux. Les « créatures » de Sarkozy non plus ; une fois les députés ralliés, ils sont ingérés dans la machine, on leur donne un hochet. Seuls les suzerains, ceux qui ont un pouvoir de nuisance, ou les proies à conquérir semblent l'intéresser. Ça devait se passer comme ça dans tout le pays avant Hugues Capet.

Il est le chef, il s'est donné assez de mal pour le devenir, avec la prise de l'UMP en 2004, et cet incroyable sacre du 14 janvier par toute sa famille politique. Maintenant qu'ils sont « rentrés dans l'enclos, tout est possible ».

Il n'est pas seulement cinglant, méchant, cruel comme tout grand animal politique. De Gaulle, Pompidou ou Mitterrand aussi avaient leurs têtes de Turc, mais eux se comportaient bien à l'égard de leur « famille politique » : modération, respect des formes, solidarité de parti et de corps. Rien de tel chez Sarkozy. Pas le moindre sentiment d'appartenance, pas la plus petite trace de ce compagnonnage affectueux, rabelaisien, assassin parfois dans la tradition chiraquienne. Pas question de fraterniser, ou même de supporter la présence d'un fidèle de haut rang plus de quelques minutes à ses côtés – « David, je vous interdis de me faire voyager avec Longuet dans la même voiture... Il est rasoir. » Tout ça, pour lui, c'est du temps perdu, des manières d'alcoolique ou de jouisseur. Lui est une machine à gagner. Il fait le job et le continue. Avant le 14 janvier, il a engrangé les ralliements dans l'humilité et l'ombre. Il s'est prêté avec une (fausse) bonne grâce à la primaire avec MAM. Il a fait des mamours à cette « insupportable Boutin » ; il a ramené à lui un à un les plus obscurs députés et négocié le ralliement du moindre centriste comme autant d'affaires essentielles.

Tout cela a l'air non seulement de l'ennuyer, mais surtout de l'humilier. Il le fait en serrant les dents, en leur faisant de bonnes manières, en se perdant dans d'interminables pêches aux petits et gros poissons.

Il a dragué les jeunes chiraquiens : Valérie Pécresse (« elle est un peu trop bourge, il faudrait la refringuer... ») et NKM (« elle est tellement chic ») et jusqu'au plus petit apparatchik. Il s'est forcé à passer du temps avec les barons locaux, Gaudin à Marseille, Longuet dans la Meuse, Méhaignerie et sa rigueur budgétaire alors qu'il ne peut le supporter, lui et ses leçons d'économies. Il va même jusqu'à faire mine d'écouter Raffarin. Il compte les ralliements, comme un maquignon.

Les faire « rentrer dans l'enclos », dit-il.

Pourtant, on l'a vu avec Juppé, jamais il n'est heureux ou même flatté à l'annonce d'un soutien, fût-il de poids. Il engrange, il comptabilise, il réalise je ne sais quel plan, pensé de longue date et qu'il déroule. L'homme déteste serrer les mains dans la foule, prendre l'apéro devant la presse, perdre du temps, découcher, mais il s'y force, il se contraint, il fait le job avec sérieux, sans affect. À Toulon, à Saint-Quentin, à la Mutualité de Paris, à Perpignan ou dans le Cher, il a l'air de les aimer pourtant. Il est leur frère, leur ami, leur idole pour toujours. Les caméras présentes, il joue tellement bien la comédie du compagnonnage, mais, sorti de scène, changé, démaquillé, il les fuit comme la peste, ces notables énamourés et leurs compagnes qui se pâment.

Il est un berger, mais aussi un don Juan, car sitôt la proie capturée, il s'en désintéresse, il ne répond plus au téléphone, ne joue plus la comédie de l'affection, renvoyant tout à Guéant.

En ce début de campagne, seul Borloo lui résiste ; et c'est bien ce rapport de force intransigeant établi par Borloo dans la Sarkozie qui lui vaudra par la suite de n'être pas maltraité comme les autres.

Sa famille politique. Quelle émouvante expression ! Elle va si mal à la droite française... Elle est d'autant plus déplacée qu'en l'occurrence Sarkozy serait plutôt un « sans famille ». Parler de « famille politique » à son propos, c'est imaginer qu'il ait pu en trouver une. Son drame justement, c'est d'avoir toujours été le canard boiteux de la famille ; le « mal né », sans réel protecteur, lancé dans la vie publique à vingt-huit ans par un putsch impensable contre le parrain Charles Pasqua ; et fils indigne de Chirac, ce père qui n'a pas voulu de lui. Un jour il me parla de cette blessure : « Pour Chirac, il n'y en a toujours eu que pour les autres. Aujourd'hui, il n'y en a que pour ce fou de Villepin... Hier, il n'y en avait que pour Juppé, souviens-toi, il était "le meilleur d'entre nous". Ou même pour Toubon, qui se souvient de Jacques Toubon ? »

Cette rancœur d'orphelin à l'égard de Chirac, et de toute la droite, reste intacte. Elle le rend émouvant quand il se confie et impitoyable au moment où il s'agit de la prise du pouvoir. Il les déteste, et même plus que de raison. Je crois qu'ils le lui rendent bien.

Au sortir d'une de nos réunions du dimanche soir (qui traîne probablement parce qu'encore une fois il n'a pas envie de se retrouver seul), je lui parle de sa singulière relation à la droite. Le climat est propice. Il a enragé toute l'après-midi contre « ces bourgeois, ces connards, ces momies ». Il trouve la campagne trop molle, trop conformiste. Trop à leur image.

— Au fond, Nicolas, ils ne t'aiment pas, tes amis de droite. Tu le sais bien.

Moue polie, léger appel du menton, il veut en savoir plus.

— Tu le sais bien, Nicolas. Ils aimaient Chirac par exemple. Toi, c'est autre chose...

Je le sens rogue, c'est périlleux. Je pèse mes mots.

— Tu es leur chef parce qu'ils te craignent, et parce qu'ils savent bien que tu es le seul qui puisse les faire gagner ; mais ils ne t'aiment pas, et ils ne t'aimeront jamais.

— Ah oui, tu crois ? C'est possible. Mais tu sais, Chirac... lui non plus, c'était pas aussi rose que ce que tu dis.

Sa réponse songeuse m'incite à pousser le propos.

— Au fond, si on réfléchit, pour l'instant, les Français ne t'aiment pas. Et ce n'est pas le problème...

J'ajoute :

— Tu n'es pas le père. Pour eux, tu es le « grand frère démerdard » qui va les sortir de la crise.

Je suis content de ma démonstration, mais tout à coup il se ferme. Mouvement de mâchoire, lueur dans l'œil, regard fuyant. Je sens que j'ai touché quelque chose.

13

« Ça y est, Chirac est rentré dans l'enclos »

Il est tard, et dans le clair-obscur de son petit bureau de campagne il semble fourbu. Personne ne l'attend ce soir, alors il traîne. Il parle de tout, de rien, puis tout à coup me lâche, avec un air faussement détaché :

— Ça y est... Chirac est rentré dans l'enclos.

Il sait que le feuilleton Chirac m'inquiète ; il nous reproche toujours, à Fillon et à moi, d'être trop « pessimistes ».

Il précise :

— C'est réglé... Ils vont l'annoncer bientôt.

« Chirac dans l'enclos... ! » Mes craintes ont été vaines, il a eu raison. Le soutien du président sortant a été tardif, mais il est là. Un soutien et pas la peau de banane ou le coup de poignard redoutés. J'étais persuadé que la vieille fatwa finirait par se réaliser.

« Sarkozy ? Jamais. » Cette phrase définitive, je l'avais entendue le 1er novembre 1994, prononcée par un homme blessé, Jacques Chirac, donné battu par Édouard Balladur. Il était encore maire de Paris, et un candidat qu'on donnait perdant. Nous étions dans son immense bureau de l'Hôtel de Ville. J'étais allé lui transmettre un message de François Mitterrand, qui s'était pris d'une sympathie tardive pour lui. « Vous devez vous prononcer, déclarer votre candidature au plus vite, sinon vous serez enterré par Balladur », avait conseillé Mitterrand[1]. Le Chirac qui me reçut ce jour-là était au fond du trou. Les sondages lui donnaient à peine 15 % et dans Paris on rigolait à l'idée qu'il puisse être un jour président. Ce serait Balladur évidemment. Tout le monde, les sondeurs, les télés, même la gauche chic, en était persuadé. Et lui, dans sa solitude, martelait son vieux serment : « Sarkozy ? Jamais ! » « On dit que je suis gentil, que je ne suis pas rancunier, que la politique relativise beaucoup de choses, mais dans ce cas-là, je vous le jure, je ne varierai pas. Sarkozy, jamais. Cet homme que j'ai vu naître, que j'ai aidé, que j'ai hébergé sous mon toit, et qui mène la conjuration. Sarkozy, jamais. »

La sentence était sans appel, et elle le resta en dépit du retour de Sarkozy au gouvernement, en 2002. Cela faisait alors les affaires de Chirac, qui disait aussi à cette époque : « Sarkozy ? Il faut lui marcher dessus, ça porte bonheur[2]. »

« Sarkozy ? Jamais. » Je ne suis pas le seul à avoir entendu cela. Nombre de ministres, de journalistes, de témoins peuvent l'attester. Jusqu'au bout, Chirac a tenu cette ligne implacable. La fatwa n'était pas prescrite. Début 2006, elle était encore valide. Chirac pensait pouvoir éviter Sarkozy. Dominique de Villepin était un Premier ministre populaire. Il menait tambour battant une belle guerre contre le chômage, il faisait « tellement président ». La

---

1. Quelques jours plus tard, Chirac se déclarait de manière spectaculaire dans *La Voix du Nord*.
2. Bruno Dive, *Le Dernier Chirac*, Jacob-Duvernet, 2011.

voie était tracée pour lui. « Villepin, et pas Sarkozy, jamais Sarkozy ! » Tout roulait, les sondages, le peuple et même les élites, jusqu'à ce maudit CPE qui allait voir le protégé de Chirac pulvérisé. Chirac aura tout essayé pour évincer Sarkozy. Au point que l'on peut se demander ce que signifiait *concrètement* ce « Sarkozy, jamais ». A-t-on tout dit de la ténébreuse affaire Clearstream ? Dans le secret de leur cabinet, jusqu'où étaient prêts à aller Chirac et Villepin, au nom de la raison d'État, des valeurs de la France, de cette éternité dont ils s'estimaient seuls dépositaires ?

Depuis des mois, je guettais un coup fatal pour Sarkozy. Chirac savait y faire. Il avait été formé par le « gaullisme noir », le SAC, Alexandre Sanguinetti, Foccart, Pasqua, et leurs coups tordus. En 2007, il restait auprès de Chirac Yves Bertrand, le redoutable patron des RG, et lui aussi avait juré la perte de Sarkozy. Pendant quarante ans, Chirac avait éliminé tous les gêneurs, de Chaban-Delmas à Balladur, en passant par Séguin. Il les avait tous tués, même les jeunes pousses. Et si ce n'était pas une affaire, ce serait un piège politique de dernière minute. Chirac pouvait affaiblir Sarkozy ; le tuer, en faisant bouger ces deux ou trois pour cent de modérés, de gaullistes, de centristes qui le suivraient et feraient basculer l'élection. Chirac n'est-il pas devenu, après une vie de garnement, le « Père de la Nation » ?

« Chirac est rentré dans l'enclos. » Son soulagement est à peine visible. Le ralliement de Chirac, c'est un souci de moins, mais pas davantage. Il est trop tard dans leur histoire pour s'émouvoir ou se retrouver. Jacques Chirac, « le Grand Jacques », son idole de jeunesse, n'est à présent qu'un animal de plus à pousser dans l'enclos. Le plus gros. Le dernier qu'il attendait. Il a fait le job.

Je suis épaté par la nouvelle. Il me répond, désabusé :
— Tu sais, Chirac… Le grand Chirac, c'est plus rien…
Au fond, Sarkozy a mieux jugé que quiconque la dangerosité de Chirac. Il l'estime nulle. Toujours en pointe pour dézinguer un père défaillant, très tôt, il a vu que le grand Chirac, le prodigieux flingueur des droites, n'était plus que l'ombre de lui-même, un parrain à la ramasse. Il a été le premier, à droite, à faire le même constat que Lionel Jospin en 2002 : Chirac « fatigué, vieilli, usé[1] ». Mais lui a su en faire le meilleur usage.

Les femmes ont dû jouer un grand rôle dans la reddition de Chirac, surtout Bernadette. Elle a su déminer cette affaire de machos, faire baisser la pression, et préserver son mari de toute fausse manœuvre. Elle connaît mieux sa droite profonde que lui et doit voir l'impasse avec lucidité. Était-il pensable en effet de ne pas soutenir Sarkozy ? Chirac serait traître à son camp, à l'UMP, le parti qu'il a lui-même créé, et traître aussi à la fonction présidentielle si Sarkozy devait être élu. Non, décidément, pour toutes ces raisons, il était impensable *in fine* que Chirac ne le soutienne pas.

J'interroge Sarkozy. :
— Et comment as-tu fait ?
Il me répond sur un ton de confidence maquignonne :
— J'ai su lui parler…
Je le relance.
— Mais que veux-tu dire ?
— Le traiter, lui garantir une éternité *(rires)*…

---

1. Lionel Jospin, le 10 mars 2002.

Il ne veut pas en dire plus. L'explication est un peu courte. Je suis intrigué par ces expressions et par les échanges avec les chiraquiens. Ils ont dû être laborieux, complexes et bien mystérieux.

En 1995, j'ai assisté de près aux coulisses de la passation de pouvoir entre François Mitterrand et Jacques Chirac. C'est un moment républicain singulier et clandestin, où de byzantines transactions s'engagent entre le partant et l'entrant. Jamais directement, par émissaires interposés. On se renifle d'abord. L'entrant virtuel propose une « éternité tranquille » au sortant. Il se préoccupe de son futur appartement de fonction, de recaser ses secrétaires les plus fidèles, parfois du sort du Secrétaire général de l'Élysée. Et surtout – c'est la meilleure manière de garantir une éternité – le successeur virtuel s'engage à le protéger des affaires qui risqueraient de se réveiller.

Le président sortant qui ne veut pas voir salir son règne, une fois qu'il n'aura plus les manettes du pouvoir, ou qu'il sera mort, accepte.

Du coup, on peut imaginer ce que cela veut dire, « j'ai su lui parler, le traiter, lui garantir une éternité ». Chirac a survécu à bien des affaires, mais il en reste d'autres. Il doit en avoir sous le coude, Sarkozy. L'élève a dépassé le maître à ce jeu-là, repris les vieilles méthodes de l'UDR et verrouillé les « services ». Il n'a pas perdu la main, lui.

Une fois les armes et les dossiers sur la table, on a donc obtenu ce soutien du vieux Chirac. Lequel peut maintenant dormir tranquille. La coutume républicaine veut que ce genre de pacte soit assorti de quelques avantages, notamment le replacement de proches. Mais à part la paix en Corrèze pour Bernadette, les Chirac ne voulurent « rien devoir à cet homme-là ».

14

Panique rue d'Enghien,
la peur bleue de François Bayrou

Au premier étage du siège de campagne, la salle des machines, avec les soutiers. Des jeunes gens sympathiques, débraillés par rapport aux « momies » qui traînent aux étages des chefs, répondent aux appels des fédérations, des militants, des adhérents, des fans et des cinglés. D'autres dialoguent sur leurs ordinateurs ; ça ressemble à une salle de marchés. On vit dans la fièvre du contact direct avec le terrain ; on ne se ment pas, comme à l'étage du dessus. Et ce jour-là, le jeune responsable des sondages, venu de chez Coca-Cola, fait une drôle de tête. Quelque chose cloche, il en a la conviction. De multiples signaux l'inquiètent. L'électorat de droite se fragilise. Je le sais enthousiaste, un peu vert en politique, prêt à jouer les Cassandre à peu de frais. Il argumente : dans les zones ex-MRP, Bayrou prend énormément sur Sarkozy ; des bataillons de notables UMP, généralement d'anciens UDF, rallient le candidat centriste. En province, les remontées sont les mêmes : les gens « se barrent chez l'ennemi Bayrou par paquets ». Les zones ex-RPR tiennent encore, mais jusqu'à quand ? On n'est plus à l'ère Chirac, se lamente un militant qui passe ;

la machine sarkozyste n'est pas aussi bien rodée. Résistera-t-elle ?

La panique est réelle chez ce bon mécano des sondages ; et en l'écoutant, elle me semble fondée. Les informations font sens. Il y a en effet dans certaines régions de l'Ouest des « désertions » massives. Le phénomène peut faire tache d'huile. Les oubliés de la droite, tous les humiliés de Sarkozy semblent retrouver du courage. C'est la confirmation de ce que je lui ai exposé, et qui ne lui avait pas plu. La droite des partis ne l'aime pas et ne l'aimera jamais autant que Chirac, ce soudard qui lui ressemble. Elle l'aime vainqueur, un point c'est tout. À la moindre faiblesse visible, il est mort...

J'avertis Guéant de ces turbulences en régions.

Je ne le sens pas bouleversé par la nouvelle. Il note sur son cahier (il note tout sur son petit cahier d'écolier) d'une écriture appliquée, avec des hiéroglyphes qui doivent lui servir de raccourcis, traçant un trait entre tous ces résumés de rendez-vous qu'il empile au cours d'une journée ininterrompue de 18 heures. « La transmission sera faite. » Le problème, car il y en a un, que je découvre au fil des jours, c'est que Guéant a « tous les talents de l'administration des choses, comme disait Saint Simon, mais pas celui des hommes ». Il ne sent pas la politique, il n'est pas doué pour saisir l'événement, il n'a pas le nez, le goût du mouvement, le sens de la réactivité, l'esprit agile et guerrier... Il complète en cela Sarkozy, dont ce sont justement les vertus cardinales. D'ailleurs Guéant me l'a avoué, un jour où il était en veine de confidences, il a conscience de ce handicap...

Je tire la sonnette d'alarme auprès d'un autre responsable de la campagne, mais j'ai la maladresse de lui parler du conseiller en sondages, et de ses inquiétantes découvertes. Il n'y prête aucune attention, il déteste « ce traître » à la firme.

Le soir, au retour d'une de ses tournées, je vais trouver Sarkozy. Je rencontre sa bienveillance de guerrier fourbu qui demande des nouvelles du front, comme une habitude : « Quoi de neuf ? Qu'est-ce qui s'est passé aujourd'hui ? »

Je lui parle de ces « signaux... du glissement de terrain du centre... de la fragilité en terre démocrate-chrétienne... et de ces sondages qui n'avaient pas encore pris en compte ce glissement de terrain... »

Il y a le feu, mais je ne parviens pas à attirer son attention. L'homme qui est devant moi est groggy. Il multiplie tant les étapes, les tréteaux, les discours, répète en boucle les mêmes idées, qu'il a des blancs, de minuscules passages à vide dont je me demande si quelqu'un les remarque. Il n'a plus le temps de penser. Il est une machine.

Je m'aperçois qu'il n'est pas au courant. Guéant lui a peut-être parlé des défections, mais sur le ton ouaté, confus, toujours rassurant (car il faut le « préserver ») que prend celui par qui tout passe, puisqu'il est le seul qu'il supporte sur la durée.

— Ne vous inquiétez pas...

— C'est bien, mon petit Claude...

Et le chef peut généralement repartir guerroyer tranquille. La maison est tenue.

C'est donc ça. On a voulu l'« épargner » une fois de plus, lui épargner du souci, lui épargner ces mauvaises nouvelles qui le mettraient en rage ; et aussi épargner des ennuis au porteur de ces mauvaises nouvelles — je commence à connaître leurs ruses de ronds de cuir pour survivre.

Il continue à lire ses messages d'un air las, en me racontant ses morceaux de bravoure du jour. Je reviens à mon propos, j'insiste. Devant mon inquiétude, il se contente de grommeler :

— Jusque-là, ces radars n'indiquent rien, alors pourquoi s'inquiéter ?

Du coup je hausse le ton. Je répète l'alerte. Je veux le réveiller, lui dire haut et fort, et sans gants blancs cette fois, « le danger qui vient... les sections UMP qui de-ci de-là foutent le camp »... ce que je pense de son équipe et de sa droite embourgeoisée, traînant dans les couloirs à comploter pendant que le péril semble mortel. Et tout ce que j'ai sur le cœur concernant ses amis, « les troupeaux de cette droite égoïste et imprévisible. Tous des nuls, s'il ne s'occupe pas de les tenir... »

Ai-je été convaincant ? Tout à coup, il redresse la tête. Il a l'air intéressé, il écoute. Quelle prouesse ! Enfin j'ai retrouvé *son oreille*, il a saisi le danger. Il m'interroge sur ceux qui cèdent, ceux qui tiennent, et m'interrompt pour vérifier un détail sur un centriste du Sud-Ouest, me laisse poursuivre, surtout intéressé par ce que je raconte de la « grande peur de Mitterrand en 1988 », dans une situation assez proche.

En effet, cette poussée soudaine, régionale, inattendue, me rappelle un précédent. En 1988, François Mitterrand avait rencontré le même problème. Tout allait bien pour lui, quand, en décembre 1987, des signaux du même type furent émis par la province. Raymond Barre, le candidat centriste, devenait menaçant. Il remontait sur Chirac et sur Mitterrand. Pis, dans l'hypothèse d'un second tour, il battait Mitterrand. Le candidat socialiste sentit le danger

« Raymond Barre » : avant même la confirmation par les sondages, il fit tout pour éviter de se retrouver face à lui au second tour. La canonnade contre Barre ne cessa pas, elle alla même jusqu'à la caricature. Les socialistes firent feu de tout bois. La « mode Barre » passa ; fin février, sous le feu croisé de Mitterrand et de Chirac, le candidat, « idéal », pour *Le Monde* comme pour *Le Figaro*, le « troisième homme de l'époque », Raymond Barre s'effondrait. Ça, c'était le passé, mais le centre en France restait un serpent de mer. Et cette fois ? Et si cela prenait ? Et si le bipartisme avait fait long feu ? Et si c'était le moment du centre ? Et si le match Sarkozy/Ségolène avait lassé ? Et si c'était l'heure Bayrou... ?

Il me questionne. :

– C'était quand, précisément ?

– Décembre 1987...

(Un silence)

– Oui... On est en mars... Moi, ça ne m'arrive pas au meilleur moment...

Puis après un long silence, il répète :

– Mais les sondages... Mais les sondages...

Il semble furieux contre ces sondages qui n'ont pas (encore) vu ça. Les sondages, les fameux, les indispensables sondages. La remontée de Bayrou, ce n'est pas son scénario ; il a conçu la présidentielle en fonction de Ségolène Royal, lui contre une femme. À sa manière obstinée et méthodique, il a tout misé sur ce profil de compétition. Il a théorisé jusqu'au moindre détail cette joute singulière. « C'est la première fois que j'affronte une femme, moi... Je dois donc parler plus bas ; et toi François [Fillon], tu dois parler plus haut. » Jusqu'en janvier, il a été le « challenger » derrière elle qui caracole dans les sondages. Après le 14 janvier, il a dépassé Ségolène. Le match se résumera à eux deux, voilà comment il voit les choses. Sans Bayrou.

Quelques jours plus tôt, il m'avait confié son inquiétude, son seul souci stratégique.

— Ségolène est derrière moi maintenant dans les sondages… Mais le danger maintenant est pour moi… Je suis le leader ; plus le challenger. Je suis le seul qui ait tout à perdre, désormais…

Et voilà que dans son rétroviseur surgit ce danger mortel qu'il n'a pas prévu. Il a l'air perdu devant cette perspective. Il flotte, puis il se ressaisit, ou plutôt se laisse prendre en main. Dans ces moments de doute, je constate qu'il n'est plus autonome. Il arrive qu'il se laisse conduire d'une façon presque infantile. Cela m'a frappé. L'exercice est possible. À condition de dérouler des arguments frappants dans une cohérence sans faille, il est concevable de prendre le volant de la Ferrari pendant quelques kilomètres.

Il convient sans mal qu'il faut agir sans tarder, et accepte trois actions d'évidence qui ont échappé à son état-major « embourgeoisé ».

— Il faut contenir ces glissements de terrain et reprendre l'offensive en province.

— Oui, je vais multiplier les réunions publiques. Je vais mobiliser Hortefeux et Estrosi, ils ont l'air bien malheureux et ça va les occuper…

— Et puis il faudrait aussi vider le siège de campagne de tous ces barons paresseux qui traînent dans les couloirs.

— Ah oui, ceux-là aussi, je vais les envoyer sur le terrain.

— Et puis il faut que tu t'occupes de ton équipe, ça part dans tous les sens, ça se déteste, ça fuite dans les journaux.

— Tu penses à qui ?

— Je vais pas faire la balance, t'as qu'à faire ton travail !

— Qui ? Il faut que je m'occupe de qui ?

— Ce ne sont pas mes histoires. Fais ton enquête. L'important, par ailleurs, c'est que tu t'occupes de Borloo, il te fait lanterner depuis trop longtemps…

— T'as raison. Faut tout de même qu'il arrête de jouer au con et de me faire la danse du ventre ; il faut qu'il s'engage, maintenant.

Il y eut un sursaut dans la campagne. Je n'avais pas dû être le seul à lui parler ainsi ; d'autres avaient dû s'émouvoir. Les retombées furent immédiates et la mobilisation générale. Rue d'Enghien, il y eut quelques scènes mémorables. Sarkozy reprit les rênes de l'état-major, engueula son cabinet divisé et terrorisa les notables « embourgeoisés[1] », qu'il expédia jusque dans les coins les plus reculés de France, où sa *famille politique* flanchait. Il obtint enfin le ralliement de Borloo[2]. Quant à la troisième conséquence de cette reprise en main, elle fut clandestine et hélas décisive. Je ne la compris que plus tard.

---

1. Charles Jaigu, *Le Figaro*, 10 mars 2007.
2. Le 27 mars, Borloo annonçait son ralliement à Sarkozy, qui, invité au *Grand Journal* de Canal +, lui avait cédé sa place.

15

Vertige devant la France

C'est à ce moment-là, devant la menace Bayrou, que s'opéra chez lui une rupture intime et décisive. Il avait eu je crois une peur bleue. Le vertige devant la France qui tout à coup se raidit.

La France, ce mystère qu'il cherche à percer à force de sondages. Cette multitude dont on doit trouver l'oreille, être le chef, incarner le principe d'unité. Cette France qu'il faut aimer, caresser, dominer, connaître, « cheffer », comme disait de Gaulle, il ne la sent pas, il ne la connaît pas autrement que par les courbes savantes qu'on lui présente et qu'il saucissonne en clientèles. Ces soixante-cinq millions qui, selon la manière dont on leur parle, dont on les traite, peuvent ne faire qu'un, ou au contraire, produire la division, la jacquerie, la guerre civile, ne lui sont pas familiers. Nous en avons parlé. Il sait ce peuple difficile, imprévisible, sanguin ; le même peuple dont parlent dans leurs Mémoires Jules César et de Gaulle. Il n'ignore pas que les plus grands se sont laissé surprendre par la nation capricieuse. De Gaulle en 1968. Qui aurait imaginé qu'il perde ainsi pied ? Giscard congédié après un mandat. Mitterrand en 1984, qui, bousculé par la rue de droite, prit peur et renonça à l'audace.

Le soir où je lui annonce le glissement de terrain, tous ces mouvements en faveur de Bayrou, le trouble que je lis sur son visage est particulier. On peut y distinguer ce vertige que décrit Kundera dans *L'Insoutenable Légèreté de l'être* : « Avoir le vertige, c'est être ivre de sa propre faiblesse. »

Un instant, il a paniqué devant la perspective de se trouver au second tour face à Bayrou. Battu. Il est alors ce cycliste à bout ; non plus un politique, un être moral ou pensant, mais un simple compétiteur concentré sur la ligne d'arrivée, cet objectif impératif de 31 % au premier tour qui seul lui permettrait d'être élu. Il lui faut encore donner le coup de pédale décisif et – j'ai reconstitué les faits –, c'est à ce moment-là qu'il perd confiance. Il a conscience de sa faiblesse, ne veut pas lui résister, mais s'y abandonner, pour reprendre l'image de Kundera. Alors, plutôt que de suivre ses propres convictions, ou d'entendre ce que dit le pays à travers cette poussée de Bayrou (le souci d'une droite modérée, respectueuse de l'étiquette, préoccupée de la dette), de s'arrêter au bistrot, de parler avec des gens normaux, d'aller dans les rues mais sans escorte, et d'ajuster sa stratégie gagnante, il choisit de doper sa campagne.

De se doper.

Le « produit » ? Ce fut l'annonce de la création du ministère de l'Immigration et de l'Identité nationale, le 8 mars 2007. Elle survient quelques jours à peine après cette « peur bleue », et l'idée, bouclée en urgence et dans le secret, était en vérité une réplique à la menace Bayrou.

De fait, ce choix va « doper » le candidat. Il aura une autre conséquence, immédiate, occulte : l'installation durable de son Dr Folamour. C'est en effet en mars 2007 que Patrick Buisson, fort de ce « coup » réussi, prend le contrôle du champion. Un contrôle clandestin mais serré, une présence discrète mais permanente. Une emprise idéologique qui ira crescendo, jusque dans les détails sémantiques les plus sournois.

Dès mars 2007, Nicolas Sarkozy passe sous l'influence de Patrick Buisson, parfois même sous sa dépendance. Très tôt, bien plus tôt que la légende ne le prétend généralement, c'est-à-dire sur la fin, en 2012, à l'occasion de cette campagne mortifère.

J'ai beau me repasser le film des événements, il y a là quelque chose qui nous échappa. C'est à ce moment précis que tout se met en place.

L'étrange dialectique entre le président rastaquouère et l'intellectuel maurrassien débute là. Elle sera un vecteur inespéré pour porter le vieux dessein de Buisson : l'union de toutes les droites dans un « populisme chrétien ». Elle donnera au jeune chef l'illusion qu'il entretient, à travers le séduisant Buisson, ce dialogue qui lui manquait avec une certaine idée de l'éternité française. Le *momentum* est passé inaperçu, on s'est chargé de brouiller les pistes. Pourtant, il marquera tout le quinquennat et le fera se terminer dans le baroud de déshonneur républicain de la campagne de 2012.

Tout commence là.

16

L'inquiétant M. Buisson

C'est l'histoire du champion et du docteur maudit. D'un dopé et de son dealer. Et aussi, en ce temps-là, d'un homme que l'on cache dans son labo clandestin.

Jusque-là, le nom de Patrick Buisson n'a jamais été prononcé. Nul ne l'a vu dans les réunions du mercredi, ni du dimanche soir, et si incroyable que cela puisse paraître, je n'ai pas eu à travailler avec lui, je ne l'ai jamais croisé dans ces cercles. Sarkozy le connaissait depuis 1995 ; ils se sont revus au moment du référendum de 2005 sur le Traité constitutionnel européen, où le ministre avait été impressionné par son pronostic sur la poussée du « non ».

Pourtant, Solly fait un jour une allusion : « ne pas oublier de demander à Patrick ». Goudard lui fait les gros yeux. Je demande à Goudard qui est ce « Patrick ». Il a l'air gêné, mais l'admet : « Oh, tu sais, Buisson, ce n'est pas ce qu'on dit... Il n'est pas si antipathique ; c'est même un brave mec, tu te trompes. » C'est ainsi que j'ai compris qu'il y avait un savant sulfureux qu'on tenait à la lisière, « vu son passé », une *seconde équipe*.

Une équipe clandestine.

Quelques indices m'avaient mis sur la piste. Comme ce jour où Sarkozy m'a surpris par sa culture postmarxiste. Il n'a alors à la bouche que le mot de « transgression ». Il saute sur le mot, l'agite au nez de son équipe. « Oui, c'est ça, il faut de la transgression. » Comme s'il s'agissait d'une amulette, d'une trouvaille magique, d'un haka de guerre. Il développe même : il faut transgresser la campagne, la gauche, l'Europe et la raison. La question l'inspire.

— D'ailleurs, c'est ce que j'ai fait le 14 janvier. De la transgression, et ça m'a plutôt réussi, non... ?

Acquiescement de l'assemblée.

— Et vous allez voir... Ce n'est pas fini... Je vais vous étonner... On va tout piquer à la gauche. Il ne va plus rien leur rester. D'ailleurs, c'est simple. Il suffit pour cela du pouvoir du verbe...

Regard attentif à ses interlocuteurs. Il nous explique alors ce tour de prestidigitation intellectuel : la *préemption*. Je me demande où on a bien pu lui apprendre ça.

Il a l'air épaté.

— C'est simple : il suffit de s'emparer des mots, de leurs mots, de les préempter en quelque sorte.

Il attend son effet et reprend, l'œil allumé :

— Vous les dépossédez, et du coup, ils vous appartiennent. Pouf, vous sautez dessus, et ils vous appartiennent...

Il a l'air d'avoir découvert quelque chose. La « préemption » dont il parle m'est connue, mais lointaine. Elle a été théorisée par le philosophe marxiste italien Antonio Gramsci.

Je suis à la fois bluffé et suspicieux. D'où puise-t-il cette assurance nouvelle, à la fois conceptuelle et idéologique ? Ce n'est pas son genre. Cette fulgurance sémantique, seuls les gens qui ont vraiment lu Gramsci peuvent la connaître.

Gramsci, ce sont quelques idées phares. La théorie de l'hégémonie culturelle ; l'existence d'une société civile à conquérir ; et cette idée que la victoire politique passe d'abord par la « préemption », par la victoire culturelle dont il parle. Mais qui connaît encore Gramsci, depuis des lustres passé de mode à gauche ? Qui le lit encore ? Ce gramscisme de bazar dont il possède les clefs est une énigme. Ce n'est pas sa culture ; ni celle de Goudard, atlantiste et sceptique ; pas celle de Mignon, son catho-libéralisme est trop raide ; ni celle de Guaino, pour ce nostalgique, l'idée gramsciste est bien trop « soixante-huitarde ». L'extrême gauche a adulé Gramsci, car il est une figure du marxisme plus originale, plus souple, plus maligne aussi ; mais y a-t-il des marxistes dans la salle ? Aucun. Reste l'extrême droite ! C'est elle qui l'a redécouvert, à la fin des années 70, et s'en est servi pour mener ses combats. Elle a su prospérer grâce à Gramsci, elle a appris l'entrisme dans la droite traditionnelle. À la fin des années 1970, Gramsci fut considéré comme une formidable prise de guerre par les penseurs néofascistes du GRECE et du Club de l'Horloge[1]. C'est ainsi, par le détour gramscien, que j'en ai la confirmation. Buisson est, à ma connaissance, sa seule relation qui fréquenta ces cercles. Il est le seul à avoir pu lui faire ce type de démonstration, brillante

---

1. « De 1976 à 1978, il [Buisson] collabore fréquemment à *Item*, revue "ouverte à toutes les opinions opposées au totalitarisme marxiste et au conformisme gauchiste", qui collabore avec le fondateur du Groupement de recherche et d'études pour la civilisation européenne (Grece), Alain de Benoist, ou encore avec les compagnons de Le Pen, Roger Holeindre, Pierre Durand et Georges-Paul Wagner », Renaud Dély, « Patrick Buisson : "Un type secret qui passait pour un comploteur" », *Le Nouvel Observateur*, 5 mars 2014.

et perverse. Aujourd'hui je comprends que le conseiller maurrassien était dans la place, déjà dans sa tête.

Mais revenons à cette « peur bleue » et à sa conséquence. L'épisode Bayrou l'a remobilisé. D'autant qu'il se conjugue avec une remontée inattendue de Ségolène Royal dans les intentions de vote du second tour. Il y a le feu. Il a secoué ses troupes, a cherché des idées, demandé à Mignon de faire le tour des *think tanks*. Oh, il n'a pas de préférence. Il écoute tout le monde dans ces moments-là, la gauche, la droite, la banque, les juifs comme les fachos, les « visiteurs du soir » comme ceux de son Nokia. Et c'est ainsi, dans le désordre et l'intuition, qu'il fait son marché aux idées, sans souci de système ni de cohérence.

Il tombe sur l'identité nationale au moment de cette peur bleue.

Il tournait autour de la question depuis quelque temps. Certains derniers dimanches soir durant cette période, il avait lancé des ballons d'essai, nous interrogeait sur la question de savoir s'il fallait exiger des nouveaux immigrés la pratique de la langue française. Il allait parfois plus loin et s'arrêtait quand Fillon ou moi faisions la grimace. Jusque-là, il s'était cantonné à une ligne républicaine de droite classique. Il n'était pas allé au-delà.

Mais en ce début mars, l'inquiétude est à son zénith.

Le 8 mars, une réunion de crise se tient Place Beauvau. Buisson est là, et aussi Guaino, Solly... Je n'y participe pas. Sarkozy cloisonne toujours quand il s'agit de Buisson. Il faut remédier au « coup de mou » dans la campagne.

Buisson décrypte et propose : « Tu es en train de te notabiliser... J'y vois la conséquence du choix de Simone

Veil pour présider le comité de soutien... Tu as percé parce que tu incarnes une transgression par rapport aux tabous de la politique traditionnelle. Il faut, sans tarder, envoyer un signal fort à toutes les couches nouvelles qui ont déjà basculé dans ton camp ou qui sont prêtes à le faire. Or, le tabou des tabous, c'est l'immigration. La transgression majeure, elle est là. Par ailleurs, il faut en remettre une couche sur le thème de l'identité nationale. »

On raconte que le silence est alors à couper au couteau[1], puis que Guaino intervient pour soutenir Buisson.

C'est à ce moment-là que Sarkozy dut céder : « Patrick a raison. Je vais proposer la création d'un ministère de l'Identité nationale. Quant à Simone, je la gère, elle doit comprendre. Elle comprendra[2]. »

Le soir même, sur le plateau de France 2, dans l'émission « À vous de juger », il lance l'idée du ministère de l'Identité nationale, c'est une bombe. Deux jours plus tard, il en rajoute même, comme si on ne l'avait pas compris en reprenant à son compte les formules buissoniennes[3].

Les protestations et les sarcasmes pleuvent. Les premières heures, il a la tentation de reculer. Il songe à rectifier l'intitulé du ministère, il parle d'abandonner l'Identité nationale, il envisage de faire disparaître la mention sous des points de suspension, le « temps que ça se calme »...

---

1. Citations et description tirées d'Éric Branca et Arnaud Floch, *Histoire secrète de la droite, 1958-2008*, Plon, 2008.

2. *Ibid.*

3. Notamment « La France, tu l'aimes ou tu la quittes » du FN, qui deviendra « Ceux qui méprisent la France, ceux qui la haïssent ne sont pas obligés de rester » (meeting de Caen du 10 mars 2007).

Mais opportunément, un sondage arrive, avec M. Buisson et ses graphiques sous le bras. C'est encore l'un de leurs rendez-vous clandestins. Buisson jubile et ne comprend pas les doutes de Sarkozy. « L'opération "Identité nationale" est plébiscitée par les Français. Les courbes sont parlantes. Il ne faut pas reculer. » Patrick Buisson le supplie « à genoux de ne pas lâcher[1] ».

Sarkozy ne lâche pas : c'est un triomphe sondagier.

La remontée fut en effet foudroyante. Presque anormale. J'ai repris les courbes des études d'opinion, je les ai mises en perspective et j'ai comparé l'avant et l'après. Un séisme est visible sur tous les graphiques. Il a triomphé grâce à ce foutu ministère ; et pour ce pragmatique absolu, il n'y a pas de discussion. Les chiffres ont parlé, sa religion est faite. Il a tenté le tout pour le tout. Et il a gagné. Faire un tel bond dans les sondages, ça n'arrive pas tous les jours. Et comme il ne déteste rien plus que les coupeurs de cheveux en quatre, il ne s'embarrasse pas de scrupules. Le succès de cette « opération » installa le crédit du miraculeux Dr Buisson.

Le ministère de l'Identité nationale fait repartir sa campagne. Le champion reprend la tête, pour ne plus la quitter. Il n'est plus ce cycliste grincheux, inquiet, aux aguets. Lui qui, durant cette compétition insensée, a semblé KO debout par l'effort demandé, les ordres donnés, les coups de fil passés, les sms envoyés et les mains serrées, retrouve ses jambes. Miraculeusement.

Cette « découverte » eut une terrible conséquence : l'addiction clandestine aux chimies idéologiques du Dr Buisson.

---

1. Carole Barjon, « Patrick Buisson : le stratège de l'ombre », *Le Nouvel Observateur*, 16 février 2012.

Je me souviens, il avait dans le regard une étincelle curieuse, alors qu'il revenait – je l'avais compris – d'un de ses rendez-vous clandestins avec Buisson. Il avait perdu ses doutes. Il fourmillait d'idées bizarres. Il était dans la toute-puissance de celui qui a découvert un produit, des mots, une « pensée magique », quelque territoire inconnu jusque-là. C'était magique, en effet : un « bon coup de gros rouge[1] » et ça repartait. La machine s'emballait, la France profonde était là, avec lui, et avec ses « transgressions ». C'était un peu comme si, grâce à Buisson, il avait touché à une terminaison nerveuse, un point sensible, ou quelque point G du corps national. La clé de la France, ou celle de l'humeur française, dont il devait s'imaginer que le Dr Buisson disposait du passe. Il se mit même à avoir des tics de langage, à employer les mots de Buisson.

Il savait pourtant qu'avec Buisson il jouait avec le feu. Il connaissait son passé, sa passion pour Maurras. Il se doutait que l'intellectuel d'extrême droite lui fourguait des idées interdites, du dur, du pur. De l'EPO idéologique. Mais sans barguigner, il avalait le vieux cocktail rance, aux origines douteuses dont il ne voulait rien savoir.

*

Le 24 septembre 2007, sous les lambris de l'Élysée, Nicolas Sarkozy remet la Légion d'honneur à son conseiller. C'est une cérémonie solennelle, en petit comité ; pas une

---

1. C'est l'expression que j'entendis alors chez les plus rigoureux de l'équipe.

de ces cérémonies collectives et expédiées, où l'on empile les discours de cinq minutes devant des foules bien compartimentées. C'est même un événement du règne naissant. Spectaculairement, le président Sarkozy sort Buisson d'une ombre de quarante ans. Lui, si avare de compliments, déclare à l'attention de tous sa dette : « C'est à Patrick que je dois d'avoir été élu[1]. » Buisson, dit-on, essuya une larme.

Enfin, Buisson allait pouvoir agir au grand jour, vite imposer son empire dans ce cercle réduit au minimum. On lui associa deux autres conseillers, histoire de le cadrer : Pierre Giacometti, sondeur de centre gauche, et le solide Goudard, qui pensait lui aussi faire son miel des idées de Buisson. Mais ils ne pèseront guère face à l'imperium de Buisson et à ses blitzkriegs idéologiques. Celui-ci allait triompher de tous ses rivaux, et aussi des pontes du régime. Guéant sera dépassé ; Guaino, cantonné au rôle de parolier officiel.

Tous se trouvèrent débordés. Buisson se révélait le plus prompt à calmer les angoisses du prince, le plus péremptoire, le plus habile surtout.

Le Dr Buisson prit donc le contrôle du cerveau national, et Sarkozy, « qui savait ce qu'il lui devait », et qui par ailleurs n'avait pas la tête idéologique, se laissa gouverner. Ils s'étaient bien trouvés. Buisson, l'éternel marginal qui rêvait depuis trente ans d'intégrer l'establishment, Sarkozy, émerveillé par celui qu'il considérait comme sa « trouvaille », et qui, face à Buisson, se comportait comme

---

1. Carole Barjon, « Patrick Buisson : le stratège de l'ombre », *Le Nouvel Observateur*, 16 février 2012.

un « bourgeois gentilhomme », ébloui par « l'impressionnante culture du bonhomme », ivre de ses citations, illuminé par les concepts du conseiller qu'il ressortait parfois in extenso à ses visiteurs.

D'autant que Buisson savait y faire. Ayant fréquenté d'autres grands fauves, il n'était pas en terrain inconnu. Au fond, Sarkozy était une proie prévisible.

Il faut dire que Buisson avait les mots définitifs et le ton péremptoire qui rassuraient le prince. Il avait réponse à tout, ne laissait rien au hasard. Sarkozy trouve indispensable à sa vie l'historien autant que le sondeur.

Car Sarkozy aimait l'histoire. Son ami l'historien de gauche Jean-Michel Gaillard lui manquait. Il le remplaça par cet historien d'extrême droite au savoir plus encyclopédique encore. Et comme ce bourgeois gentilhomme n'avait jamais été bon élève, il fut vite envoûté par l'esprit de système frappant de Patrick Buisson.

Dans sa solitude de chef, il devint « addict » à ses sondages, à ses schémas et aux prescriptions qui s'ensuivraient. Plutôt que de rencontrer les Français, de chercher l'« odeur de la France » ou de faire confiance à sa propre originalité, le président allait se barricader dans son palais derrière ses certitudes, M. Buisson, sa science et une montagne de sondages, lui donneraient l'illusion de connaître le pays. Pour lui, la France n'était pas un bloc, c'étaient les « slides » de M. Buisson, où l'on met en coupe les marchés-cibles et des taux de pénétration sur ces marchés-cibles. Tout ce qui était inscrit sur ces graphiques devenait des sentences implacables, comme celles des conseils d'administrations, ou du cours de bourse. Seul le dividende populaire comptait pour le président.

Le règne de Buisson ne fut pas une foucade.

L'influence du gourou va être totale, structurante, conti-nue, dès le début, selon moi sans véritable éclipse[1]. Elle irrigue le mandat. À tout moment, on trouve l'idéologie Buisson : quand il faut préférer le régalien à l'économique, parce qu'on n'a pas le courage de s'attaquer aux vraies réformes. Quand il faut diviser les Français, les fonction-naires contre les bons Français, les vrais Français et les nouveaux Français, sous prétexte qu'il faut refaire l'unité des droites. Quand il faut inventer des leurres, comme cette affaire des retraites, où il faut mettre le peuple dans la rue, mais pas trop, suffisamment pour poser Sarkozy en réformateur intrépide et inflexible. À tous les moments, les tournants du règne, quand le prince ne sait plus sur quel pied danser, gauche, droite, extrême droite, et tout particulièrement en 2010 lorsque, croyant rebondir, il allait lancer le piteux discours de Grenoble.

Mais l'apothéose, c'est la campagne de 2012. À mesure que l'échéance approche et que la panique gagne, l'in-fluence de Buisson devient sans frein. Il y a quelque chose de wagnérien dans ce moment politique. Comme en 2007, Sarkozy se dope pour le coup de pédale décisif, mais cette fois, il utilise les produits de Buisson à haute dose, sans dilution, sans précaution. Il doute de lui, il est essoré par cinq ans d'Élysée, il ne sent pas la France. Et là, Buisson est à son meilleur. Il a les mains libres. Le nostalgique de Maurras et de Pétain déploie tout son art, écoule tous ses stocks (et ses rêves) les plus extrêmes. Il y a le feu, et

---

1. C'est la thèse d'Éric Mandonnet et Ludovic Vigogne, *Ça m'em-merde, ce truc*, Grasset, 2012.

Sarkozy ne lésine pas sur l'origine ou la traçabilité des formules et des discours. Il passe outre la prudence, maudissant le « petit milieu », Juppé et la droite raisonnable qui l'exhortent au sérieux économique. Il préfère Buisson qui lui recycle du Pétain, avec cette « fête du vrai travail » où l'on singe l'intervention du 1ᵉʳ mai 1941 du maréchal. Il propage dans ses discours l'obsession de Buisson contre la France des « assistés », des « parasites ». Il n'hésite pas à déclarer le 11 mars 2012 : « J'ai tout donné à la France », comme Pétain l'a clamé le 17 juin 1940 avec son « je fais à la France le don de ma personne ». Parfois, le parallèle est encore plus saisissant. Le morceau de bravoure dans cette symphonie est l'ahurissant meeting de la Concorde du 15 avril. En le découvrant à la télé, Jean-Marie Le Pen cède à la provocation, en connaisseur et ancien compagnon de Buisson : « Ah pardon, j'ai cru en regardant la place l'autre jour que c'était Nuremberg[1]. »

Jean-Michel Goudard me le confie, chagrin, à la veille du scrutin : « En quinze jours, nous sommes passés d'une campagne "La France aux Français" (et où jusque-là ça pouvait aller) à une campagne qui n'est pas sans rappeler le NSDAP[2] dans les derniers jours. »

Buisson jusqu'à la lie. Jusqu'au suicide politique.

Oui, tout commence là, cinq ans plus tôt, avec la « peur bleue ».

---

1. Propos tenus le 19 avril 2012, à l'issue du meeting au Zénith de Paris de sa fille et candidate FN à l'Élysée Marine Le Pen.

2. NSDAP : parti national-socialiste des travailleurs allemands.

17

L'économie ? Connais pas...

Pendant que Buisson s'installe dans l'ombre, les conseillers officiels se querellent en pleine lumière... Ce jour-là, il faut envoyer la profession de foi du candidat à la fabrication. Quarante millions d'exemplaires à imprimer et adresser aux électeurs. Mais les textes ne sortent pas ; ils restent bloqués sur le bureau de Guéant ; l'imprimeur ne peut plus attendre. Le problème, c'est que dans le désordre (et la compétition), le directeur de la campagne se retrouve avec deux textes pour la partie économique du programme. Une version d'Emmanuelle Mignon, un manifeste ultralibéral. Et une version d'Henri Guaino, un texte souverainiste, antilibéral. Deux textes, deux lignes présidentielles, et ni l'un ni l'autre ne veut céder. Ambiance à l'étage des chefs. Chacun défend son texte. On s'échange, de bureau à bureau, des amabilités sous couvert d'idéologie. Les haines retenues jusque-là sortent.

Guéant, pris entre deux feux, semble tétanisé − et c'est rare chez lui. Il ne tranche pas, n'ayant ni le temps, ni l'autorité, ni probablement l'envie de prendre ce risque. Pour lui, pas question de passer le texte de Guaino, par hostilité personnelle autant qu'idéologique, mais pas question non plus de passer celui d'Emmanuelle Mignon, trop brutal et trop libéral. Choisir Mignon, ce serait déclencher une guerre nucléaire avec Guaino, devenu indispensable depuis ses succès de « parolier », et risquer de se voir désavoué par le patron. C'est un tourment pour lui, l'impasse. L'imprimerie harcèle. La tension est à son comble. Nous allons à la catastrophe, le document risque de ne pas être livré dans les délais.

En le voyant ainsi coincé, je retrouve mes réflexes de rédacteur en chef : « Il faut boucler coûte que coûte. Sortir quelque chose. Se décider entre le "Guaino" ou le "Mignon", choisir, ou bien les exemplaires ne seront pas livrés. »

Nous trouvons une solution. Ou plutôt Guéant trouve une solution « pour ne fâcher personne ». Elle est baroque. Nous publierons une « fusion » des deux textes. Une synthèse – comme s'il était possible de faire une synthèse entre les deux textes ennemis, et porteurs de tant de contradictions ! Ça n'a pas l'air de faire peur au préfet.

Et nous voilà en train de bricoler en douce un troisième texte, sorte de monstre hybride mi-souverainiste mi-ultralibéral ; coupé-collé dans lequel – nous l'espérons – chacun des deux auteurs se reconnaîtrait, et où les quarante millions d'électeurs qui le liraient n'y verraient que du feu.

Le texte est un mouton à cinq pattes, mais à force de l'avoir assaisonné avec de la « valeur travail » et quelques cadeaux catégoriels, le maquillage est parfait. Le lendemain, Guaino et Mignon sont furieux.

Sur le moment, je suis techniquement satisfait de cette solution qui évitait un bide, mais sur le fond je reste perplexe devant cette désinvolture à l'égard des engagements de campagne. On ne peut pas dire tout et son contraire, ni faire cohabiter – sans choisir – la ligne Mignon et la ligne Guaino. Comment une telle désinvolture est-elle possible ?

Sarkozy sait-il où il va ?

Nous avons déjà eu, en présence de Fillon, de Nicolas Baverez et d'Henri de Castries, ce débat un mercredi matin. Nous avons été plusieurs à demander une clarification à *Nicolas*. Il fallait être plus précis, s'engager sur les voies et les moyens pour réduire la dette et le déficit, retrouver de la croissance, et sur les grandes réformes courageuses à programmer.

Sarkozy avait promis, rien ne s'était passé. Il n'avait rien tranché, cette tragi-comédie de campagne en était l'illustration.

Ainsi en fut-il de la TVA sociale, très désirée, vite oubliée.

Un dimanche soir du début de 2007, rendez-vous urgent. Guéant et moi sommes convoqués Place Beauvau. Nous trouvons Sarkozy dans la pénombre de son appartement de fonction. Tenue relâchée, chocolats sur la table, il semble préoccupé. Guaino est là. Nous interrompons leur tête-à-tête. On peut le deviner à l'air agacé de celui-ci en nous voyant.

Ce n'est pas un rendez-vous du dimanche soir comme les autres. Fillon, le reste de l'équipe, les habituels, ne sont pas là. Il ne nous a pas fait venir pour « brainstormer », préparer une « séquence », ou une de ses « cartes postales » médiatiques dont il ne peut plus se passer. Il n'y a pas d'ordre du jour, mais une question à régler d'urgence. Elle est la raison de cette énigmatique convocation. Ça sent le dilemme :

— Bon... On a parlé avec Henri d'une idée... La TVA sociale... Faut la faire ou faut pas la faire, selon vous ?

C'est donc ça le sujet. TVA sociale ? Je n'ai jamais entendu parler de TVA sociale. J'ignore même qu'une TVA puisse être sociale. Qui, en 2007, en a entendu parler ? Je reste sans voix, inquiet d'avoir à répondre. Je ne connais rien à la question, cette nouveauté impérieuse ; je me demande si elle n'est pas une lubie. J'attends que Guéant parle. Il est généralement en désaccord avec Guaino, qui doit être l'inspirateur de cette idée de dernière minute : j'en saurai plus en écoutant sa réponse.

Comme prévu, Guéant démonte l'idée, avec l'onctuosité de l'étrangleur ottoman. Il la trouve bien sûr intéressante, mais s'interroge sur l'opportunité d'une telle annonce, et se demande si un changement de cap aussi brutal en pleine campagne... Il emploie des mots de « père de famille », propres à recadrer son fougueux patron. J'admire le savoir-faire.

Guaino, qui bout en l'écoutant, mitraille sans attendre.

En m'accrochant au moindre mot de leur échange, comme un mauvais élève qui ne veut pas se faire coller, je comprends qu'il s'agit, pour Guaino et sa TVA sociale, de rendre de la compétitivité à nos entreprises, et que « les Allemands eux, l'ont faite depuis longtemps, leur TVA sociale, et cela leur a plutôt réussi ».

Avec son ton toujours placide, Guéant lui répond que « cette mesure a certes été prise par les Allemands, mais dans une période de croissance ; et que rien ne prouve qu'appliquée à présent en France elle produira les mêmes effets »…

Les arguments claquent de part et d'autre.

J'observe Sarkozy. Il suit cette joute avec délectation. Pour une fois, il ne parle pas, sinon à un moment pour désensabler ce pauvre Guaino, qui se perd dans sa colère contre Guéant. On sent bien là que cette idée de TVA sociale l'attire, le titille…

La tempérance de Guéant a dû chauffer plus encore le sang de Guaino, qui monte le ton :

— Alors, c'est ça, on va se laisser bouffer par les Chinois sans rien faire !

Guéant répond, mais en fait il s'adresse au maître :

— Et puis, c'est bien imprudent de sortir ce nouvel impôt, fut-il indirect, à quelques jours des élections.

À l'évocation de l'expression « nouvel impôt », Sarkozy fait la moue. Le duel entre Guaino et Guéant s'épuise, quand il me demande mon avis.

Je suis coincé, obligé de répondre.

Malgré le cours de rattrapage accéléré que je viens de suivre, je ne parviens pas à faire la balance entre les avantages et les inconvénients de cette satanée TVA sociale. Je n'ai rien lu, aucun chiffre, aucune synthèse. J'aimerais bien revenir vingt-quatre heures en arrière pour avoir le temps de potasser la question ; trouver de jeunes énarques disposant de chiffres, de courbes, de comparatifs de tous les *think thanks* d'Europe, qui m'en disent plus sur la question ; m'intéresser, la disséquer, cette fameuse réussite allemande, avant de me prononcer.

Le temps passe. Il faut répondre.

Je tourne ma langue sept ou huit fois et me lance.

— Je connais mal la question — pas comme toi, mon cher Henri —, mais ce que je peux dire... *(un silence de trac)* c'est qu'il est difficile de faire une campagne sur le thème « Travailler plus pour gagner plus » et d'annoncer en même temps aux Français davantage d'impôts.

Je souffle. Je n'ai pas trébuché, mon ignorance coupable ne s'est pas trop fait remarquer ; mais, au fond, j'ai répondu sans savoir, et je m'en veux.

Pour Sarkozy, cela paraît suffisant. Deux contre un. Guaino est minoritaire.

Au tapis, la compétitivité à l'allemande ! La discussion a duré moins d'un quart d'heure, où l'on a, dans la foulée, découvert, exploré, défendu, illustré puis enterré la TVA sociale pour de mauvaises raisons : Guéant par hostilité à Guaino ; moi, par amateurisme ; lui, parce qu'une fois encore il ne se fit pas confiance. Il douta ; il n'explora pas assez cette piste ; il n'osa pas surtout suivre son inspiration. Durant cinq ans, il le regrettera ; il ressortira la TVA sociale, mais bien trop tard, en 2012, alors qu'il sera en perdition. Instaurée en 2007, elle aurait peut-être changé la face économique du pays. Cette fois, Guaino avait eu raison : nous avions été « conformistes ».

*

Ce qui m'étonne le plus dans ce voyage à l'intérieur de la droite, et qu'illustre cet épisode, c'est l'absence de dessein économique. Le grand flou entretenu à la veille de prendre le pouvoir. Les choix vertueux mais douloureux qu'on diffère, comme on met la poussière sous le tapis. Pour moi, la droite, c'est l'économie, cette compétence est supposée être sa qualité première, et, au fond, par-delà l'affection pour l'animal Sarkozy, le seul motif rationnel de mon engagement. Cette prospérité française promise par la droite, fût-elle à la Guizot sur le mode « Enrichissez-vous », me va. Elle sortira le pays de son déclin, elle profitera à tous... L'économie, oui, en dépit des surdoués comme DSK, c'est la droite, sinon, à quoi sert-elle ?

Or, durant le quinquennat Sarkozy, il ne se passe rien, rien de vraiment sérieux, de refondateur, d'anticipateur. Derrière les postures, la grande ambition du quinquennat se résume à cette pauvre réponse : une grosse enveloppe fiscale, la loi Tepa[1]. Mais rien à propos de ce qui compte, de la dette qui flambe, du déclin industriel de la France, de notre décrochage sur le marché mondial... Il reste pourtant ce paradoxe : cette image de « brutalisme économique et social » de Sarkozy inversement proportionnelle à son action, ou même à ses intentions de ce temps-là.

Avant même l'arrivée à l'Élysée, la divergence entre Sarkozy et Fillon est flagrante. Celui qui deviendra son Premier ministre est prêt à la vérité sur la dette, au sang et aux larmes, là où je découvre un Sarkozy plus du tout chien fou. Il faut l'entendre exhorter à la prudence ; être en retrait tout à coup sur les « réformes douloureuses et nécessaires » ; s'emporter contre Méhaignerie qui ose un jour parler de la dette. Il a des formules qu'on ne lui connaissait pas jusque-là, celles du vieux briscard revenu de tout et méfiant à l'égard des Français. On croirait Edgar Faure : trop dangereux de leur dire la vérité, trop casse-gueule de se concentrer sur la dette. On vous élirait vous sur un programme trop « chiffon rouge » ?

---

1. Loi du 21 août 2007 en faveur du travail, de l'emploi et du pouvoir d'achat.

D'où lui vient cette soudaine « sagesse » ? Il connaît l'urgence. Il a depuis longtemps fait le bon diagnostic. Il sait l'état du malade national et les potions qu'il faudra appliquer au pays.

Ma conviction est que Sarkozy renonce à l'audace avant même son élection. Il repousse les solutions originales que nous proposent des strauss-kahniens en rupture de ban. Il ne supporte plus le « pessimisme » de Fillon. Il traite de « fou » Philippe Séguin, qui l'exhorte à fixer un cap churchillien. Il se met à prêter l'oreille aux prudents qui connaissent le pouvoir de l'intérieur et prétendent éclairer sa lanterne : c'est *dangereux*, lui disent les uns ; c'est *abrasif*, lui soufflent les autres, qui lui rappellent « le précédent de Juppé », le spectre des grandes grèves de l'hiver 1995, qui a traumatisé, surtout à droite. « Tu me vois mettre la France dans la rue comme Juppé ? Tout de suite... Non. Un destin à la Juppé, très peu pour moi... » me confie-t-il à la veille de prendre le pouvoir.

En fait, il masque son irrésolution en se cachant derrière les disputes théoriques de Mignon et Guaino.

Il a beau proclamer le contraire, dire, répéter et prendre à témoin qu'il ne changera pas de cap, lui. Il cale.

Cède-t-il au « vertige devant la France » ? En tout cas, il cale, alors, plutôt que d'avouer son impuissance, il va jouer la comédie de la réforme. L'« affaire du nonremplacement d'un fonctionnaire sur deux », comme l'imparfaite réforme des retraites, en sont l'illustration. Des leurres pour masquer son renoncement, pièges grossiers dans lesquels la gauche foncera.

Car au moment où il renonce, Buisson, encore lui, offre une défausse idéale. Pourquoi se donner tant de mal, tenter le diable, risquer de mettre de nouveau le pays dans la rue « comme avec Juppé » ? Le régalien ! l'identité nationale ! l'ordre ! voilà la voie, la seule posologie possible. Ça ne coûte pas cher, ça peut rapporter gros, ça permet de *tenir* le pays.

On sait combien les monarques français sont sensibles à ce genre d'argument.

Tenir sur la monture France.

Ne pas être désarçonné.

Faute de pouvoir ou de vouloir mener ces douloureuses réformes, et pour mieux masquer sa démission de fond, Nicolas Sarkozy opte pour le simulacre de la réforme. Une comédie de la rupture, l'histoire d'un renoncement où tout était scénarisé.

18

Monastère ou Fouquet's ?

Nous sommes à quelques jours du second tour. Pour Goudard, les jeux sont faits. Il est impossible que *Nicolas* dévie de sa route victorieuse. Nous continuons nos échanges dans sa cuisine, chez lui, à Paris, loin des conclaves du local de campagne. Je vois Goudard pour retoucher un slogan tordu ou faire émerger de nouvelles idées. Nos séances sont un bonheur conceptuel. Nous laissons à d'autres le plaisir des meetings. Nous regardons ce spectacle non pas de haut, mais plutôt de la coulisse. Nous sommes mélancoliques devant cette campagne qui s'achève. Lui sait qu'il n'aura pas le poste que lui a promis Sarkozy : l'ambassade de France à Washington. L'idée de nommer un riche ami du président est trop « américaine », de plus, il est frappé par la limite d'âge. Moi qui n'ai pas envie de « faire du cabinet » Philippe Tesson, mon premier patron qui s'y connaît en droite, m'a questionné sur cette hypothèse. J'ai été surpris par cette idée de « faire du cabinet ». Il avait l'air de trouver ça normal, vu mon engagement. Je lui ai répondu ne pas y avoir songé un moment. Je veux revenir à mes livres, à ces films historiques, adaptés d'une collection chez Gallimard, dont j'ai le projet. Mais tout cela va nous manquer. La fièvre, le combat, l'odeur de la poudre, Sarkozy, la Ferrari, les gants blancs qui nous ont fait rire, son art de la guerre, ses ruses, ses faiblesses... Goudard va retourner en Suisse, et moi à mes travaux.

Pourtant ce jour-là, ce n'est pas le moment de s'épancher, mais de penser à lui, à sa victoire, aux habits de président qu'il va enfiler. De préparer le coup d'après. Le début du règne, ou du moins à l'image qui sera la plus frappante.

Il n'est plus préoccupé, Goudard. C'est « plié », répète-t-il. Pourtant, il a l'air embêté ; une chose l'inquiète « de la part du zigoto » — c'est ainsi qu'il l'appelle aussi.

— Une affaire ? C'est ça, une affaire de dernière minute ? L'ultime Scud de Villepin ? La fatwa de Chirac enfin réalisée ?

— Non, pas les affaires...

Je m'épuise à chercher. Il ne répond pas tout de suite. Puis il laisse tomber :

— Au soir du 6 mai, c'est fini, on ne le tiendra plus, l'animal. Et là, il risque de faire des conneries.

Il dit cela à sa manière, à la fois clinique et tendre, car ce stratège de haut vol est aussi une mère inquiète qui connaît son petit.

— Je t'ai parlé un jour de ses talons d'Achille. Il en a deux : la femme qui est dans son lit a toujours raison... Et puis il y en a un autre...

Il reprend son air énigmatique, laisse durer le silence, il veut insister sur son inquiétude du moment. C'est sa façon à lui de raconter.

— L'autre talon d'Achille, c'est ça.

Il fait un geste de la main, les doigts qui se frottent, qui doivent signifier le fric, le flouze, le luxe.

Je fais mine de comprendre.

— Tu veux dire la corruption ? Il a des affaires... ?

— Non, ce n'est pas ça. Le compte en Suisse ou les valises de billets, ce n'est pas son genre. Il craint trop une affaire.

Ce qu'il me dit cadre, c'est vrai, avec ce que Sarkozy lui-même dit parfois : « La corruption ? Pas pour moi. C'est pas par vertu... J'aurais trop peur de me faire prendre, et je sais que c'est mortel en politique... »

— Non, c'est pas ça. Lui, son problème, c'est plutôt le train de vie, les hôtels, la vie de château... Ça... On ne pourra plus le tenir ! Et ça peut être ennuyeux pour lui.

Je le rassure :

— Il n'est pas fou, tout de même ! Il peut être provocateur, mais il sait se tenir.

Goudard persiste.

— Tu le connais mal, je te dis. On ne le tiendra plus. Une fois élu, il compte avoir une vie de nabab à laquelle il estime avoir droit, vivre plutôt comme les Kennedy que comme les de Gaulle...

Il marque un long silence.

— Je le connais, l'animal, et je suis inquiet, je te dis, pour après le 6 mai.

Il ne plaisante pas, il n'exagère rien. Je commence à comprendre ses craintes. Les manières d'enfant mal élevé du futur président ne peuvent s'inscrire dans le cadre de notre République monarchique, qui déteste l'ostentation. Et l'animal n'a aucun sens du symbolique ni de l'étiquette, dont Mitterrand l'anticonformiste m'a appris l'importance. Son côté « garnement de la République » risque de heurter les Français. Au nom de cette « rupture » dont on parle tant, de son *bon plaisir*, ou bien de celle qui est dans son lit, Sarkozy risque demain de faire n'importe quoi. Goudard a raison.

Ce jour-là, faute de « le changer », il faut s'occuper de son entrée en scène, du court terme, de la « carte postale » fondatrice qui sera envoyée à la France.

Cette image-là sera décisive ; elle intégrera le roman national et pourrait donner au nouvel élu une tenue historique, nous en sommes convaincus. L'heure de vérité sera non pas l'élection, mais le moment d'après. Les heures d'après. Les jours d'après. L'image d'après.

Et nous commençons à rêver, à inventer l'après-6 mai.

Nous sommes pleins d'ardeur, lorsque, comme un jeune couple (le stratège et le créatif) de la pub des années 1980, Goudard et moi nous nous mettons à la gamberge.

Notre méthode de travail est intuitive. Nous avons trouvé les voies d'une entente créatrice, où chacun finit la phrase de l'autre. Je lui lance des codes énigmatiques, des images, des symboles ; il me répond et ainsi de suite. Ce jour-là, peut-être parce qu'il s'agit d'une de nos dernières « copies », comme disent les pubards, que la campagne va s'arrêter et que tout cela va nous manquer, nous sommes particulièrement affûtés.

Nous nous repassons en mémoire les grandes élections et la première image. Mitterrand 1981, cette troublante visite au Panthéon, et aussi cet autre geste premier, intime, étrange et beau, sur une tombe ; celle de son fraternel ami Georges Dayan, qui venait de disparaître. De Chirac en 1995, il ne restait rien que cette image d'une CX filant dans la nuit, et lui à la fenêtre de la voiture.

Nous nous mettons à jouer avec les mots, à jeter des expressions, des symboles, des images. Nous sommes sur la voie. Lui, l'ancien des Jésuites, avec sa maïeutique qui fait penser à la langue des lacaniens ; moi, avec les leçons de Pilhan et le précepte de Kantorowicz sur les « deux corps du roi ».

Je lui lance comme une énigme ou un défi :

– Sortir par le haut.

Goudard prend la balle au bond :

– C'est de qui ?

– Mitterrand : « Il faut toujours sortir par le haut. »

– Pas mal, dit-il. Continue...

– Sas... Passage...

– Don de soi...

– Silence...

– Traversée du fleuve.

Et cætera. Nous avançons. Retraite. Silence. Don de soi. C'est cela dont Nicolas Sarkozy a besoin « pour faire président ».

Nous devons donc inventer une image. Une sorte de sas de purification, avant qu'il se donne aux Français. Quelque chose qui ressemblera à une scène mosaïque ou à une situation christique. Et ainsi, cheminant grâce à cette dialectique, nous trouvons une belle idée, une idée un peu dingue.

Les éléments du scénario sont simples. Au soir de l'élection, le candidat délivrera un message. Puis il disparaîtra. Il partira seul, sans femme, sans enfants.

Il passera deux jours seul, sans micro ni photographes. On en aura sobrement informé les Français, mais on ne verra de lui aucune image.

Il devra être seul, c'est décisif.

Le mardi, il sortira de sa retraite et reviendra à Paris pour l'investiture.

Et comme nous aimons la Provence, lui et moi depuis toujours, les Sarkozy depuis peu. La Provence, oui ; mais pas les Alpilles, trop chic de droite ; pas le Luberon, trop chic de gauche ; la haute Provence ? Une retraite en Provence ? Un monastère, ce serait magnifique. Mais il y a un bémol. Un président de la République ne commence pas son règne dans une « église ». Le pragmatique Goudard en convient, il faut « laïciser le concept »... On trouvera un monastère plus historique que catholique, ou même un ancien monastère désacralisé ou réaffecté, on verra, c'est au cabinet de dénicher l'impossible.

Voici donc le scénario original et non tourné de cette histoire connue sous le nom de « retraite au monastère ».

Nous ne sommes pas mécontents de nous. Nous admirons le « chef-d'œuvre ».

— Ce sera un choc...

— Oui, une sublime non-image...

— La plus belle des entrées en fonctions...

Nous avons pondu quelque chose de grand, comme les vrais *Mad men*. C'est beau comme l'antique, pur et parfait ! On se la repasse sous toutes les coutures. Conceptuellement, symboliquement, sémiologiquement, la copie est parfaite. Nous sommes satisfaits de ce cycle (1. Purification /2. Investissement du corps du roi /3. Don de soi au pays). C'est la meilleure façon d'entrer dans le personnage, la plus digne, la plus mémorable aussi ; toute la France se souviendra de la « retraite au monastère ».

Mais le plus dur reste à faire.

Il faut maintenant que l'animal accepte.

Goudard se charge de la vente au client. Je ferai pour ma part une courte note stratégique, moins d'un feuillet – pas plus, jamais plus, au-delà il ne lit pas. Je préfère que Goudard se charge de lui. Il sait faire, dans de telles circonstances. Il s'y collera, les yeux dans les yeux, loin des autres. Il sait réussir ce genre de « présentation au client » sauvage : dans une voiture, un couloir de meeting ou un studio de maquillage de plateau TV. Il sait, mû par une sorte d'empathie absolue, tendre, presque amoureuse, saisir en douceur l'attention, trouver le bon moment, le mot juste, la bonne fréquence ; ou s'il « ne sent par le terrain », s'abstenir, s'effacer, se faire oublier, avant de trouver le moment propice, la microfaille. Il sait capter l'oreille du chef plus sûrement que moi, et depuis longtemps. Il obtient cela – se faire entendre – sans courbettes, sans calculs égoïstes, et avec grande efficacité. Cela force mon respect.

Deux jours plus tard, le verdict du client tombe.

Goudard m'annonce que c'est vendu.

Le staff de campagne se met en quête de ce fameux monastère.

19

Nuit du Fouquet's, le débriefing

Dire que j'y avais cru ! Durant quelques jours, je n'avais cessé de penser à la « retraite au monastère », à cette entrée de mandat magnifique. Je tendais l'oreille. Je me renseignais sur le choix du monastère, on me disait que c'est comme réglé. Je piaffais, j'attendais la scène, comme lorsqu'on vient de créer une pièce de théâtre et qu'on brûle qu'elle soit présentée.

La suite, on la connaît.

C'est le dîner du Fouquet's, tout ce que Goudard a redouté et tenté d'éviter. Ce tableau épouvantable. La faute de goût fondatrice.

Alors imaginez nos têtes, le 6 mai après 20 heures. Plutôt que le chef-d'œuvre attendu, nous assistions à cette farce du Fouquet's, puis dans la foulée à celle de Malte, où il se réfugie sur le yacht de Vincent Bolloré. Imaginez le choc, et la tête des *spin doctors* qui s'étaient crus les maîtres du monde.

Parfois, nous en reparlons avec Goudard. Je vois bien que nous pensons la même chose. Que l'histoire aurait été bien différente, si seulement… Quel chef-d'œuvre méconnu ! Quelle chimère ! Quel gâchis ! Les mots ne suffisent pas, cela passe par le regard. Un blanc, un souvenir, un regret, avec l'hypothèse folle d'un rembobinage de l'histoire. Tout aurait débuté autrement… Dès l'origine il se serait bien tenu, pas les pieds sur la table de la République ; pas en fréquentant tout de suite, au Fouquet's ou sur le yacht de Bolloré, les « gros », pas comme ça en tout cas. Mais en se conformant au rôle que nous lui avions préparé avec tant de soin. Or quelque chose nous échappa, à nous, vains démiurges.

Le 6 mai, dans l'après-midi, rue d'Enghien.

Il arrive tard, mal fagoté, dans une tenue de week-end négligée et qui le boudine. Il est tendu, le visage creusé, les traits fermés. Il s'enferme tout de suite dans son bureau, personne n'ose le déranger. Les voix généralement tonitruantes et joyeuses, comme celle de Karoutchi, dont le bureau est tout proche, se sont tues.

L'ambiance est électrique et lourde, comme avant un orage. Dehors, les caméras, les groupies, les camions satellites, les curieux s'agglutinent. Au premier étage, les militants affluent, sans pouvoir parvenir à l'étage supérieur. Au deuxième, les petites mains, les conseillers, les aspirants députés attendent l'heure de la victoire, dont personne ne doute.

Au troisième, tous les leaders de la droite, les numéros un, deux et trois sont entassés dans cette pauvre salle de réunion, à une porte de son bureau fermé.

Une quarantaine autour de Simone Veil, la présidente du comité de soutien, un ministre belge qui débarque à Paris pour attendre la victoire de son « ami Nicolas », avant l'heure fatidique, 18 heures, l'heure des privilégiés, celle où l'on aura, deux heures avant tout le monde, le chiffre de sortie des urnes.

Il sort enfin de son bureau et il se présente à l'assemblée des notables suffoquant dans la petite salle de réunion. Il n'a pas encore tous les chiffres, mais tout va bien. Il remercie tous les présents, qu'il cite presque un à un, comme on le fait dans les comices agricoles ; et moi aussi, surpris, autant que les autres, qui se demandent bien ce que je fais là.

Et il s'en retourne dans son bureau – fermez le ban.

Un instant après, on me fait entrer dans son bureau assiégé.

Il a gagné, cela ne fait plus de doute, et pourtant, sans que l'on sache pourquoi, l'ambiance est lourde.

De lointaines tantes apparaissent, des « amis de Neuilly », bronzés, costumés comme à Miami, débarquent, certains sont admis dans son bureau. C'est un cortège silencieux de visages inconnus, impressionnés par la solennité du moment. Et, pendant ce temps, lui ne tient pas en place, dans ce bureau bondé. Il fait la circulation. Il laisse entrer les amis, comme le font les portiers de boîte de nuit, en refuse d'autres, ou le fait en ordonnant : « Je veux la famille, les amis, pas les politiques. » Il cherche Martinon, puis Solly, et aussitôt les renvoie. Il jongle avec plusieurs téléphones, répond à un sms, en même temps qu'il surveille un autre écran. Il passe de l'un à l'autre sans jamais se poser. Il donne le tournis. Je me mets à penser, dans une bouffée de tendresse coupable, à François Mitterrand le 10 mai 1981. Lui en attendant les résultats, il avait fait la sieste, dans sa chambre modeste et proprette de l'hôtel du Vieux Morvan.

À quelques instants du sacre, Nicolas Sarkozy va mal, ça se voit. Quinze jours plus tôt, à la même heure, à l'annonce des résultats, alors même qu'il n'était que qualifié, il avait explosé de bonheur. Nous étions tombés dans les bras les uns des autres. Les effusions n'en finissaient pas. Il ne cessait de répéter : « 31 %... 31 % » – l'objectif fixé qui lui permettrait de l'emporter, sans mal, au second tour. Il m'avait pris à part, pour me dire cette phrase curieuse : « 31, 31, j'y suis arrivé. Tu vas voir. On va faire de grandes choses... Tu as eu raison de ne pas suivre le "petit milieu" et tu verras, tu ne le regretteras pas... »

Cette fois, le jour de la victoire, il est sombre, fermé, douloureux. Je comprends, à travers des chuchotements familiaux, la cause de cette agitation, c'est elle. Elle, Cécilia. Elle qui n'arrive pas ; elle que l'on n'a pas vue au bureau de vote de Neuilly ; elle qui, en plus de lui manquer, va lui faire rater son entrée en scène. Je l'observe et je suis saisi par sa solitude, que j'imagine infinie à cet instant. Le rideau se lève sur son règne et aux yeux du monde entier il est « sans famille », il vit l'enfer. L'inhumaine distorsion entre l'éclatant bonheur public et l'abyssal malheur privé[1].

Puis c'est la cohue. Cette voiture lancée dans Paris ; les paparazzis aux trousses et la foule aux balcons. Cette image étrange de l'élu, gris et tendu, qui, pour ne pas être seul dans son triomphe, embarqua deux jeunes filles blondes dont la France se demandait bien qui elles pouvaient être...

---

1. Il confiera plus tard à Catherine Nay : « C'était le jour le plus triste de ma vie. » C'était visible. *L'Impétueux*, Catherine Nay, Grasset, 2012.

Je vais voir Guéant, je lui demande des nouvelles de ce rendez-vous solennel que Nicolas Sarkozy nous a fixé au soir du 14 janvier :

– Tu te souviens, Claude… ? Ce dîner, les mêmes, le 6 mai au soir, pour fêter la victoire.

Il y a un blanc, Guéant a l'air gêné.

Il va se renseigner.

Un moment après, il revient vers moi, essoufflé, rouge des effets de la victoire, et plutôt ennuyé, une liste à la main qu'il garde contre lui. Il a vérifié. Non, je n'y figure pas. Il grommelle une sorte d'explication : « Non, non, je crois que c'est une réunion *(il hésite)* familiale. » Il a cet air désolé et assassin que je lui verrai souvent par la suite.

Je trouve cela bizarre. Cela ne ressemble pas à Sarkozy ; ce doit être une erreur, il a tant à faire et à penser. Je me souviens de la solennité de sa promesse ce soir-là, à cette poignée d'« amis ». On a dû oublier, c'est ça ; une bêtise de secrétariat, pas grave, d'autant que je n'aime pas l'ivresse collective de ces soirées de fête électorales. Ni hier à gauche, encore moins aujourd'hui à droite. Par avance, on sait trop que ces grands soirs sont suivis de gueules de bois, de blessures, et de sauvages courses aux postes, et qu'ils laisseront un goût amer. Je regarderai les résultats devant ma télé ; ce sont les meilleures soirées électorales, où l'on va jusqu'au bout de la nuit, zappant, accumulant les images, empilant les commentaires, poussant le vice jusqu'à chercher les résultats d'un canton de vacances.

Ce soir-là, j'étais content, mais comme un supporter, pas plus : mon champion avait gagné. C'est curieux en y repensant. Je n'avais pas la tête à la fête. Je m'interrogeais, me demandais à quoi ressemblerait ce règne qui s'ouvrait ; et j'étais troublé par cette promesse au soir de son investiture qu'il n'avait pas tenue.

« Alors bon, rendez-vous le 6 mai au soir, les mêmes, dans la même configuration… »

Tout de même, cette désinvolture. Ça commençait étrangement.

C'est par miracle que je ne me suis pas rendu au Fouquet's – grâce à Guéant et sa liste, j'allais éviter le pire. La plus terrible des humiliations : me rendre là-bas et me faire refouler ! Une fois rentré chez moi, j'apprends par un coup de fil d'une sympathique petite main de la campagne l'incroyable nouvelle. Laurent Solly, Pierre Charon, Franck Louvrier et Frédéric Lefebvre se sont vus refuser l'entrée du Fouquet's.

Je repense souvent à cette scène terrible.

Ils étaient là, au bas des escaliers, à l'entrée du Fouquet's, et ils restèrent ainsi, devant cette porte close. De là, ils pouvaient observer le spectacle de la fête ; les patrons, les people, et au beau milieu de la « réunion familiale », Martinon et Rachida, les « traîtres ».

Ils restèrent ainsi longtemps. Anormalement longtemps. Je me suis demandé pourquoi. Ce ne pouvait être par bouderie, mauvaise humeur ou exhibitionnisme. Qui a envie d'étaler ainsi tant d'infortune ?

C'était plus sérieux : ils étaient sidérés.

Sidérés, au sens véritable du terme : « État de mort apparente à la suite d'un choc émotionnel. »

C'était bien de cela dont il s'agissait. Ils avaient été ses mousquetaires. Ils avaient couché devant sa porte pendant toutes ces années. Ils avaient tout vu, tout su, tout vécu avec lui, par lui, pour lui, rêvant à ce Grand Soir qui enfin était venu. Ils avaient été là dès le début. Ils avaient traversé tous les déserts avec lui. Ils avaient été des frères les jours d'inquiétude, des soldats, des mères, des amuseurs, des moines, des tueurs pour lui. Ils avaient vécu à mille à l'heure, sué sang et eau, et auraient – l'image n'est pas excessive – donné leur vie pour lui. Ils avaient été les meilleurs de cette équipe qui venait de le faire gagner. Et voilà qu'à l'heure de la victoire, leur victoire, ils se voyaient interdits d'entrée, congédiés, jetés aux chiens, à la meute et aux médias.

Il y avait de quoi être *sidéré*.

Que s'était-il passé ?

Cécilia ne s'était pas rendue au bureau de vote. Elle était apparue bien tard, vers 23 heures. En fait, elle préparait une sorte de « nuit des Longs Couteaux ». Elle avait tout repris en main. Il l'avait bien voulu, d'ailleurs. Oubliées, la « retraite au monastère », la promesse du 14 janvier, tout ce qui aurait û la contrarier.

Ils se doutaient bien que Cécilia prendrait sa revanche. On ne l'avait pas vue au siège de campagne, ni dans les réunions, ni auprès de lui, mais elle influait sur la composition du gouvernement, des cabinets et en particulier sur celui de l'Élysée. Même présente-absente, elle leur réserverait quelque chose.

Mais pas ça. Pas ce jour-là, pas à ce moment-là. À l'instant précis de la victoire, cette exécution en place publique, car tous les invités du Fouquet's purent, d'où ils se trouvaient, verre à la main, entourés de violons et de vivats, assister au spectacle de leur déchéance.

Les nouveaux bannis faisaient peine à voir. Le Tout-Paris, les futurs ministres, les grands patrons, les nouveaux « amis du prince », sans oublier les médias par l'odeur alléchés, apprenaient que la *dream team* de Sarkozy était un jouet cassé, que la firme, cette bande d'indéfectibles ne serait pas de cette histoire qui commençait ; que Solly, Charon, Lefebvre, qu'on imaginait déjà puissants parmi les puissants, mieux que ministres, installés au cœur du palais, étaient « morts ». Cécilia les avait exécutés sur la ligne d'arrivée. On découvrait en direct les premiers morts du sarkozysme.

20

Les Ray-Ban de la rue Saint-Dominique

Aux 35 de la rue Saint-Dominique, l'hôtel de Broglie est un petit palais prétentieux du XVIIIe que la République a mis à sa disposition avant l'investiture ; le temps que Chirac fasse ses cartons.

Il n'est pas encore arrivé. Il déjeune avec celui qui doit devenir le grand argentier de l'Élysée, François Pérol. « Il quitte Rothschild & Cie. Il sacrifie sa fortune, tu te rends compte ? », me glisse, ému, un jeune conseiller. Des secrétaires se débrouillent tant bien que mal dans ce lieu de passage. Des hauts fonctionnaires aperçus dans la campagne se cherchent un bureau. Une administration campe. Des visiteurs attendent dans les salons du petit hôtel particulier : Estrosi, inquiet de ne pas être ministre ; Valérie Pécresse, qui aurait un gros ministère ; le tout dans un ballet réglé par Guéant.

Le nouveau président m'a appelé de Malte, du yacht de Bolloré dont on voyait l'image floue des paparazzis passer en boucle sur les chaînes de télévision. Le son était amorti à cause du téléphone satellitaire. Quelques instants plus tard, son secrétariat me fixe un rendez-vous. Cela m'a fait plaisir, je suis dans un drôle d'état depuis l'arrêt de la campagne, frustré d'action et d'adrénaline, et, après tant d'aventures, d'être laissé là sur le quai, alors que l'époque promet d'être exaltante.

On me conduit dans un petit jardin. C'est là qu'il reçoit, autour d'une table ; lui à un bout, Guéant à sa droite et le visiteur à sa gauche. De sorte qu'on ne peut croiser son regard ; il regarde face à lui. Ça serait d'ailleurs impossible. Il n'enlève pas ses Ray-Ban. Je cherche son regard sans jamais le trouver. Je me demande bien pourquoi il garde ses foutues lunettes. Un coup de soleil des sommets ? Une insolation, la lumière trop aveuglante des responsabilités ? Il y est arrivé pourtant, il n'a plus d'ennemis à dézinguer. Il est au sommet, plus personne au-dessus de lui. Je me demande, en repensant à ce que disait Goudard, ce que cet homme surdoué et livré à lui-même allait devenir une fois au pouvoir. Et le pays avec lui...

Il veut discuter de l'ouverture, cette ouverture dont nous avons parlé tant et tant durant la campagne, qu'il voit « grande, généreuse, pas mesquine, comme Mitterrand en 1988... Non, plutôt une recomposition du jeu politique, comme de Gaulle en 1958... où il gouverna avec le socialiste Guy Mollet... » Je l'incite à cette « grande ouverture ». C'est selon moi un garde-fou contre la dérive droitière, et la possibilité d'inventer cette ligne originale à laquelle je rêve, cette alliance de Blair et de Clemenceau, à laquelle je continue, malgré tout, de croire.

Pour des raisons tactiques aussi : la gauche est KO, il peut en profiter, lui prendre ses meilleurs éléments. « Oui c'est ça, se réjouit-il, on va leur tirer le tapis sous les pieds. » Nous faisons donc la liste des socialistes débauchables. Il en connaît pas mal. Je découvre qu'il entretient avec quelques-uns d'entre eux des relations anciennes, qu'il connaît Amara et pas mal d'associatifs. Mais il est tout de même en terre inconnue, semble incertain. Je suis soumis à son interrogatoire, et c'est alors une foire au débauchage. Valls ? Dray ? Cahuzac ? Lauvergeon ? Lang ?

Nous passons à la question du Quai d'Orsay. Là aussi, il veut appliquer l'« ouverture ». Il a deux noms en tête, et me les lance à la volée.

— J'ai pensé à Kouchner... ou à Védrine.

Je suis surpris. Védrine est un européen sceptique, le théoricien du multilatéralisme contre l'Amérique ; tandis que le *French doctor*, lui, est exactement le contraire. Un européen droit-de-l'hommiste ou un atlantiste inconditionnel ? Difficile de choisir. Impossible pour lui. Je réponds, laconique :

— Avec Kouchner, tu seras le patron. Avec Védrine — qui est plus solide —, tu n'auras pas les mains aussi libres.

Il en convient et échange un regard entendu avec Guéant. Je suis chargé d'appeler André Glucksmann pour qu'il convainque notre « ami Kouchner » d'accepter le Quai d'Orsay. Avec lui, je me sentirai moins seul dans cette droite totale.

Il n'a toujours pas enlevé ses Ray-Ban, tel un chef de guerre, déjà assailli par les soucis, et me donne ses instructions. Ce n'est pas un moment de séduction comme j'en avais connu, c'est une réquisition :

— On a besoin de toi... Nous avons bien travaillé ensemble dans la campagne, hein, mon petit Claude ? Une sensibilité telle que la tienne à l'Élysée, ce serait bien...

Sa proposition était sérieuse.
– Conseiller à l'Élysée, Culture et Communication...

Depuis que je sais le rendez-vous fixé, je me suis posé la question. Il va me proposer quelque chose. Mais quoi ? Pour quoi faire ? Que vais-je répondre ? Depuis plusieurs jours, je n'en dors pas. Je demande à des proches, j'interroge des énarques, des hommes d'influence, des compagnons de route. Une ex-compagne me met en garde. Je ferais « une bêtise ». Je ne l'écoute pas, ni elle ni cette belle philosophe qui est catégorique : « Méfie-toi, cet homme n'a pas de surmoi. » (Elle avait vu, entendu et compris bien avant que cette idée soit partagée par nombre d'observateurs aigus.) Sa vérité me gêne, j'espace nos rencontres, je ne veux ni voir ni comprendre. Je hausse les épaules, insouciant, aimanté par la transgression. En vérité, j'ai envie de m'ébrouer. Je suis dans cet état de confusion, d'excitation, d'autant plus fort qu'on est en train de faire une connerie.

La raison me dit que je dois rester à ma place, que cette campagne est finie, qu'il faut passer à autre chose. Tout me recommande la prudence ; je commence à deviner les défauts du fauve : l'aventurisme, les approximations, la versatilité, les promesses non tenues.

Pourtant, une force supérieure, moins nourrie d'arguments, mais toute de gloire abreuvée pousse en sens inverse. Le pouvoir, son magnétisme obscur, la folle envie de découvrir la coulisse... entrer dans la Cité interdite, le pouvoir et ses sirènes. La ferveur ambiante, la pression des uns, l'enthousiasme par procuration des autres, leurs conseils que je reçois un peu perdu, et dont je ne saisis rien sur l'instant. Tout cela vient nourrir ma pulsion.

J'accepte d'un bond. Au moment où je le fais, je sens passer le *fatum*.

Je n'ai pu dire non. Le verbe « pouvoir » aurait supposé une volonté. Je me laisse faire, j'accepte même avec gratitude d'être « associé au changement du pays ».

Néanmoins, il s'agissait de masquer ma reddition. Je tiens à préciser les termes du cahier des charges. Un ami énarque m'a conseillé de mettre deux ou trois choses au clair. Ma position au sein du cabinet ; mon titre précis – car il y avait plusieurs sortes de conseillers[1]. Nous convenons de la liste des incompatibilités : je vais me défaire de ma société de production et de mes collaborations journalistiques. Quant au contenu de ma mission, je leur propose des priorités, dont nous avons déjà parlé durant la campagne : la lutte contre la piraterie sur Internet ; la création, à partir de France 24 et RFI, d'un CNN à la française ; le chantier de la redéfinition d'un service public de la radio-télévision… Le nouveau président est d'accord, et même intéressé, si j'en juge par ses hochements de tête derrière ses Ray-Ban.

Une dernière chose me préoccupe. Elle doit être clarifiée.

J'évoque ce que j'appelle nos « modalités de travail ». Je redoute de tomber dans un traquenard. Je sais le terrain miné. Je connais les liens de Sarkozy avec Martin Bouygues et TF1, ses nombreux amis dans les médias et sa tentation de s'en mêler. Je réclame pour seule condi-

---

1. Au bas de l'échelle, le conseiller technique, le simple conseiller, le conseiller à la présidence, et enfin le conseiller du président.

tion de mon efficacité la transparence sur leurs intentions, surtout en matière audiovisuelle. Je ne pourrai travailler sans un total partage des informations et des intentions. J'ai besoin de leur confiance, et d'une feuille de route. Ils acquiescent, se le confirment du regard. « C'est une évidence... » assure Sarkozy derrière ses Ray-Ban. Guéant fait un signe de la tête.

Ensuite, tout va très vite. Les détails ont l'air de l'agacer. Je verrai « avec Claude, hein, mon petit Claude ». Guéant acquiesce sans s'attarder ; il repart vers la salle d'attente encombrée ; la République ne peut attendre.

Deuxième partie

LA CITÉ INTERDITE

1

L'installation de la Cour

J'ai préféré ce grand bureau, dans un hôtel particulier rue de l'Élysée, à d'autres, en soupente, malcommodes, à l'intérieur du palais, mais proches du sien : je me dis qu'étant donné nos liens je n'ai pas besoin de cela. Je serai bien là, à l'écart. Je n'ai pas hésité longtemps. L'endroit est agréable et l'on m'a dit qu'il aurait été celui de Jacques Foccart, un temps. J'ai sursauté en l'apprenant. Foccart, le redoutable Foccart ! Notre J. Edgar Hoover pour la France et l'Afrique jusqu'aux années 1970[1]. Ah, si les murs pouvaient parler... Je reste fasciné par cette éternité républicaine dans laquelle je viens de pénétrer et songeur devant cette coïncidence. Le *Journal* de Foccart[2] ne m'a pas quitté depuis deux ans et est devenu le compagnon de mes nuits blanches. Jacques Foccart a été le grand chambellan du palais durant dix ans, omniprésent, écouté, redouté.

---

1. Secrétaire général de l'Élysée aux affaires africaines et malgaches (1960-1974), il est un personne central dans la création de la Françafrique.
2. Jacques Foccart, *Journal de l'Élysée*, 5 tomes, Fayard, 1997-2001.

Peu ont eu comme lui l'oreille du chef, les clés du pouvoir, en même temps que les mandats de basse police. Il raconte comme personne, sauf peut-être le sinistre Goebbels[1], la vie quotidienne au cœur du pouvoir au xxᵉ siècle. J'ai été happé, collé, comme devant ces tableaux intimistes de la Cité interdite qu'il traçait dans ses notes quotidiennes ; les petits secrets, parfois les grands, et cette vie à portée du Général. Les manœuvres françafricaines, les thés avec Yvonne de Gaulle, inquiète ; les réunions viriles des anciens de la France libre, les déjeuners de barons gaullistes, comme si on y était, Debré, Chaban, Roger Frey, Pompidou, au moment par exemple de mai 1968 où de Gaulle disparut à Baden-Baden, et qu'il raconte admirablement.

Je n'ai aucune sympathie particulière pour celui qui a été le conseiller très spécial de Gaulle, puis de Pompidou, et le fondateur du SAC[2]. Je l'ai croisé de son vivant dans des circonstances étranges[3] ; l'homme avec son allure de petit flic m'a fait froid dans le dos. Mais il faut le reconnaître, Foccart était un personnage : le « corsaire urbain » du gaullisme, un véritable Vautrin.

Cet envers du décor qui a excité mon imagination, il est là à présent.

Ce bureau majestueux, trop grand, encore vide – « le Mobilier national va s'occuper de vous », m'a annoncé, avec déférence, un intendant du palais : la machine Ély-

---

1. Joseph Goebbels, *Journal*, Tallandier, 2005.

2. Le service d'action civique (SAC) constituait (de 1960 à 1981) une « garde de fidèles » dévouée au service inconditionnel du général de Gaulle, puis à ses successeurs gaullistes.

3. Le 13 décembre 1995, cf. *Le Dernier Mitterrand*, Plon, 1997.

sée qui se remet en marche. Cet impeccable cérémo-
nial du palais, le garde-à-vous des gendarmes, la garde
républicaine et ses manœuvres, la fanfare, ces ordres qui
résonnent dans la cour... Ces télégrammes diplomatiques
« confidentiels » que l'on commence à disposer de façon
énigmatique sur mon bureau. Et le fameux interminis-
tériel. La machine doit dater de l'ère du Minitel ou du
« téléphone rouge » qui reliait Nixon à Mao. Pour son
utilisation, on m'a remis un petit répertoire en cuir : les
lignes directes de tout le gouvernement, la possibilité de
trouver au bout du fil Sarkozy, Fillon, Guéant, et tous
les ministres, préfets et directeurs de cabinet, ainsi que
des postes prioritaires, les chefs militaires, sanitaires ou
sécuritaires. Je suis aussi impressionné que si l'on m'avait
remis le passe du PC atomique Jupiter, situé dans les sous-
sols du palais.

L'Élysée, lieu de tous les fantasmes, les plus exacerbés,
les plus improbables.

J'y suis, dans la Cité interdite. Interdite aux citoyens,
interdite même aux plus aguerris des journalistes, interdite
aussi aux politiques de moindre rang, anciens ministres
et/ou aspirants à le (re) devenir, qui dès le premier jour
tapent à ma porte car le président ne les reçoit pas. Avec
Sarkozy, c'est un autre palais que je découvre. Ce n'est plus
l'Élysée que j'avais connu, celui de Mitterrand à la fin, où
le pouvoir s'en allait, n'était que l'ombre de lui-même. C'est
celui du pouvoir qui vient, qui jaillit et affole ; et il y a dans
l'air de ce mois de mai, ponctué de fêtes et de cérémonies au
palais, une effervescence propre aux débuts de règne.

J'en étais là de mes rêveries quand, en ouvrant mes
messages, je tombe sur une lettre inattendue. Les courriers

de félicitations sont nombreux, un déferlement de soutiens émus, de messages déférents ; comme celui de cet animateur télé qui se fait un point d'honneur à me l'adresser par porteur chez moi, afin qu'il arrive le premier. Quant à la lettre de Jean-Marie Rouart, elle n'a rien à voir avec toutes les autres. L'académicien, qui a été un aîné attentif au *Quotidien de Paris*, me congratule mais surtout s'étonne, « ayant connu le jeune homme », que j'aie choisi « Balzac contre Fitzgerald ». En clair, Rouart se demande ce que je fais là ; comment j'ai pu quitter le soleil, le dandysme, l'innocence de l'Américain des Années folles pour rejoindre l'ombre, les complots de corridors et les alcôves.

Étrange télescopage.

Au moment où j'occupe le bureau de Vautrin et m'engage dans cette aventure balzacienne, la lettre de Rouart me bouscule.

Et s'il avait raison ?

Je crois bien que c'est l'événement des premiers jours. La guerre des bureaux au palais. Elle est la « mère des batailles », dont l'enjeu doit être l'accès au prince et à son bureau. Elle oppose Henri Guaino à Emmanuelle Mignon. Le conseiller spécial, qui a réussi son entrée en scène sémantique en la calquant sur le modèle de Jacques Attali, contre la directrice du cabinet.

Elle a pour enjeu le bureau d'angle du palais, dont la porte donne sur celle du président. Ce bureau bien situé, vaste et carré, revient au directeur de cabinet, Emmanuelle Mignon. Cela a toujours été le cas, depuis VGE qui, de façon excentrique, disait-on, l'avait fait sien. C'est compter sans Guaino, s'estimant dans son bon droit en réclamant ce bureau.

La crise éclate le matin de l'installation du président. Au moment où Guéant me reçoit, la tension n'est pas retombée. En tant que secrétaire général, il est chargé d'arbitrer cette répartition des bureaux, mais Guaino ne veut rien entendre. Il n'en peut plus de « ces deux-là », et me lâche : « Guaino veut être près de lui... Il dit que ce bureau a été certes celui du directeur de cabinet ; mais auparavant, il a été aussi le bureau du président Valéry Giscard d'Estaing. Et ça... *(sourire perfide de Guéant)* c'était au moins de son rang... »

Mignon, elle non plus, ne veut pas céder. Guaino et elle s'envoient par-dessus la tête de Guéant toutes sortes d'arguments ; les portes claquent ; on entend des insultes ; dans les couloirs, des marmonnements criminels. L'incident est plus violent encore que celui qui les a opposés durant la campagne. Guéant est dépassé, et pas mécontent, je crois, de voir ces deux encombrants rivaux se déchirer, et ainsi s'affaiblir aux yeux du président.

Car deux poids lourds s'affrontent. Deux légitimités du sarkozysme. Emmanuelle Mignon a été depuis 2005, le *brain* et le *trust* de Sarkozy à elle seule. On la présente comme le « cerveau » de la campagne, mieux, elle est la plus formidable cellule de R & D (recherche et développement, dans le jargon des grosses boîtes) de la droite. Guaino aussi s'estime le « cerveau de Sarkozy »... Chacun a ses armes : l'activisme de Guaino auprès du président contre la haute bouderie de Mignon. Mais les menaces que Guaino sait si bien brandir auprès de « Nicolas » (ce que nous appelions le « théâtre de Guaino ») vont être une fois de plus décisives. Le président tranche en sa faveur.

Mignon s'exile dans un des rares vastes bureaux disponibles. Elle le décore de posters géants de « Nicolas », sous toutes les coutures, la chambre d'une groupie adolescente. Elle travaille là et tente de faire de ce lieu un club sympathique, où passent les jeunes technocrates du palais – du moins ceux qui n'ont pas encore prêté allégeance à Guéant. On a voulu la marginaliser. Elle se cherche, entre ce job d'intendante du palais qui l'ennuie, et l'espoir de redevenir la formidable « boîte à idées » qu'elle a été pour Sarkozy. Elle est en embuscade, bien décidée prendre sa revanche sur Guéant et Guaino.

Moi, je ne suis pas assez vigilant. Je me moque de leur susceptibilité de diva. Peu m'importe d'être près ou pas de lui, peu m'importe aussi de ne pas être de cette réunion de 8 h 30. « Tu aurais dû menacer de démissionner, ce n'est pas acceptable », me dit Mignon. Je suis là, je suis en poste et j'ai sa confiance. Mais je le comprendrai par la suite, c'est leur place auprès du président qui se joue. Non seulement l'accès à sa personne ; mais leur statut, leur futur, leur destin durant le règne et même après. Mignon et Guaino connaissent l'État et ils savent sa plasticité en ces premiers temps, avant que tout ne se fige. C'est une constante historique : un nouveau président, ou un nouveau prince, impose son style, installe ses hommes, invente sa gouvernance. Le pouvoir est *existentialiste*, il s'invente en marchant. Ce fait était accentué par le tempérament de Sarkozy. Sa manie de la rupture. Son volontarisme. Son audace, ses caprices. Tout semblait possible avec Sarkozy, dans ces débuts. Tout était possible dans ces moments fondateurs, euphoriques, sans repères et sans mémoire. Un règne s'installait. On en écrivait les règles.

Voilà pourquoi ce combat – on ne le saisit pas sur le moment – était un combat à mort. Leur vie ou leur mort au palais.

2

Révolution à l'Élysée

L'Élysée fait sa *révolution*, se félicite la presse, mais ce n'est pas sans difficultés. Les hauts responsables du palais, diligents et dévoués, sont dépassés ; le réseau informatique que l'on découvre est hors d'âge ; les chauffeurs et les voitures sont en nombre insuffisant – selon le garage de l'Élysée, les rotations avaient été multipliées par cinq... L'Élysée, qui vit au ralenti depuis l'AVC de Chirac, se réveille de sa torpeur : « L'Élysée ne ronronne plus, il vrombit[1] », fanfaronne Hortefeux.

Une ombre au tableau radieux toutefois, car le président doit renoncer à un de ses souhaits : installer un bureau présidentiel au rez-de-chaussée, directement sur le parc. Le déménagement se révèle impossible, on ne peut pas y caser son secrétariat. Alors, le nouveau président (et son équipe) rêve à haute voix de l'édification d'un palais présidentiel ultramoderne et fonctionnel. Tous ses prédécesseurs dans le palais ont eu cette ambition. De

---

1. Brice Hortefeux, cité par Charles Jaigu et Bruno Jeudy, « Avec Sarkozy, le palais de l'Élysée fait sa révolution », 4 juin 2007, *Le Figaro*.

Gaulle ne trouvait l'Élysée ni assez majestueux ni assez pratique ; il fit étudier le transfert du palais présidentiel au château de Vincennes. Le coût et les difficultés l'en dissuadèrent. Mitterrand aussi voulut transférer la présidence quand il arriva en 1981. Il pensa aux Invalides. Il aimait cette perspective, toujours la compétition avec de Gaulle. Là encore, le rêve du monarque-président échoua.

Pour l'entourage de Sarkozy, l'événement traumatique reste le sort de Laurent Solly : son débarquement spectaculaire au soir de la victoire, la porte du Fouquet's interdite, la fermeture du palais à l'un de ses plus proches et remarquables collaborateurs. Claude Guéant a reçu Solly. Il lui a annoncé que le président avait formé son cabinet et qu'il n'y figurait pas. Ce dut être douloureux pour celui qui avait été l'« enfant chéri » du cabinet, le jeune rival de Guéant pour la direction de la campagne, et, selon moi, l'un des principaux artisans de la victoire. Nicolas Sarkozy le reçut aussi. Il était en faute, le savait, et tenta de le convaincre d'entrer en politique, lui offrit la mairie de Neuilly, tout de suite, puis la circonscription pour 2012. La voie royale. Mais le président ne s'attendait pas au refus de Solly, qui lui annonça qu'il avait négocié, depuis un moment, son entrée dans le groupe TF1[1]. Ce fut le premier affront de son règne.

Ce débarquement paraît encore incompréhensible, inique et, à ma connaissance, justifié par rien. Solly était compétent, mobilisé, créatif, loyal, à ce que j'en sais. Il

---

1. Michaël Darmon et Yves Derai, *Ruptures*, Éditions du Moment, 2008.

n'avait pas failli en dépit du calvaire personnel qu'il avait traversé cette année-là.

La tête de Solly est une offrande à Cécilia ; il y a là quelque chose de barbare qui me fait sortir de mon rêve, la violence crue, vitale, mal ajustée, inspirée par le prince.

Et tandis que j'avance à tâtons, un nouveau paysage s'installe ; il n'a plus rien à voir avec celui de la campagne, bordélique et conquérant.

Claude Guéant assoit son autorité. Tolérable pour Cécilia, il a fait le ménage. Il ne reste de la firme que Franck Louvrier, dont le sort, dit-on, est réglé ; il partirait sous peu, comme Solly. Autour du secrétaire général, des baronnies se forment. De nouvelles figures s'imposent dans la hiérarchie. Jean-David Levitte, le patron de la « cellule diplo » dont Sarkozy me vante les louanges ; ce rescapé de l'ère Chirac aide de son mieux le novice dans ses premiers pas sur la scène internationale. Levitte s'installe au 2, rue de l'Élysée, dans l'hôtel particulier affecté à la cellule africaine, avec une troupe de jeunes diplomates d'élite, des « Sarko-boys » un peu baroudeurs dont le parfait symbole est Boris Boillon.

François Pérol, lui, a choisi les combles du palais. Il connaît bien le fonctionnement de Sarkozy, ayant participé à son cabinet de Bercy, et semble s'entendre avec Guéant. Il est le « superministre » des Finances, dans l'ombre. Pérol, c'est l'Inspection des Finances, une autre forme de pouvoir, une sorte de toute-puissance étatique. Devant sa porte, je vois parfois trépigner Bernard Tapie ou des grands patrons venant sauver leur tête. Dès les premiers jours, Pérol me bluffe en renflouant, à ma demande,

Pink TV, une chaîne de télévision gay, par un simple coup de fil à une agence dépendant de Bercy.

Patrick Ouart, l'influent conseiller Justice, c'est autre chose. Pas un gentleman moderniste qui, comme Pérol, aime l'art contemporain et les fusions-acquisitions. C'est un homme sans âge, sans colères, un bloc de mystère, un personnage balzacien lui aussi ; un comparse de Vautrin qu'on aurait pu croiser dans ces entrelacs de couloirs qui menaient de la Conciergerie au Palais de justice. Il « gère » Rachida, la garde des Sceaux avec qui d'emblée il s'entend mal.

Raymond Soubie, chargé des affaires sociales, a trouvé sa place à l'Élysée. Il a été le conseiller de Raymond Barre et depuis trente ans cultive son influence d'expert du dialogue social. Il s'est lancé dans les affaires et a fait fortune. Il connaît les syndicats comme personne. Il est un autre père de substitution pour le jeune président.

Voilà pour le « haut du cabinet », mais il y a aussi les passagers de l'ombre de l'Élysée : des conseillers-techniques-pour-services-rendus qu'on met aussitôt au placard, comme le compétent Rachid Kaci. Pour lui, c'est la double peine : il n'est pas énarque et il est « beur ». Des attachés de cabinet que l'on a fait embaucher après une promesse clientéliste arrachée durant la campagne. Ou encore ces anciens centristes que l'on garde en pension au palais, comme Philippe Douste-Blazy qui attend (en vain) d'être nommé ministre, et qui passe parfois prendre la température dans mon bureau ; feignant de ne pas comprendre qu'il est « grillé », trop chiraquien, pas assez désirable pour Sarkozy et supplanté par Borloo.

On parle souvent de l'État, et on le critique à raison, à travers certains hauts fonctionnaires d'opérette. Mais je découvre, en m'installant, d'autres serviteurs de l'État, une humanité souvent malmenée. Cette responsable des décorations à l'Élysée, passionnée d'histoire et amusée par toutes les courbettes pour accéder aux honneurs ; ces militaires si attentifs à la politique mémorielle ; des gendarmes et des secrétaires dévouées qui racontent le temps de Pompidou ; des responsables des voyages officiels, logisticiens de haut vol, à l'allure de baroudeurs. Tous impatients de servir le nouveau président, non par courtisanerie, mais par vocation : ils se sont tant ennuyés avec Chirac. Tous ces hommes et ces femmes sont les invisibles du palais. Ils sont compétents, attentifs, attachants par le sérieux mis à la tâche. Ils sont au service de la haute fonction publique, qui continue, elle, ses grandes manœuvres, ses petites combinaisons, occupée à conforter son pouvoir ou à chercher le pantouflage. Pendant que ceux-ci réseautent, on s'étonne de croiser des figures de si grande qualité, qui croient encore au « service de l'État », ou à « l'intérêt général ». Je comprends là quelque chose qui m'échappait. Comment l'État « tient », la fameuse « continuité de l'État ». Elle est là, incarnée dans ces destins modestes, la grandeur secrète de cet héroïsme du quotidien. J'allais trouver parmi ces « invisibles » restés humains un réconfort dans la froideur du palais.

Mais pour le cabinet du président, l'essentiel, c'est Lui. Être proche de Lui. Être le mieux placé sur l'ordre protocolaire byzantin de l'Élysée, qui distingue les « conseillers du président » des autres. Être sur son chemin, à sa portée, dans ses pensées, sur son emploi du temps, présent dans les sauts de puce à Bruxelles autant que dans les voyages officiels qui se préparent, comme celui, très convoité, en Chine. Il est recommandé, pour tenir son rang dans le régime naissant, de pouvoir être vu dans ses pas, lors des déplacements présidentiels, qui tiennent du caravansérail ; et dans l'Airbus présidentiel avoir le droit – ô privilège suprême – d'accéder à son salon privé.

Avoir accès à Sarkozy, c'est lui envoyer des notes en direct, qu'il vous renverra commentées. C'est surtout, je vais le comprendre, avoir accès à son agenda, point stratégique pour tout conseiller influent, pouvoir passer une tête à son secrétariat, glisser un rendez-vous important, ou obtenir sa participation à un événement majeur. Très vite, cela devient le privilège exclusif de Claude Guéant. Il verrouille. La plupart des conseillers importants sont méthodiques, connaissent le terrain administratif, ont « fait du cabinet » ou l'ENA – dont l'un des principaux enseignements, je l'ai compris en les écoutant, est de survivre en apprenant à détruire son prochain – et donc ne négligent aucun détail. Moi, j'apprends.

À cause de cette course pour accéder à sa personne, la petite bande se délite, et pas seulement pour Guaino ou Mignon. Il n'y a plus la place, plus le temps, l'humeur, l'occasion, pour les rires, la pause brasserie, ou les farces potaches. Cela n'a été qu'une illusion. Les bons copains idéaux se sont mués en fauves inquiets, le temps de l'installation.

Dès le premier jour, la guerre commence. Le traditionnel voyage à Berlin du président dans la foulée de son intronisation est l'objet de bousculades, de messes basses, de listes et de contre-listes, et l'on « oublie » de me prévenir. Cela donne le ton. Les premiers temps, je constate aussi que les dévots de Cécilia m'évitent. Catherine Pégard m'a posé trois lapins ; pourtant nous étions complices depuis *Le Quotidien de Paris*, quand elle y avait commencé comme moi sa carrière de journaliste. David Martinon est devenu la « créature » de Cécilia, qui régente sa vie, ses tenues Prada Homme (offertes par le président), ses shows de porte-parole façon *À la Maison Blanche*, et même sa vie sentimentale, puisqu'elle sera le témoin de son futur mariage, que l'on annonce comme un « événement mondain et paparazzé » de la saison. D'ailleurs, il n'a plus le temps, on le voit important et stressé, sur tous les fronts. Il tente de trouver ses marques devant les prompteurs et aussi son statut d'enfant chéri du régime. Le conseiller Éducation, Dominique Antoine, à qui l'on a promis mon secteur, tente de nouveau de s'en emparer avec le soutien discret de Guéant. Sarkozy tranche en ma faveur, mais cela laisse des traces et crée des tensions. Louvrier parle de partir ; il ne se voit pas travailler sous les ordres de Martinon. Quant à Emmanuelle Mignon, on l'a vu, elle boude et se défoule, bouclée dans son bureau, en débinant Guéant et Guaino. Je m'interroge sur le management de cette drôle de maison.

Je mets ce durcissement sur le compte de la « vie de cabinet », cette expression intraduisible qui signifie charrettes et adrénaline, parfois sur celui de cette géographie si malcommode du palais, qui nous isole les uns des autres. Tout vient nourrir cet engrenage. Un rien, une note mal aiguillée. Les haines, les méfiances, les peurs s'accumulent. Chacun se barricade. Nous nous protégeons les uns des autres. En quelques jours, la plupart d'entre eux (à part peut-être Mignon) ont oublié leur ardeur réformatrice pour se concentrer sur les petits complots de palais. Ces exercices de survie participent de ce durcissement.

C'est ainsi que s'installe une sauvagerie au quotidien.

La *force* est en nous, s'extasient les gazettes d'alors, qui ignorent ces dessous. La violence surtout est en nous. La violence du sommet, celle du prince, chaude, affective, paradoxale et brutale nous irrigue. Puisque nous sommes le pouvoir, un peu de lui.

Rouart ne se trompait pas.
Il allait falloir survivre dans cette course.
Ne pas décrocher.
Ne pas être le maillon faible.

3

« Un mandat, c'est tout »

Rendez-vous avec lui, le premier depuis l'investiture. Au détour d'un couloir, je tombe sur un maître d'hôtel croisé au temps de Mitterrand. Tout à coup, des souvenirs liés à ce lieu remontent. La salle d'attente où je me rendais pour nos rendez-vous au moment des *Mémoires ininterrompus* n'a pas changé ; le même décorum, les mêmes gardes républicains, les huissiers, plus fringants, une femme parmi eux. Ici, par cette porte discrète, le couloir qui mène à l'appartement privé. Là, le bureau d'Attali (dit le Salon Vert), converti en salle de réunion et qui me paraît tout à coup si petit. Dans mon souvenir, il était immense, et Jacques Attali dans un coin... Voilà douze ans que je ne suis pas revenu dans ce coin du palais pour voir un président. La dernière fois, c'était pour déjeuner avec François Mitterrand, le jour de son ultime Conseil des ministres, le 3 mai 1995, au lendemain du débat décisif entre Chirac et Jospin. J'y allais alors en « jeune homme », cet ami de la famille un peu atypique auquel on avait fini par s'habituer, qui passait de bureau en bureau, s'attardait dans celui de l'ami

Védrine, traînait dans le palais, en attendant que Mitterrand le reçoive.

Douze ans après, je retrouve le même palais, grandiloquent, mais cette fois en pleine effervescence. Partout, on brique les cuivres ; on installe des éclairages à basse consommation, modernité oblige ; on repeint en urgence, dans l'aile gauche, les appartements de Madame, un défilé impressionnant de salons donnant sur le jardin de l'Élysée, du côté de la rue de l'Élysée ; on déplace quelques œuvres d'art, et je m'inquiète pour la belle *Marseillaise* de mon ami le sculpteur Arman qui se trouve sur le perron – on la laissera là. On change les tapis, les rouges et les ors sont privilégiés, ce qui accentue le caractère napoléonien, un peu chargé, de ce palais du XVIIIe. Le style de règne s'écrit jusque dans les moindres détails.

Dans son bureau, un désordre de lendemain de noces, des boîtes de chocolat ouvertes ou entrouvertes, des cadeaux, des épreuves d'artistes, de beaux livres, des statues, une toile de son père (que l'on voit passer parfois à l'Élysée, d'un pas heureux et triomphant – un portrait de son fils président, une sorte de sous-produit du grand surréalisme). Il n'en finit pas d'être honoré, fêté, acclamé, admiré. Les pieds sur la table, il me raconte avec des phrases courtes, parfois des onomatopées, le tourbillon de sa nouvelle vie : Berlin, Obama au téléphone, Poutine et le premier conseil des ministres, le sermon aux jeunes recrues du gouvernement. Il n'est toujours pas redescendu sur terre. Il n'en revient pas de se voir appeler président par les maîtres du monde, ses nouveaux potes.

– C'est magnifique, mais *(il marque une pause, se redresse)* je ne ferai qu'un mandat…

— Je ne te crois pas.

— Si, je suis sérieux. Aujourd'hui, on n'est plus président comme avant... Après, j'aurai envie d'autre chose. J'aurai une nouvelle vie... Je veux gagner de l'argent. Je veux avoir des maisons à travers le monde, une en Provence... Je te dis, après j'aurai une nouvelle vie...

Je me dis que c'est une ruse de Louvrier ou de Goudard ; une idée de posture qu'on lui a suggérée, une manière de se faire plus encore désirer. Mais ce n'est pas une intox, il a l'air sérieux. Il se projette le film de sa vie de nabab. Il fera président, puis il conquerra le monde, comme Bill Gates ou Albert Frère. Il y aura une vie après. Il le croit vraiment. Pour conjurer l'angoisse ? se donner du courage devant la tâche qui l'attend ? à moins que ce ne soit une concession à Cécilia, qui rêve de cette vie-là, « milliardaire internationale »...

— Un mandat ? Tu crois que cela sera suffisant pour réformer la France ?

— Oui, si on s'y prend bien. Hein, t'as vu la loi Tepa ? Ça ne traîne pas...

Je ne suis guère convaincu par l'argument : la loi Tepa était déjà ficelée avant l'élection, elle n'était pas vraiment révolutionnaire, tout juste un gros cadeau électoral à rentrer dans les circuits de la machine État.

— Mais il n'y a pas que Tepa. Il y a le reste : la baisse des dépenses publiques, notre industrie...

— Si on se met au travail tout de suite ; si on imprime un bon rythme, je crois qu'en cinq ans on peut réformer la France. La réforme des universités est presque déjà prête.

— Ça semble un peu court, vu l'ampleur de la tâche.

— Tu es trop pessimiste ! Comme toujours. Les syndicats, ils sont au tapis, comme la gauche d'ailleurs. (*Il prend un air*

173

gourmand.) Quant aux élites et aux ministres, ne t'inquiète pas. On va être sur leur dos, on va donner le rythme...

Je lui cite deux exemples de blocage picrocholins par la haute administration. Je lui raconte le regard narquois que les technos posent sur sa « rupture », les sceptiques de ces cabinets ministériels indolents. Je me souviens des leçons de l'historien Marc Bloch sur les technocrates en France, et de leur responsabilité dans « l'étrange défaite ».

— Tu n'y arriveras pas sans une rupture de gouvernance. Tu ne parviendras à réformer la France qu'en t'emparant des principaux postes de la technostructure. Sinon, ce sont eux qui te feront la peau. Déjà, ils reviennent à l'Élysée...

Je lui rappelle cet engagement de campagne qui a été violé dès le début, celui de ne pas admettre dans les cabinets du pouvoir plus de 50 % d'énarques ; à l'Élysée n'y avait que ça.

— T'inquiète pas pour cela... On se laissera pas faire. J'suis pas énarque... Et François [Fillon] non plus d'ailleurs.

— En tout cas, tu dois fixer un cadre, des objectifs, porter un dessein, et le faire savoir. Un « mendésisme de droite » en quelque sorte...

— Tu veux dire quoi par là ?

— Ton camp est trop réactionnaire, trop égoïste... Et la techno-structure en général trop conformiste. Comme Mendès, tu dois trouver des Simon Nora, vingt grands réformateurs que tu dois parachuter sur la technostructure. Vingt fidèles. Les as-tu dans l'appareil d'État ?

— Vingt... *(Il est songeur.)* Tu penses à quoi ? Les patrons d'administrations centrales ? Oui, tu as raison...

— Et puis tu les motives. Sinon, tu n'hésites pas à sanctionner...

— Tu veux dire : « faire un exemple » ? Couper des têtes ?

Est-ce le « grand dessein » mendésiste ? Ou bien la jouissance de punir ? Son œil s'allume, carnassier.

L'échange qui devenait intéressant est interrompu par le téléphone. C'est « mon petit Claude ». Il s'agit d'un problème de décret ; je le vois s'emporter contre le Conseil d'État et ses « emmerdeurs » ; pester contre Fillon « qui fout rien » ; ordonner qu'on engueule les députés du groupe « et Copé qui me chie dans les bottes à longueur de journée »...

Il revient... Non, il a oublié quelque chose. « Pardon, mon Georges-Marc, je suis obligé de tout faire ici... » Il appelle Mme Burgel, la secrétaire, pour régler je ne sais quel problème privé, lui demander des nouvelles des décorations d'Antoine Bernheim, « le grand banquier, vous savez », et de David Lynch, celui-là, « c'est pour Cécilia »... Il la prie enfin de noter ses rendez-vous avec « Patrick ». Il ne prononce pas son nom, Buisson. Je comprends, avec la vigilance aiguisée de l'ami possessif, qu'il continue à le voir...

Il revient agité de son marathon téléphonique.

Il est passé à autre chose, il a oublié Mendès et ces vingt fidèles qui changeront la France.

4

Passion monarchique, poussée d'adrénaline

Le soir du premier tour, certain de sa victoire avec ses 31 %, il m'a dit : « Tu verras. Je sais ce que je te dois. Tu ne seras pas déçu... » En entrant au palais, je me doutais bien que ma vie changerait. Je n'étais pas un puceau des médias. Je connaissais la musique, pensais-je. J'avais publié quelques livres sulfureux, fait événement avec un film, créé *Globe*, magazine phare des années 1980-1990. J'avais connu la lumière, le succès trop jeune, et déjà traversé quelques déserts. Bref, je me croyais blindé. Préparé à la secousse de cette nomination. « Une prise de guerre mitterrandiste chez Sarkozy », ça se remarquerait. Mais jamais je n'aurais imaginé une poussée si forte. Tout à coup, vous passez de l'ombre à la lumière, de la marge au pouvoir, de vos tribunes à la Cassandre dans la presse de province au centre du monde, à l'Élysée. « L'Élysée », répétaient-ils tous, émus et éblouis, en déversant leurs félicitations républicaines. Durant les premières semaines, des centaines de sms, des mails à n'en plus finir, des courriers sentimentaux par toutes les voies possibles, directes ou indirectes, à mon éditeur ou aux voisins de mes anciennes adresses ; des appels affectueux de tous les « perdus de vue » d'une vie, amis oubliés, copains d'école dont on ne souvient pas, maîtresses d'un autre siècle... Ce fut une poussée folle. Elle allait me coller à mon siège, comme ces pilotes à mach 1 dont on voit les corps écrasés et le visage déformé par la poussée.

Cette poussée est inouïe. Elle change votre vie tout de suite.

Cette passion à l'égard du conseiller du palais est à la mesure de la consécration de Sarkozy, bien sûr, elle lui est évidemment corrélée. Cette poussée ascensionnelle, nous la lui devons. L'époque est à la « rupture », nous n'avons que ce mot à la bouche. L'élection a été triomphale ; avec 54 %, la participation a été massive ; la gauche est au tapis, l'extrême droite essorée ; et dans les rangs de la droite, plus une tête ne dépasse – sinon deux ou trois excentriques, les « derniers villepinistes ». La France, qui a mis du temps à l'aimer, y croit. Mai 2007, c'est bien plus qu'un « état de grâce ». Cela n'a rien à voir avec l'accueil réservé à son prédécesseur Jacques Chirac, ou plus tard à François Hollande. La révérence, la joie, la ferveur dépassent le cadre de l'onction républicaine. On adule ce nouveau chef.

Au début, ce fut l'idylle. Mieux, une passion. La France est folle de son audace, de cet enfant prodige qui fait son jogging jusqu'au perron de l'Élysée, de ce champion qui va la sortir de l'abîme, de ce « monarque républicain » qui ne sera pas un « roi fainéant ». Une espérance s'est levée ; ses contours sont encore indistincts, mais ce précipité de Bonaparte et de Kennedy, inédit en France, séduit le pays. Il en jouit tel un enfant fasciné. La presse aussi est amoureuse, comme souvent dans les débuts.

On fête sa seconde famille recomposée, et sa si belle épouse revenue au foyer. Les Sarkozy font rêver, l'image est splendide. Leurs moindres faits et gestes sont rapportés avec émotion, par les chaînes d'info en continu – à la carrière naissante – qui rivalisent autour de lui, et par la presse « people », qui connaît alors un regain en s'intéressant pour la première fois à la politique. La France est grisée. Un règne s'ouvre.

Tout le monde vient faire allégeance au palais, à son nouveau maître et à ses conseillers, avec ostentation, à haute voix, de crainte de ne pas être remarqué par le nouveau régime. Les chiraquiens qui n'ont pas été assez zélés ; les ex-ministres socialistes qui, comme Jack Lang, ne boudent pas le nouveau régime ; les réseaux, toutes sortes de réseaux que l'on voit débouler, suivis par les deux ou trois sempiternels cabinets de RP-lobbying qui font l'opinion à Paris ; toutes les clientèles, ou supposées clientèles, venues réclamer leur dû ou leur entrée à la cour, jusqu'à ce cercle des « premiers donateurs » dont je découvre l'existence et les réseaux.

Après le grand sommeil chiraquien, l'Élysée redevient le lieu géométrique du pouvoir.

Tout l'inconscient monarchique est à l'œuvre dans ces débuts. C'est ce qui frappe. Il n'est pas souterrain, comme c'est généralement le cas sous la Ve République, dont on a coutume de dire qu'elle est une « monarchie républicaine ». Il n'a plus l'hypocrite vernis républicain. Il ne s'agit même pas de ce respect de l'« étiquette » que Mitterrand jugeait indispensable à la puissance symbolique, disons freudienne, du président. Là, c'est autre chose, une passion collective. Elle est à découvert, elle est décomplexée. Il s'agit d'une authentique passion monarchiste, ou césariste. Je la sens dans ces temps premiers au palais physiquement, sémantiquement, socialement. Elle déborde, elle n'est plus déguisée. Le pays a enfin le sentiment d'être « tenu », ce sentiment est inédit à droite depuis 1958 et le retour au pouvoir de De Gaulle.

Un roi s'installe, et dans les journaux vous lisez que vous êtes un des ducs du régime. *Le Figaro* a publié un plan en coupe du « nouveau palais » et m'a fait figurer en bonne place dans le petit hôtel particulier de la rue de l'Élysée, parmi les « conseillers qui comptent ». Cet article est comme un signal, un appel d'air pour la foule de ceux qui veulent à accéder au palais, mais ne parviennent pas à attirer son attention et cherchent la bonne porte, le point de contact, celui qui deviendra le « protecteur », le « passeur ». Ils ne s'y retrouvent pas encore dans la géographie du nouveau pouvoir, alors ils se ruent vers ces « conseillers plus puissants que les ministres » que la presse ou les rumeurs leur désignent. Il n'est pas rare que ces solliciteurs ou ces professionnels de l'influence (plusieurs précautions valent mieux qu'une) trouvent avisés de tenter de nous voir les uns après les autres, sur un même sujet.

Du coup, ils accourent tous. Tous, je veux dire, les ministres qui – pour la plupart – ne parviennent pas à obtenir une audience avec le « PR », ainsi qu'on le désigne entre nous, les disgraciés, les revenants, les lobbies des télévisions privées, les patrons de chaînes de télévision publiques ou ceux qui aspirent à l'être, les têtes de gondole du théâtre public comme celles du théâtre privé, les présidents de syndicats de producteurs, les cabinets de lobbying qui ne se cachent pas de travailler pour Amazon ou pour Google, les puissances de la Bourse ou des télécom, en chasse pour une fréquence 3G, les *tycoons* d'hier ou de demain qui, à ce moment-là, rivalisent pour acheter le secteur de la presse régionale à Lagardère. D'anciens animateurs stars de télé se découvrent vos meilleurs amis, des affairistes croisés sur tous les chemins depuis trente ans, et que l'on repère généralement assez vite, tentent d'entrer dans votre vie.

Des patrons de télé qui n'auraient jamais pensé à vous accorder un rendez-vous vous invitent à dîner en tête à tête, connaissent votre œuvre et vous ouvrent les bras pour toutes sortes de projets grandioses. Tout ce que Paris compte d'hommes d'influence tout à coup vous aime, apprend à mieux vous connaître, vous trouve un esprit et des qualités supérieurs, et se met en quatre pour inventer un service à vous rendre, vous prêter sa maison de campagne, son vaste appartement à Venise ou son riad à Marrakech.

Votre vie change, vous entrez dans un club privé et merveilleux, dont vous n'êtes pas seulement membre, mais un acteur majeur, décisif. Vous êtes au centre de tout, vous êtes le palais. On vous invite à la table de Monopoly des maîtres du monde médiatique et économique, chez Laurent ou dans ces restaurants pompeux et chers, qu'on trouve au bas des Champs-Élysées ; Vincent Bolloré et Martin Bouygues viennent vous saluer ; Méheut, le grand patron de Canal +, sollicite un rendez-vous. Xavier Niel devient un copain et joue au gentil, tandis que son DG est le méchant. Luc Besson, alors en chasse pour sa Cité du cinéma, vous déroule le tapis rouge.

Et bien sûr, sur mon bureau, des sollicitations, des invitations pour des voyages tropicaux, des contrats juteux pour faire des films, des demandes de tour d'horizon, de conférences rémunérées et nombre de propositions venues d'officines de communication. Les cabinets de relations publiques qui font de vous tout à coup un « super-VIP » ; les vernissages privés avant l'arrivée des « pique-assiette », les visites privées du Grand et du Petit Palais, de tous les palais de la République, avec une conservatrice pour vous guider. VIP au spectacle, VIP dans les hôtels, VIP aux concerts de rock ou dans les stades… L'empressement des laboratoires pharmaceutiques, des grandes banques, ou de tel représentant de la France à l'étranger à vous faire une vie de pacha dans son ambassade, choyé, gâté. Une vie VIP ? Non, mieux. Une vie en première, hyper-VIP, avec pour coupe-file un simple regard, ou le murmure respectueux à votre approche. On vous fait comprendre que vous êtes le palais, un peu du corps du roi.

L'empressement. Interdit de vous faire attendre, ni au restaurant, ni au téléphone, ni en voiture, car votre chauffeur adore le gyrophare. L'œil et les manières serviles des maîtres d'hôtel ; ceux des concierges des grands hôtels, informés en temps réel du changement de régime et de ses nouveaux visages. L'œil intrépide de certaines femmes, les invites de toutes sortes, les aventures improbables, car cette fascination joue aussi en matière amoureuse. De même pour les hauts fonctionnaires, les directeurs de cabinet, les politiques, les patrons des hautes institutions républicaines désireux d'assurer leur reconduction. L'empressement de tous, à tout moment, car votre temps est précieux. L'empressement, oui. Le sentiment dans leurs yeux que vous n'êtes pas un mortel comme les autres.

L'effet de tout cela sur le narcissisme est violent.

Françoise Giroud a vu juste dans sa *Comédie du pouvoir*. La patronne de *L'Express* racontait son expérience de ministre[1] d'une façon clinique qui fit le succès du livre. Elle constatait que le pouvoir agit comme une drogue puissante, qui « rend les ministres si heureux de l'être ». Elle décrit cette drogue, les sensations qu'elle procure, ses effets. Elle pointe la jouissance, elle la nomme, parle de la « dilatation du Moi » provoquée par la fonction : « JE se gonfle, s'enfle, s'étale, se dandine, caressé, courtisé, sollicité, photographié, insulté, caricaturé, entretenu par tout l'appareil qui l'entoure dans le sentiment de son importance et de sa singularité. Car JE ne fais plus rien comme tout le monde[2]. »

Je ne fais plus rien comme tout le monde. Et, en effet, le souvenir qui émerge de ce tourbillon, c'est ce dont parle Giroud. La dilatation de l'ego, sous l'effet du regard des autres. Leur servitude volontaire, leur envie de vous aimer. Cette passion pour le pouvoir qu'ils ont tous, et parfois sincèrement, sans calcul, l'animale passion. Tout y concourt. Votre titre, la fièvre des débuts, le décorum et l'étiquette, la taille de la limousine, le miroir des médias. Pour peu que vous l'oubliez, on vous le rappelle à tout instant, toute occasion ; avec cette manière plus cérémonieuse que républicaine que l'on a de vous appeler « monsieur le conseiller ».

---

1. Secrétaire d'État chargée de la Condition féminine dans le gouvernement Chirac de 1974 à 1976, puis secrétaire d'État à la Culture de 1976 à 1977 dans celui de Barre.

2. Françoise Giroud, *La Comédie du pouvoir*, Fayard, 1977.

La poussée balzacienne agit comme une récompense, une immense récompense. Cette jouissance – Giroud a raison –, on la connaît rarement dans la vie réelle. Peuvent aussi l'éprouver « ceux qui, dans leur vie professionnelle, sont en situation de domination. Mais le champ où ils évoluent, parce qu'il reste privé, est incommensurable à celui où transporte la comédie du pouvoir[1] », écrivait-elle. De fait, cette drogue est le grand moteur dans cette histoire. Ce qui fait que tous les hommes politiques, pourtant assez mal payés, finalement très précaires, suspects par principe aux yeux de leurs concitoyens et des médias, jamais sûr d'être réélus, replongent chaque fois.

« Étrange phénomène, en vérité, que cette dilatation du Moi qui contamine parfois jusqu'à la famille et aux serviteurs de l'intéressé et que l'on voit d'autant plus accusé dans ses manifestations qu'il affecte un Moi fragile, vulnérable, incertain, contesté dans quelque autre part de sa vie, et menacé d'aller fortement rétrécir à l'ombre s'il sort de cette lumière-là[2] », conclut Giroud.

Nous avons donc été faits ducs.

Une petite armée surgit pour vous doter dès le premier jour. Vous doter de tout un barda, comme au début du service militaire jadis, mais dans une version « Grand Siècle ». De passes de toutes sortes propres à ouvrir les portes de la Cité interdite, d'une impressionnante carte magnétique « bleu blanc rouge », d'un magnifique papier à en-tête, dans tous les formats, toutes les qualités, que l'on

---

1. *Ibid.*
2. *Ibid.*

vous apporte cérémonieusement, comme si les presses de la République vous attendaient, d'un portable, non, de deux portables, vu votre rang. Je continue à utiliser le mien par conservatisme, et aussi par prudence. Je me méfie de ce fil à la patte et – sait-on jamais – des écoutes. Cette question du portable provoque d'ailleurs une crise au palais. Les services – comprenez le contre-espionnage – ont alerté : on ne pourra plus se servir des BlackBerry « pour cause de sécurité nationale ». Ces smartphones des « branchés » de 2007 ne sont pas sécurisés ; les grandes oreilles américaines peuvent intercepter nos échanges. Emmanuelle Mignon, chargée de ces questions au palais et elle-même adepte du smartphone canadien, va-t-elle trouver une solution pour sauver les BlackBerry ? Durant quelques jours, le suspense est à son comble, avant que la sentence d'interdiction du BlackBerry ne soit confirmée. C'est un déchirement pour les jeunes technocrates.

Quant à mon bureau, c'est forcément un peu de l'appartement du roi. Toute une escorte distinguée débarque un jour pour constater qu'il faut tout revoir, tout repeindre, non, ce n'est pas possible. Il y a « besoin de travaux », tranchent les chargés du palais. Je refuse, pas besoin de repeindre, pas le temps. Ils insistent, offusqués, comme si le bureau avait été souillé par le prédécesseur. Nous négocions. Va pour un simple « coup de peinture », on le passera durant mon absence d'été. Ce n'est pas tout, après la peinture et la décoration, il faut aussi vous doter d'un mobilier et d'œuvres d'art dignes de votre rang. La petite troupe d'experts, de décorateurs et d'intendants prend sa tâche à cœur. Je ne peux refuser. J'opte pour la modernité et des toiles des « nouveaux réalistes » de l'École de Nice. Je remplace le lourd bureau napoléonien par une table en verre ; et les fauteuils rembourrés par des chaises en Plexiglas qui me rappellent le design des « années Pompidou ».

Le jour de votre arrivée, on vous dote aussi d'une voiture, j'allais écrire un carrosse, tant, là encore, la pulsion monarchique s'exprime sans fard. Votre titre et votre rang de « conseiller senior » vous permettent d'avoir la catégorie supérieure, la même que celle du président, sauf qu'elle n'est pas blindée, avec les vitres teintées, et ce discret petit calicot vert qui indique à toutes les polices de France : « Attention palais ». La République raffole alors de ces massives Renault Vel Satis avec leur espace arrière de la taille d'un salon. C'est le carrosse du nouveau régime. Le président, lui, préfère la C6, à l'allure moins balourde, et puis il n'a pas besoin d'un salon : il ne supporte pas la compagnie en voiture.

Vous choisissez le modèle, votre couleur, votre intérieur, comme sur catalogue, et on s'occupe de tout. On vous trouve aussi un chauffeur. Pardon, non pas un, mais deux chauffeurs. Le chef du trafic estime en effet que « vu mon rang et mes activités », il m'en faudra deux. « Deux chauffeurs, vous comprenez ; à cause des horaires, des week-ends, des soirées », m'explique le responsable. Je refuse. Je me débrouillerai le soir et aussi le week-end ; je m'arrangerai. Je comprends à l'air contrarié du chef gendarme qu'en donnant ainsi le mauvais exemple je grippe la machine administrative et dépensière.

Et puis, vous n'attendez pas – l'empressement, là encore. Le lendemain, vous avez votre chauffeur, votre voiture. C'est alors que se pose la question de la relation avec le chauffeur. Je n'ai jamais eu de chauffeur, sauf vingt ans plus tôt, après un attentat contre *Globe*[1]. On m'avait recommandé d'avoir un garde du corps, qui me servit aussi de chauffeur, et nous roulions dans une vieille Mercedes coupé 1968, sublime et déglinguée. Un cliché à la Sagan. Il s'appelait Arthur, était congolais, avait la dégaine de Mike Tyson et avait été membre de la garde de Mobutu. Arthur avait fini par devenir un copain, un peu le Sancho Pança de notre tribu bohème... Mais au palais, c'est différent. Ce n'est plus la bohème, plus Arthur le Congolais, plus ma vieille « pagode ». C'est la République, un gendarme, un flic, un militaire. J'allais devoir partager ma vie avec lui. Dès le premier jour, un dilemme accueille le Huron. La question du chauffeur, de la voiture, vous saisit bien plus sûrement qu'un gros dossier. Il faut décider sans délai des modalités de cette vie à deux. Être ainsi conduit, partager sa vie, ses secrets, ses rendez-vous, ses silences, ses matins, ses soirées avec un étranger procure bien des tracas.

Comment se comporter avec lui ?

Lui parler ? L'appeler par son prénom, ou bien Monsieur ? Le laisser à distance, avec le risque qu'il se méfie de moi ? sait-on jamais, un flic... Ou bien abolir la frontière entre nous, me mettre bien avec lui, établir une complicité ? Froideur ou chaleur ? Distance ou proximité ? Bavardages ou silence ? Simples indications d'itinéraires ou questions sur ses enfants, sa santé, ses soucis ?

Et ce n'est pas tout : pendant les rendez-vous, les déjeuners, que faire ? La seule certitude que j'ai est morale autant qu'esthétique : il ne m'attendra pas tandis que je serai au restaurant, en train de faire bombance. Je déteste

---

1. Le 31 juillet 1988, les locaux du mensuel explosent. On attribue cet attentat à l'extrême droite.

le spectacle de ces maîtres du monde qui, dans les allées du 7e et du 8e arrondissement, font attendre au soleil ou dans le froid leurs chauffeurs qui sommeillent dans leurs limousines, ou bien se regroupent en piétinant comme les cochers de jadis. Ça, non.

L'autre tracas est de décider s'il faut s'asseoir à l'arrière ou devant. À l'arrière, la place majestueuse et indiquée ? Je n'aime guère cela. L'indolence satisfaite de celui qu'on croise dans Paris aux feux rouges, du genre jouisseur à sa fenêtre. À l'avant ? Moins cérémonieux. Plus homme d'action, encore un peu à gauche. Et tandis que je me pose idiotement ces questions, Guaino, lui, a tranché, sans états d'âme, avec la confiance du nouveau locataire de l'État. Il montera derrière. Lui a choisi la majesté. Il l'assume, c'est sa force, elle me bluffe. Moi, je n'y parviens pas. Après avoir balancé, je me décide à m'asseoir devant, près du chauffeur. Le pire des choix. Celui qui vous rend le plus vulnérable, vous oblige à converser avec le compagnon imposé ; signifiant aux autres une excentricité peu solidaire, et aux yeux de tous votre difficulté à trouver votre place.

La hiérarchie est explicite. Nous sommes la « tête » du cabinet, nous sommes les conseillers du président, l'État c'est vous, nous dit-on. Et de fait, je découvre qu'il suffit de demander pour, en plus de tout cela, être doté d'une résidence. Les appartements du quai Branly sont les plus courus. Durant un jour ou deux, j'hésite. Je me dis : « Pourquoi pas moi ? Pourquoi ne pas faire comme Guéant et Guaino qui, eux, n'ont pas hésité une seconde ? » Puis je m'imagine dans mes meubles, là-bas, cet immeuble chic et plein de fantômes. Celui de Grossouvre qui vécut dans ces murs, brrr. Celui d'Anne Pingeot et de Mazarine. Je ne me vois pas moisir dans les meubles de la République. Je décline l'appartement quai Branly après avoir imaginé, en plus, ma vie là-bas : voisin de Guéant, que je croiserai dans l'escalier avec mes copains à l'allure louche. Voisin aussi de Guaino, qui viendrait me demander du sel, ou au contraire m'éviterait... Le cauchemar ! Si je cohabitais avec Guéant et Guaino, ils découvriraient vite l'imposture.

La mienne.

*

En effet, un sentiment d'imposture traîne en moi dès l'origine. Non pas l'inévitable manque de confiance en soi dans un nouveau métier, mais autre chose, la peur d'être découvert, d'être pris en faute. D'être illégitime face aux technocrates et aux politiques que je fréquente. C'est une culpabilité confuse, pesante, d'abord informulée

Le sentiment d'imposture dont je parle est le bizarre reflet de soi. La distorsion entre leur regard sur le puissant que je suis censé être et ma vérité de « Petit Chose » perdu dans le palais. Entre ce que je lis dans les journaux et derrière, le masque, l'être inquiet, toujours inquiet, qui tente de jouer le jeu. Mais quel jeu ?

Présider sans se trahir, tous les jours, des réunions interministérielles... Donner la direction, l'impulsion, arriver dans une instance pour donner l'arbitrage « du palais ». Trancher, tous les jours trancher, et avec une tranquille autorité de puissant devant des assemblées de hauts fonctionnaires encravatés, sur-compétents, qui vous regardent bizarrement et vous demandent, la voix doucereuse, si l'on pouvait envisager « un cavalier législatif[1] », ou « voir figurer cette mesure dans une LOLF rectificative car depuis la LOLF[2] tout a changé »…Traduire ce charabia, une langue finalement simple, que l'on rend opaque pour mieux vous faire sentir votre caractère exogène dans cette assemblée compétente… Potasser la nuit, se souvenir que j'ai été avocat, apprendre leur langue pour qu'ils ne se doutent de rien… Certains matins, en me rasant, je me trouve bizarre, avec cet uniforme et le chauffeur qui attend en bas.

---

1. Un article de loi qui introduit des dispositions qui n'ont rien à voir avec le sujet traité par le projet de loi, afin de faire passer des dispositions législatives sans éveiller l'attention de ceux qui pourraient s'y opposer.

2. Loi organique relative aux lois de finance, qui a une valeur supérieure à la loi ordinaire.

5

Conseiller au palais

Je découvre le palais, ses fantômes et ses corridors. Il n'y a d'ailleurs à l'Élysée que des couloirs aux parquets grinçants, à l'exception des salons d'apparat. Je n'aime pas le lieu : très vite, durant les orages de mai, qui sont nombreux et obscurcissent le ciel, je pense à la formule de Claude Pompidou : « la maison du malheur ». Funeste présage ? En tout cas, j'avance à pas feutrés, je me cogne aux portes, je ne connais pas les codes, et on me le fait sentir. Qu'il s'agisse de la façon dont on replie tous dossiers de présentation ; de ma méconnaissance des « merveilles » de la LOLF ou des « fabuleuses ressources » que réservent les partenariats public-privé (PPP), ces lubies de technocrates... Ce n'est plus le palais bienveillant de Mitterrand, où je me rendais, protégé par l'affection du vieux président. Là, tout est différent. Douze années se sont écoulées ; le président n'est plus ce grand-père de substitution, il est mon contemporain et mon patron ; et c'est à présent la droite, non plus la gauche, qui est au pouvoir. Mon statut aussi a changé : je deviens adulte. Dans la Cité interdite désormais je suis un acteur, et non plus un « jeune homme ». Je n'ai pas ressenti une telle inquiétude depuis mon entrée en 6ᵉ, au lycée de Nice, dans cet immense « palais » qui avait été la résidence de tsarévitch. Des décennies plus tard, je retrouve en moi ce petit garçon effrayé.

La réunion hebdomadaire de tous les conseillers me fait toujours cette impression. J'ai rêvé de modernité et d'action avec Sarkozy, et je tombe chez *Les Choristes*. Une sorte d'internat en noir et blanc, dirigé par un père sévère, Claude Guéant. La réunion se tient dans la vaste salle des fêtes du palais, celle à dominante rouge qu'on voit lors des cérémonies officielles ou des conférences de presse. Pour l'occasion, elle est organisée autrement. Autour d'une très longue table en U, une quarantaine de personnes, les jeunes conseillers techniques, en charge d'un secteur ou membre d'un pool thématique. Face au U, Guéant préside. Il a à ses côtés les éminences du palais : Raymond Soubie, Emmanuelle Mignon, François Pérol, Patrick Ouart, et autour la « tête du cabinet », les conseillers seniors, Bernard Belloc, Arnold Munnich, Henri Guaino (qui séchera vite cette instance). Là encore, j'ai du mal à trouver ma place entre le présidium de Guéant et les jeunes conseillers techniques. Je choisis de m'installer entre les deux, un peu à l'écart, à côté du chef d'état-major des armées. C'est ainsi que moi, l'ancien anar et réformé du service militaire, je vais développer les meilleures relations avec l'amiral Guillaud, et plus généralement avec les militaires du palais.

Cette réunion de cabinet du lundi midi ne sert à rien. Elle est l'expression scénographique des forces en présence et du pouvoir de Guéant. Elle est inutile et protocolaire : rien ne s'y décide, les informations sont déjà connues du secrétariat général, qui a l'œil sur tout. Elle est un jeu de dupes, avec une structure verticale, pas collective pour un sou, et désuète en termes d'organisation. Mais ce rendez-vous me permet de découvrir le visage de ces technocrates qui, depuis quarante ans, sous la gauche comme sous la droite, forment l'armature de l'État, font l'État, sont l'État. Je découvre la plus belle collection disponible de « cerveaux de la droite » : la technostructure selon Sarkozy. Mignon a passé des années à la constituer. Elle avait des listes toutes prêtes de jeunes technos de droite, dans les starting-blocks depuis des mois ; elle n'est pas sectaire, veut des surdoués, mais de préférence issus du Conseil d'État, comme elle. Guéant a une prédilection pour les trentenaires dociles, provinciaux, propres sur eux. Il s'accommode de la puissance des inspecteurs des Finances, mais il préfère les énarques passés par la préfectorale. Ainsi surgissent des technocrates qu'on n'a jamais vus durant la campagne et qui prennent des positions importantes. À trente ans, ils dirigent des secteurs entiers, chapeautent des administrations centrales et cornaquent des ministres. Ils sont individuellement sympathiques et singuliers, mais dans ce lieu, ils se ressemblent tous. Ils font penser – à l'exception de quelques figures hors normes, comme Chantal Jouanno, Sophie Dion, Maxime Tandonnet ou Erard Corbin de Mangoux – à de jeunes Édouard Balladur, le conseiller-technique-parfait, celui qui a réussi sous Georges Pompidou.

En dépit des engagements de Sarkozy de limiter l'influence de la technocratie, elle n'est guère différente de celles qui ont précédé. Rien n'y a fait ; ni les engagements de campagne de recruter à parité des technocrates et des membres de la société civile dans le cabinet de l'Élysée ; ni – comme il le prétend – le fait que le nouveau président et son Premier ministre ne soient pas énarques. Ils étaient dans les murs, les mêmes ou presque : mêmes profils, même origine, même sociologie, issus du meilleur classement des trois grands corps – dont on comprend vite le pouvoir, les réseaux et l'influence une fois dans la Cité interdite. L'Inspection des Finances, la Cour des comptes ou le Conseil d'État, auxquels il faut ajouter la préfectorale, surreprésentée à cause de Guéant. Ceux qui sont dans cette salle sont issus des meilleurs corps, la « crème de la crème », les majors des majors, les plus accrocheurs, les plus politiques et les plus réseauteurs. Les plus tueurs aussi.

Tous les énarques rêvent tous de « faire du cabinet », plutôt que leurs classes dans une sous-préfecture ; là, non seulement ils sont « dans un cabinet », mais ils sont à l'Élysée. Ils ont tous décroché le gros lot. Leur destin est tracé. L'Élysée, puis sauter sur le meilleur poste, dans le privé, à la tête d'une banque publique, d'une institution culturelle, d'une chaîne de télévision, où l'on retrouve – de plus en plus – ces « grands commis de l'État ».

Ils se tiennent, je le constaterai, aux avant-postes de l'information – « quand est-ce qu'un poste va se libérer ? » –, autant que de la décision de nomination. S'ils sont bons, le chef les aidera à monter, comme Pérol au groupe Banque populaire-Caisse d'épargne. S'ils sont mauvais, on les nommera à un haut poste confortable pour mieux les exfiltrer. Dans cette salle, tous seront les futurs maîtres du monde, à condition qu'ils parviennent à tuer l'autre.

Je comprends que ce ne sera pas simple. Conseiller au palais, cela les fait tous rêver, mais s'ils savaient... Je suis jeté dans un monde nouveau, dans un job inconnu. Il n'existe aucune définition du poste de conseiller, tel que le nouvel « hyper-président » le voulait : « hyper-conseiller ».

Les conseillers techniques, on l'a vu, sont responsables d'un secteur précis. Pour les conseillers de poids issus des cabinets Sarkozy, la feuille de route est claire. Pérol est tout de suite le « M. Économie » et il fonctionne en bonne intelligence avec Guéant ; Érard Corbin de Mangoux est chargé de la sécurité ; pour Patrick Ouart, c'est la justice. Leur job est clair, leur secteur stratégique, ils sont en ligne directe avec Nicolas Sarkozy et Claude Guéant. Mais pour les autres, comme moi, venus de la société civile (ou comme Arnold Munnich, mon homologue pour la santé), quel est le job ? Par quoi commencer ? À qui rendre compte ? Quels sont les objectifs ? Quelles doivent être les relations avec la tutelle ? Avec Matignon ? Avec les parlementaires qui veulent nous rencontrer ? Personne n'a pris le temps de nous l'expliquer.

Alors je décide de mener l'enquête.

Guéant m'explique, entre deux portes, car il est assiégé ce jour-là, qu'il n'y a rien de spécial à faire, « des notes au président comme pendant la campagne », dont il faut lui faire copie. Non, pour le reste, « on verra en marchant ». Avec ce « grand serviteur de l'État », je croyais trouver des directions, une méthode. Je le quitte dubitatif. Est-ce là sa manière très peu interventionniste de « manager » ?

Je me sens un peu plus perdu.

Je décide d'aller voir Emmanuelle Mignon, elle au moins dit vraiment les choses. Je pousse jusqu'à son bureau, au bout d'un interminable couloir dans l'aile ouest. J'espère qu'en suivant la filière hiérarchique, moi qui suis « hors hiérarchie », je rencontrerai une aide.

À la différence de Guéant, elle prend du temps pour moi. À sa manière de technocrate surdouée, elle m'explique les règles du jeu : mon rôle de « chef de pôle » avec mon conseiller technique ; l'articulation à organiser avec le ministère de la Culture ; la préparation des ordres du jour des Conseils des ministres, dès le mardi, au plus tard avant midi ; et le mercredi superviser, si c'est sensible, les questions des parlementaires au ministre de la Culture. De cette longue conversation, où nous balayons le détail comme l'essentiel, il apparaît :

— Axiome n° 1 : que tout se passe à l'Élysée.

— Axiome n° 2 : que le Premier ministre n'existe pas. « De toute manière, ne t'inquiète pas, dans six mois, ce sera la guerre avec Matignon... »

— Axiome n° 3 : que les ministres, c'est pour la galerie. Nous devons les « cadrer », les pousser à la « rupture », et surtout nous devons leur fixer leur « feuille de route ». C'est ce que je dois faire en rédigeant à l'attention de la ministre de la Culture une « lettre de mission ». Emmanuelle Mignon les supervise pour tous les ministères, et ces lettres valent mandat politique.

La nouvelle directrice du cabinet est précise, intelligente, parfois brutale – et en cela elle reflète la pensée ambiante.

En me parlant de cette lettre de mission, elle me donne une information capitale que Guéant ne m'a pas transmise. J'ai donc la charge de rédiger la « lettre de mission » pour la ministre de la Culture, et ainsi de définir la politique culturelle. Nous y avons travaillé ensemble durant la campagne. Elle m'invite à être ambitieux, « en rupture ».

Je ne suis pas très assuré pour cette mission, je ne le lui cache pas.

— Non, non, vas-y, tu te débrouilleras très bien… *(Un silence)* Et puis avec Albanel, tu as un boulevard *(rires)*. Oui vas-y, fonce !

6

L'homme le plus puissant de France

La première fois que j'ai vu Claude Guéant, je l'ai trouvé inquiétant, je l'ai dit. Sa raideur, sa froideur, cette face qui n'est pas un visage, cette allure de Javert sur lequel on n'aimerait pas tomber dans un commissariat ; il m'avait fallu surmonter mes craintes, et aussi une vieille hostilité aux « hommes de Pasqua », dont j'avais été, du temps de *Globe*, la bête noire. La campagne avait fini par installer une collaboration efficace. Désormais, nous nous retrouvons sur une ligne européenne face aux jusqu'au-boutistes souverainistes (Guaino) ou des ultralibéraux (Mignon). Nous nous reconnaissons, je crois, des qualités d'efficacité. J'ai dépassé mon malaise. Je suis devenu un « collègue », on se tutoie. Par moments, il m'arrive même de le trouver émouvant dans son rôle. Ce que j'imagine de sa vie. Triste, austère, dévoué, grand commis de l'État.

À présent, au palais, il est mon patron, et c'est notre première vraie réunion de travail.

Je vais lui exposer mon « plan de bataille », l'ébauche de cette lettre de mission du ministre de la Culture. J'ai le sentiment d'un examen de passage devant un grand jury de hauts fonctionnaires qu'il incarne à lui seul. N'est-il pas désormais le grand chambellan de la Cité interdite, le haut fonctionnaire le plus exemplaire du régime ? J'ai donc bossé mon sujet. Rangé mes notes et mes idées. Hiérarchisé les questions à traiter avec lui. Impeccablement présenté l'ensemble. Je pense au Petit Chose d'Alphonse Daudet ; je pense toujours au Petit Chose dans les moments difficiles. Il me donne de la force, me fait retrouver la foi en moi, une rage tranquille d'avancer. Je suis ce jour-là un conseiller parfait, allure assagie, cheveux courts, costume-cravate, mes dossiers sous le bras – pas trop, pour éviter le côté brouillon que l'on ne manquera pas de me reprocher. J'ai tout fait comme le bon technocrate, dont j'observe les mœurs et les manies. Pour chaque thème, une chemise souple jaune, pliée en hauteur, qui semble être un des rites de la tribu. J'ai compris, quelques jours avant, que l'on ne plaisantait pas avec ça. En remettant un dossier à Jean-David Levitte, j'ai senti une pointe d'agacement, durant les deux secondes qu'il avait perdues à plier du doigt verticalement ce dossier qui, honte sur moi, ne l'était pas. Cette fois, j'ai tout agencé jusque dans le moindre détail. Premier dossier, la liste des chantiers prioritaires. Deuxième dossier, plus épais, plus complet, mais à n'utiliser qu'en cas de besoin absolu, une sorte de rappel si j'ai un trou sur un sujet qui, sait-on jamais, l'aura intéressé. À l'intérieur, des fiches thématiques adaptées à une lecture rapide.

La fin de l'après-midi avance, dans ce vaste bureau où j'ai souvent vu Bianco, Védrine, au temps où ils occupaient le secrétariat général, sous François Mitterrand. La même disposition, la même lumière, cette clarté sans éclat due aux arbres du parc. À l'époque de Védrine, le secrétariat général était le lieu de l'influence calme. La machine Élysée continuait à tourner, malgré ce qu'en dirent les ennemis d'un Mitterrand malade en 1994 ; mais au rythme de la cohabitation, tranquillement. L'essentiel se passait à Matignon.

Avec Guéant, c'est différent. L'État, c'est là, et on y fait le travail de Matignon. Tout y passe, tout y remonte, cette bizarrerie constitutionnelle peut se voir à l'œil nu. Le quadruple secrétariat de Guéant est une ruche où s'empilent les parapheurs qu'on lui prépare et qu'il écluse depuis l'aurore, sans interruption pour le déjeuner. Le secrétariat général est devenu un centre de commandement inédit sous la Ve République, par où transitent les instructions et les notes aux ministres, aux directeurs de cabinet, puisque, à l'exception de deux ou trois d'entre eux, les ministres sont négligeables, au secrétariat général du gouvernement, pour garder un peu de sérieux dans ce chaos orchestré depuis l'Élysée ; à quoi s'ajoutent les préparations des Conseils des ministres, les instructions aux ambassadeurs, puisque à l'évidence le quai d'Orsay n'existe pas. Et surtout « faire le travail » de ces nuls de Matignon. Chez Guéant comme chez Mignon, on en est fier : « Matignon n'existe pas. Matignon est fainéant. Matignon est hostile. Matignon est inutile… », c'est l'antienne.

Il est enfin en face de moi, avec son cahier d'écolier. Je présente mon propos, je me lance, mais le téléphone sonne et chaque fois je dois recommencer.

D'abord en rafales des appels de Lui, le PR en déplacement; courts, espacés, comminatoires. Chaque fois, Guéant se fige, comme au garde-à-vous et note. « Oui, monsieur le président. Je n'oublie pas, monsieur le président. » Puis c'est la garde des Sceaux, Rachida Dati, qui appelle. Elle n'est pas contente. Elle veut parler au président, elle ne comprend pas qu'on la traite ainsi, surtout Patrick Ouart, le conseiller justice du palais, qui lui fait des misères... La conversation semble raser le secrétaire général, mais il répond d'un ton égal, poli et patient, façon « expert en déminage ».

Je commence enfin. Mais quelques secondes plus tard, Rachida rappelle. Elle oublié quelque chose. Elle veut participer à ce voyage présidentiel où elle n'a pas été invitée. Le secrétaire général note, il en parlera au président. Il raccroche en levant les yeux au ciel.

Bon, je reprends mollement cette fois, échaudé par les faux départs.

Je lui tends la note de synthèse de l'ensemble. Il y jette un regard panoramique distrait, et la repose au loin. Puis je fais le tour des différents chantiers à lancer : la lutte contre le téléchargement illégal sur internet, la fusion de l'audiovisuel extérieur, le projet des États généraux de l'audiovisuel.

Mais quelque chose cloche.

Je n'arrive pas à capter son attention. Il remet sa cravate en place, il époussette sa veste, il consulte son cahier ou des fiches posées près de lui sans rapport avec notre ordre du jour. Et alors que j'aborde le cœur du sujet, l'ambition à atteindre, le sens de « la politique culturelle de rupture du président » que je propose, un autre coup de fil sur son portable. De l'étranger, cette fois. Il se lève, s'excuse, s'éloigne, l'œil brillant, tout à coup éveillé. Le correspondant doit être d'importance. Il se tient près de la fenêtre, à quelques pas, et reste là à échanger des propos qui me parviennent par bribes. Il a l'air plus vivant qu'avec moi, ou avec Dati. Je l'entends plaisanter, « rondejamber », rire, non pas s'esclaffer – cela pourrait tuer cette frêle carcasse –, mais rire ; et c'est assez pour comprendre que l'homme est là à son affaire, dans une stratosphère – que j'imagine – nouvelle, étrangère, puissante, où il a l'air de trouver sa place.

La conversation dure de longues minutes, par moments il chuchote.

Lorsqu'il revient vers moi, j'ai fini de détailler les moindres volutes de la tapisserie murale. Il semble transformé. Il est épaté par son « nouvel ami » : « C'est mon correspondant chez Kadhafi, me chuchote-t-il, plutôt fier. Un Libyen, un francophone cultivé, très sympathique. C'est un grand flic, et entre grands flics, on s'entend bien *(rire)*. Un certain Béchir Saleh. »

En le voyant tout à coup égayé, flatté, soufflé d'importance, je me dis qu'un nouveau Guéant est en train de naître. Le préfet silencieux se métamorphose, sous mes yeux et en temps réel, en homme de l'ombre de niveau international… Celui qui répète avec bonheur le nom de son nouvel ami, « Béchir Saleh… un type comme ça », est un *nouveau Guéant*. Il ne sera – je le comprends – ni Védrine ni Salat-Baroux, pas un secrétaire général coutumier. Foccart lui va mieux. Il me confie d'ailleurs qu'il a commencé à lire les *Mémoires* de Foccart. Cela a l'air

d'être une découverte pour lui, un mode d'emploi insoup-
çonné, écrit par un ancêtre de légende. Il y a chez Foccart tout ce que Guéant adore : la police, l'Afrique et le
pouvoir dans l'ombre. Traiter sur son téléphone crypté
les grandes affaires du monde ; pouvoir parler à tout instant aux hommes de Kadhafi, ou de Poutine, ou à Bongo
en direct. Prendre certains week-ends un jet pour aller
porter un message, en Afrique ou en Syrie, en cachette
du ministre des Affaires étrangères, Kouchner. Oubliée,
la grisaille du grand commis de l'État. Derrière lui, toute
une vie de préfecture ! Un autre homme pousse derrière
le chambellan avisé, c'est visible à l'œil nu.

Après cette courte extase due à l'appel de Béchir Saleh,
le secrétaire général récupère son petit cahier, son masque
et son stylo. Il est enfin prêt à m'écouter. Je reprends là où
je n'ai pas encore commencé.

Exposé des motifs. Priorités et objectifs…

J'en suis à mon deuxième objectif, la rationalisation de
l'audiovisuel extérieur de la France, cet invraisemblable
assemblage dont on fera une marque internationale sus-
ceptible de rivaliser avec CNN ou BBC One, lorsque le
secrétaire général se met à bâiller.

Je continue, je me dis que le bâillement doit être un
effet de sa fatigue, ses seize à dix-huit heures passées quo-
tidiennement dans ce bureau.

Mais il bâille une deuxième fois, et là je m'inquiète. Je
me dis que je dois être trop long, l'ennuyer, et que je ne
devrais ne pas me perdre dans les détails. J'accélère. Je vais
au plus simple, au plus court. Pour capter son attention,
je recherche des formules frappantes. Je tente, mais rien
n'y fait.

Au troisième bâillement, je suis déstabilisé. J'imagine que c'est une sourde insulte. Il continue, bâille à nouveau et se laisse aller cette fois avec volupté, sans se donner la peine de se retenir.

Je poursuis maladroitement mon propos, tandis qu'une image me revient. Je connais ce geste. Je le déteste. Je l'ai soigneusement décrit dans *Le Fantôme de Munich*. C'était celui cet épouvantable Chamberlain, le soir du 30 octobre 1938. La conférence de Munich entrait dans ses dernières heures ; Hitler ne lâchait pas la peau des Tchèques, le pauvre Daladier tentait d'arracher quelques lambeaux de la Tchécoslovaquie, tandis que son allié, le Premier Ministre Chamberlain, bâillait, ne faisait que bâiller au moment où l'on se déchirait sur le sort des Tchèques.

Je sais, c'est un peu fou. Je ne suis pas un Tchèque, il n'est pas Chamberlain, mais je me sens offensé, recalé par le grand jury qu'il représente. J'arrive avec ma bonne volonté présenter mes hommages et mon travail bien fait à notre Richelieu, et voilà qu'il bâille.

La réalité s'échappe par sa bouche. Ce que je lui raconte ne l'intéresse pas. Il me laisse continuer, mais j'ai compris que cet homme n'a aucune envie de travailler avec moi. Rien à faire de mon « plan d'action » contre le téléchargement illégal ou pour le service public de télévision. Rien à faire de ma thèse sur le « troisième temps de la culture » après Malraux et Lang. Il peut me parler d'une exposition qui l'a enchanté, plaisanter entre collègues, apprécier ma compagnie, mais je m'avise qu'il n'a aucune envie de travailler avec moi. Je ne suis pas son choix.

En vérité, il avait un autre plan en tête pour ce qui concerne la culture. Sarkozy l'a contrarié en me faisant venir. Je l'ai en outre défié dès mon arrivée par maladresse.

Je voulais une recrue supplémentaire pour mon équipe. Il avait refusé, pour des problèmes d'effectifs. J'étais revenu à la charge auprès du président et avais obtenu le recrutement demandé. Ce genre de chose n'avait pas dû lui plaire.

✳

Aujourd'hui, je me le demande encore : peut-être étais-je dans l'erreur, peut-être ces « bâillements » ne voulaient-ils rien dire, n'avaient-ils pas ce caractère humiliant. Peut-être avait-il simplement envie de « faire un break », de bavarder, pas de travailler, de se détendre dans sa journée de dingue ; ou, qui sait, de me sonder dans cette guerre sourde qui se déroulait au palais, et où il avait besoin d'alliés pour contrer Mignon et Guaino. Il me l'avait fait comprendre un jour qu'il se plaignait encore de ne « pas avoir la tête assez politique, comme toi ». Peut-être la parano l'emporta-t-elle ce soir-là sur le discernement. Mais c'était mon état d'esprit, peu de temps après mon entrée au palais. La parano.

7

Au travail avec Lui

Le rendez-vous est plus long à venir que d'habitude. Durant la campagne, nous nous parlions à tout moment, plusieurs fois par jour, ambiance plateau-repas – bande conquérante. L'entrée à l'Élysée a tout changé. Le protocole et l'agenda, la disposition de l'équipe. Je ne peux plus forcer sa porte à tout instant. Je passe par la voie normale, la secrétaire Mme Burgel. Elle est toujours aussi avenante, mais cette fois je dois attendre.

J'ai sollicité ce rendez-vous car je dois avoir confirmation de ma feuille de route et convenir d'une méthode de travail avec lui, surtout après ce que je viens de découvrir avec Guéant. J'ai en tête les conseils de mon prédécesseur à ce poste, Alain Seban. Il m'a raconté sa manière de travailler avec Jacques Chirac et donné quelques conseils : un point hebdomadaire, en tête-à-tête ; s'assurer en direct de l'intérêt du président pour les dossiers culturels ; voir la ministre une fois par semaine à l'Élysée, « pas rue de Valois, car un conseiller au palais ne se déplace pas au ministère »...

En allant vers son bureau pour ce premier rendez-vous, je suis gonflé à bloc. J'ai ciselé mon argumentation. Mes idées vont percuter son attention. Je dois lui vendre sa « rupture » culturelle. Tout va commencer.

L'huissier m'annonce.

Et là, au moment où généralement le silence et la majesté s'imposent, où le souverain se doit de laisser approcher le sujet vers son bureau-trône, lui surgit comme un diable. Il est déjà là, derrière la porte ; il attend, en train de parler sur son portable. Il saute sur vous. Il parle le premier de tout et de rien, essoufflé, et confus d'être essoufflé. « Si tu savais le rythme... » Dans le même tourbillon, il vous enjoint de vous asseoir dans le coin-salon, pas pour s'asseoir lui-même, ou enfin adopter l'allure souveraine du président, mais pour mieux poursuivre sa course, sans s'occuper de vous ; car aussitôt il se rue à son bureau, situé à l'autre bout de la pièce. Il appelle sa secrétaire, tout en vous parlant, ce qui vous oblige à vous contorsionner, et à lui répondre à très haute voix, presque en hurlant ; tandis que lui n'attend pas votre réponse, puisque tout de suite après sa secrétaire, il appelle « Claude, mon petit Claude » pour lui dire, lui répéter, lui rappeler, lui préciser, lui demander... Pendant ce temps, il a consulté ses sms et en a envoyé un. Quand il revient vers vous, dans le coin salon, le Nokia collé à la main, il est encore plus essoufflé et jette ses pieds sur la table basse.

Enfin, il se tient tranquille. Il ne s'est pas encore relevé. C'est le moment.

Je commence en douceur, pas trop technique. Je lui redis l'enjeu symbolique, énorme, de la culture, rapporté à son faible poids dans le budget de l'État. J'en appelle à de Gaulle, à Malraux et Jack Lang et à ce nécessaire « troisième âge » de la politique culturelle.

Un instant, son œil s'éclaire à l'évocation de Malraux et de Lang, mais de façon fugace.

Pour le reste, je rame. Ce n'est pas comme avec Guéant, certains sujets provoquent son acquiescement. Certains mots, certaines références parviennent à retenir son attention ; mais il s'ennuie. C'est visible. Il est ailleurs. Je continue, je change de vitesse, plus vite, plus lent. Rien n'y fait. Alors j'opte pour une autre technique, j'égrène mes priorités une à une et lui tends la fiche sur chaque sujet.

— La lutte contre le téléchargement illégal et le développement d'une offre légale.

Il prend.

— La fusion et la mise en cohérence du « bazar » constitué par toutes les antennes de l'audiovisuel extérieur de la France.

Il prend aussi.

— Les États généraux du service public, de radio et de télévision, car depuis la privatisation de TF1, l'État n'avait jamais pris la responsabilité de définir le service public, son champ et ses moyens.

— Une éducation artistique digne de ce nom.

Il acquiesce à chaque point. Tous mes sujets sont validés. Une seule réserve, concernant la lutte contre le téléchargement illégal. Attention à « ne pas trop être répressif sur les gamins, car les députés (qui sont des pères) vont râler… ».

Il prend tout. Trop facile, c'est bizarre.

Et lorsque je veux en savoir plus, il me dit lui aussi, en tout et pour tout, comme Mignon : « Fonce », d'un coup de menton, en me rendant mes feuilles. Il le pense sincèrement, il veut que ça bouge, que ça aille vite, que ça change ; mais au fond, il n'a rien retenu. Aucun des grands projets. Tous sont intéressants selon moi ou tirés de son programme de campagne, mais aucun ne l'intéresse. Rien ne l'a accroché, sauf cette « injonction paradoxale » concernant le téléchargement illégal.

« Fonce » : je reste perplexe devant ce management, mélange de confiance et d'indifférence de l'homme pressé. Mes propositions n'ont rien réveillé en lui, aucune passion, aucune ambition, aucun de ces rêves d'éternité que les monarques républicains caressent dès qu'il s'agit de culture. Je me rassure (mal) en me disant qu'il a tant à faire. Pour lui, mon domaine doit être secondaire. Il y a le régalien, les sommets internationaux, les infirmières bulgares dont on reparle...

Un seul sujet en instance éveille son attention : il s'agit d'une nomination. Celle du remplaçant de Christine Albanel à la tête du château de Versailles. Il y a deux candidats : Jean-Jacques Aillagon et Roch-Olivier Maistre.

Je penche pour Aillagon, plus audacieux, et bon ancien ministre de la Culture, injustement traité ; lui précisant que ce n'est pas le candidat de la ministre. Il tranche en faveur d'Aillagon et d'un ton rageur qui me stupéfie, il lance : « Si elle n'est pas d'accord, rentre-lui dedans. »

Apparemment, il veut passer à autre chose. Je le devine à son tremblement de genoux, à ce corps qui, s'il ne se retient pas, s'apprête à bondir. La fenêtre de tir s'est refermée, je ne pourrai pas développer « mon programme ». Je crois que l'audience est terminée.

Mais non, il a envie de bavarder. Il est passé à un autre sujet :

— Je crois que je lui ai trouvé quelque chose...

J'acquiesce du regard. Mais de qui parle-t-il ?

— … dans l'humanitaire.

Je ne comprends pas. Parle-t-il de Kouchner et de son positionnement au Quai d'Orsay ? Ou bien de Rama Yade, cette nouvelle recrue dont il est fier ? À moins qu'il ne s'agisse d'André Glucksmann, un de ses soutiens de gauche, qu'il songe à remercier. ?

— Oui dans l'humanitaire… mais international…

Il continue. Et cette fois, je comprends.

— Ça lui irait bien, non ?

Cécilia. Il s'agit d'elle.

Il poursuit, et cette fois avec une flamme que je ne lui ai pas vue tout à l'heure pour parler « grande politique culturelle » :

— Oui, je crois que j'ai trouvé la formule qui conviendra. Elle sera une sorte de grand ambassadeur. Elle défendra les femmes, les otages, les victimes… Qu'en penses-tu ?

Il n'attend pas de réponse. Il est tout à son sujet. Il a fait les choses à fond et pensé à tout. « Et puis tu sais, je ne suis pas un amateur. J'ai tout organisé. Elle aura un staff, on lui a aussi trouvé un diplomate de métier… Elle aura des missions… Elle voyagera… Elle va se passionner pour ça…

— Bonne idée…

Il semble rassuré, non par ma réaction, plutôt par mon hochement régulier de la tête qui a l'air de le calmer, à mesure qu'il me détaille son « programme Cécilia ».

— Et elle, en plus, tu sais, elle est excellente…

Je sors dérouté de ce premier rendez-vous. Le peu d'intérêt apparent pour les sujets dont je l'ai entretenu, autant que cette carte blanche brutale (« Fonce ») ne me rassurent pas. Je suis inquiet pour la suite et la manière dont nous allons travailler ensemble. En quittant son bureau, mes dossiers sous le bras, puissant pour les autres, sujet négligeable pour lui. Je me sens un peu niais et lâché dans la nature. J'ai fait le compte. Nous avons passé un tiers de l'audience à évoquer la politique culturelle et deux fois plus à parler de Cécilia, dans sa nouvelle vie. La question du job de Cécilia a l'air de l'intéresser plus que tout le reste.

Son problème d'État, aujourd'hui, c'est elle.

8

Le dilemme du prisonnier

C'est ce qu'on appelle une injonction paradoxale. Sarkozy m'a donc dit : « Fonce. » Mignon, elle aussi m'a poussé à être le patron de mon secteur. Guéant, quant à lui, m'a plutôt conseillé de ne rien faire.

Je suis devant un dilemme : faire ou ne rien faire ?

Je consulte. Les énarques, les sages, les plus politiques de mes amis, me conseillent eux aussi de ne pas trop en faire. « Tu es à l'Élysée. Il faut durer, profiter, influer, se faire couleur muraille, jouir du palais. » En clair, pour eux, il fallait me poser en chargé de rien, s'intéressant à tout, faisant des déjeuners en ville, récoltant l'air du temps pour le prince. « Tu dois être stratège » ; de fait, la stratégie élémentaire de survie consiste selon eux en cela. Ne rien faire. Durer. Ne toucher à rien, ne pas provoquer. Faire de ce passage à l'Élysée une sinécure.

J'aurais pu, c'eût été en effet plus avisé.

Mais après mes années d'exil sudiste, je ne suis pas là pour me mettre à la retraite. J'ai envie d'action, de revenir dans le siècle. Je dois participer à la « rupture ». Si je suis au palais, et en dépit des failles du personnage que

je découvre, c'est bien pour cela. « Réformer la France. »
J'ai la foi… Je décide de m'assommer de travail, de multiplier les chantiers, chatouillé décidément par l'idée qu'il
faut faire les choses importantes en cent jours. Je pense à
« ceux de Mendès » pour me donner meilleure conscience.

En vérité, le travail reste le meilleur antidote contre le
sentiment d'imposture qui m'habite parfois. Je ne devien-
drai légitime que par le travail ; cette fameuse « valeur
travail » dont on parle à l'époque. C'est ainsi que je refuse
la sagesse, le confort stratégique du conseiller de cour. Je
choisis une autre voie, l'action, le bulldozer sarkozyste. Je
me doute que ce sera moins facile que la version sinécure au palais. Mais je me mets à la tâche avec ardeur.
Avec mon équipe, mon conseiller technique, une recrue
venue du CSA, nous multiplions les projets ambitieux.
Nous nous entendons sur une vigoureuse et moderne politique anti-piratage, dont on a constaté les effets aux États-
Unis. Nous puisons dans le programme de campagne nos
actions, nous en inventons, nous trouvons une place pour
le patrimoine, nous phosphorons, hiérarchisons, listons,
priorisons et impulsons. Les réunions s'enchaînent pour
ces chantiers stratégiques, mais aussi pour répondre aux
urgences. Ma porte est ouverte à tous, et en particulier à
quelques immenses figures maltraitées ou méprisées par
l'administration : Pierre Etaix, que l'on a spolié de son
œuvre cinématographique ; Roger Planchon, que je tente
d'aider dans un rêve citoyen et théâtral, et que les cabinets
ministériels baladent avec mépris depuis des années ; les
producteurs de fiction, pour tenter de mettre en place les
conditions d'une industrie florissante et exportatrice ; je
reçois des fous, des génies, des escrocs, des chasseurs de
subvention, ou des créateurs malmenés par l'État.

Je m'intéresse à quelques grands projets menacés. Il faut savoir qu'à ce poste, et dans ce climat, le pouvoir de vie ou de mort sur un film, une exposition ou un gigantesque projet architectural, est immense. C'est le cas dès mon arrivée, avec la question du maintien ou pas de la Philharmonie de Paris, construite par Jean Nouvel ; ou pour le MuCEM, cet autre beau bâtiment, conçu lui par Rudy Ricciotti.

Je dois me prendre moi aussi pour une sorte de Ferrari. J'accumule les dossiers, je m'écrase de responsabilités, je me fixe des objectifs démesurés.

Je refuse de donner du temps au temps.

J'expose avec enthousiasme mon programme à Goudard, qui a choisi, notamment à cause de Cécilia, de s'éloigner du palais.

Il me dit : « C'est pas mal… Mais dis-toi que si t'en fais le dixième, ce sera pas mal… » Je le trouve un peu rabat-joie et mets ça sur le compte de sa bouderie.

Je fonce.

Il faut rendre justice à Sarkozy. Il y avait une belle ardeur dans les premiers mois, et pas seulement son chagrin d'amour ou les intrigues du palais. Il y avait, parmi les meilleurs, les plus purs, un sentiment d'urgence, celui de l'impérieuse nécessité de moderniser le pays, assoupi sous Chirac : un défi à relever. L'urgence, l'ambition, une belle et féconde fièvre à légiférer et à impulser.

9

Maladie d'amour

Tout est mené à un train d'enfer. Tout remonte à lui, tout dépend de lui. Il pense à tout, décide de tout, ne laisse rien, aucune décision, sortir de Matignon. Il éblouit par sa vitalité, mais gouverner ainsi, est-ce possible ? Est-ce humain ? Sa manière propriétaire de parler de la France me frappe aussi. Il est un roi élu, certes, comme tous les présidents de la République ; mais lui vit cet état sans gêne, sans l'affectation ou les précautions de ses prédécesseurs. Il est à la tête de la holding France, il en est patron et propriétaire.

Hier, pourtant, il a eu un moment d'égarement, d'abandon. Il était au repos, ne courait plus dans son bureau. Nous étions seuls et, pour la première fois, je l'ai entendu se plaindre.

— C'est dur, tu sais, plus dur que ce que je croyais...

Il avait fait un geste comme s'il engueulait son portable :

— Et puis il faut dire que je ne suis pas aidé...

Puis il avait repris, sur un mode inédit, tout à coup impudique.

214

— Oui, c'est dur. Plus dur que ce que je croyais…
Je l'ai plaint du regard. Que faire d'autre ?
— Tu sais, ce métier, « président de la République »…
C'est pas donné à tout le monde… T'as plus de patron,
plus personne au-dessus de toi. Et certains jours…

Je repense à cette discussion le lendemain.
Il est moins abattu que la veille ; il est même ragaillardi.
Lui et moi vivons un rêve de gosse.
Se trouver là, dans le bureau du président de la République, avec l'idole de notre jeunesse : Michel Polnareff. Avoir fait revenir l'exilé, l'avoir mis face à la France justement en montant ce rendez-vous, avant ce gigantesque concert du 14 Juillet au Champs-de-Mars, organisé par l'Élysée et payé par un ministère de la Culture mécontent.
Ils se font face, Sarkozy et Polnareff, lors de ce rendez-vous improbable.
Les deux monstres sacrés se reniflent. Ils rivalisent d'amabilités, ils parlent surtout de la scène, de la foule, de la transe. Ils parlent métier, et je me demande en les observant lequel des deux est la rock star – cette fois, c'est Polnareff qui n'enlève pas ses lunettes aux verres fumés…
Tout à mon bonheur de cette rencontre insolite, j'essaie d'oublier l'incident qui vient de se produire avec Cécilia. Plutôt que le concert de Polnareff, elle voulait une *rave* géante sur le Champs-de-Mars, les meilleurs DJ du monde de 20 heures jusqu'au petit matin ; un événement « branché », peut-être pour chasser l'image ringarde du soir de la victoire, place de la Concorde : Nicolas avec Mireille Mathieu.
J'avais objecté qu'on devait être plus « mainstream » pour un 14 Juillet. Un conseiller sécurité m'avait soutenu,

affirmant que l'on ne pourrait pas contenir cette « *rave* géante » sur l'esplanade du Champ-de-Mars.

Son projet avait été retoqué et le mien avec Polnareff validé. À l'instant où je m'étais (courtoisement) opposé à elle, j'avais bien senti que je m'aventurais. On m'avait conseillé d'être sur mes gardes avec elle, de ne jamais la contrarier. J'avais oublié ces consignes de prudence. J'avais commis un crime de lèse-majesté ; à proprement parler. Je l'ai lésée, Sa Majesté, et de plus dès sa toute première initiative au palais.

Après cette réunion, au regard effaré des présents j'avais mesuré mon imprudence. Je m'étais dit que ça passerait, que tout passe, que je ne croyais pas en leurs histoires à la *Dallas*...

La fatwa de Cécilia tomba aussitôt. J'avais été exclu de toutes les réunions suivantes concernant le 14 juillet dont on m'avait pourtant chargé.

Cécilia a perdu sa *rave* géante, mais à l'aube du 14 Juillet elle reste centrale pour Nicolas Sarkozy, qui croit si fort à son retour. On va s'en rendre compte publiquement.

« Vite, vite, vite, il faut y aller... » Quelques jours plus tard, je travaille à mon bureau quand j'entends les portes claquer et les bureaux se vider. Les secrétaires s'en vont en trottant vers le palais, alors qu'elles viennent de rentrer de déjeuner. De jeunes conseillers partent dans la même direction tout en continuant à taper sur leur BlackBerry. Des militaires remontent la rue de l'Élysée pour regagner, eux aussi, le palais. Je vois accourir toutes sortes de gens. Je pense à un de ces exercices anti-incendie qu'on répète rituellement dans les grandes entreprises. J'interroge un retardataire :

« Non, ce n'est pas ça. » Il m'explique que c'est « pour le concert donné pour le personnel de l'Élysée, en l'honneur de la première dame »...

Je m'y rends aussi ; l'événement est imprévu, absent de mon agenda, pas très administratif, mais il ressemble à l'Élysée de l'époque, où, dans les premiers mois, les fêtes, les décorations, les mini-sommets se succèdent. Cette petite réunion pour le personnel doit être une sorte de préambule à la Garden Party du 14 juillet.

Sur les pelouses en pente, ils sont tous là. Pas les neuf cents que l'on n'a pas pu réunir à l'instant, mais bien quelques centaines, disposés selon un ordre subtil, selon leur hiérarchie, ou leur classe. D'une part, le petit peuple du palais, habitué au lieu. Gendarmes en tenue, ou en civil, pour qui c'est la première occasion de juger les « nouveaux maîtres » de visu ; il va falloir passer cinq ans avec eux. Les chauffeurs se sont réunis spontanément en fonction du rang de leur patron, et reproduisent ainsi la hiérarchie du sommet. Ils échangent des jugements statistiques sur leurs conseillers respectifs, comparent les sorties, les kilomètres parcourus. Ils se murmurent leurs manies, la bizarrerie des nouveaux, et surtout leur extrême jeunesse. Ils regrettent le temps du « Père Chirac », où le trafic était moins important, et où les conseillers que l'on conduisait « savaient vivre, ils aimaient la bonne chère ». Dans ce petit peuple du palais, on compte aussi les secrétaires. Des jeunettes de banlieue parfois, ou des anciennes que l'on reconnaît à leur sévère autorité. Elles sont au palais depuis longtemps ou détachées des ministères ; et elles aussi doivent se faire au « nouveau ». Elles se plaignent ou elles se félicitent...

Puis vient la « Cour ». On s'est réuni spontanément autour de Claude Guéant. Les jeunes conseillers se sont collés près de lui, et ils continuent leur réunion sur la pelouse. Guéant se délecte de cette compagnie et, tel un général, observe ses troupes. Il est la puissance montante, ou en tout cas le placement le plus sûr pour ces jeunes gens.

Le temps passe, les musiciens tardent à se mettre en place. Les violons n'en finissent pas de s'accorder. Il fait chaud, très chaud et tous s'interrogent, un peu perplexes devant cette mobilisation qui a interrompu leur digestion, leurs travaux ou leurs réunions. Chacun se demande, d'un regard ou d'un chuchotement, quel est le sens de cette convocation puisqu'« elle » n'est pas là.

Pourtant, le président est là, lui. Et il attend.

Seul, planté au milieu de la cour, regardant sa montre, son téléphone. Je me dis que c'est le moment de lui parler d'une décision urgente à prendre. Il m'écoute quelques secondes, en tout cas je peux rester près de lui alors qu'il n'est pas en mouvement. Je commence mais il me coupe sèchement, au beau milieu d'une phrase, comme si Poutine l'appelait au téléphone.

C'est elle. Enfin, Cécilia arrive ; c'est bien elle que nous attendions tous.

Il court à sa rencontre.

Elle descend avec nonchalance la pente douce du jardin de l'Élysée. Elle est en retard, et de ce retard elle fait un spectacle. Elle avance avec une petite troupe de jolies femmes. Elle garde sa majesté affectée, douloureuse, mais le spectacle est un peu gâché par l'allure insolente de cette bande, trop « stilettos », accessoirisée en Prada. En les voyant ainsi descendre, je repense à ce que me disait Goudard : « Cécilia, c'est Joséphine. » Et en effet il y a dans cette scène, ce décor, ce palais que Napoléon avait offert à l'impératrice (au moment de leur divorce !) quelque chose d'un tableau d'Empire. Cécilia, entourée de ces princesses jolies et frivoles que le nouveau règne vient consacrer.

Le petit peuple du palais et la cour les observe. Elles ne s'approchent pas et restent à distance de la foule. Et à distance de lui surtout, qui à présent, vient lui dédier cette surprise qu'il a composée pour elle. J'imagine qu'il lui vante l'orchestre, le répertoire qu'il a choisi, la passion de tout le personnel de l'Élysée, l'importance de la fête, oui, de sa fête à elle... Elle reste raide, triste et digne, en tout cas plus que ses amies. Il continue à parler, et tout à coup elle pivote pour les rejoindre.

Je suis consterné par le spectacle. Elle lui a tourné le dos. Elle s'est retournée, comme pour se protéger de lui, comme dans un mauvais film.

Il reste là, seul sur son morceau de pelouse ; personne n'ose l'approcher, sultan orphelin. Tandis que Cécilia et son gynécée sur échasses s'en vont avant même que l'orchestre ait donné sa pleine mesure.

Il a voulu lui donner les clés du palais, en faire aujourd'hui une maîtresse de maison devant toute la domesticité et la cour. Le cadeau était royal. Il l'a laissée de marbre. Le camouflet est d'autant plus humiliant qu'il a été public.

Qui l'a vu ? Qui l'a compris alors ? Probablement pas les centaines de personnes réunies à l'occasion de cette bizarrerie ; mais je l'ai vu, moi, et d'autres proches aussi, ceux qui savaient déchiffrer le couple, être attentifs aux manèges humains, ou à ces blessures à lui. Après cette scène nous étions mieux renseignés sur l'état du *malade d'amour*.

10

14 Juillet : la ruée louis-philipparde…

C'est la ruée. La ruée vers Sarkozy.

Vers ce pouvoir nouveau, vital, solaire.

Sur la pelouse, les milliers d'invités habituels passent entre les buffets, ou se font photographier avec des gendarmes sur fond de palais. Comme tous les 14 Juillet, on les a fait venir par cars et bataillons, d'un peu partout en France, mais cette année en plus petit nombre, et plus jeunes, instructions d'Emmanuelle Mignon obligent.

C'est à l'intérieur du palais et non sur les pelouses que se tient le véritable spectacle, pour les « intimes », derrière huissiers et barrières, à l'abri des regards.

Le contraste est saisissant entre cet échantillon de Français piétinant la pelouse, buvant, rigolant, s'empiffrant ; et là-haut, les « maîtres du monde » qui fêtent élégamment cette France nouvelle et prospère qui s'offre à eux. Les invités privés sont si nombreux, on croirait qu'on a voulu refaire en grand, pour ceux que l'on n'avait pas pu inviter, la « soirée du Fouquet's ».

Je circule dans le saint des saints, de salon en salon, et je constate que je ne connais personne dans ce tourbillon mondain ; c'est rare après vingt-cinq ans de journalisme parisien. À peine puis-je mettre un nom sur ce vieux banquier français vu à la télé ; ou sur cette jolie productrice allemande que Cécilia flingue du regard.

Pour le reste, c'est un monde lointain, méconnu, heureux ; une sorte d'assemblée des « riches et célèbres » débarquant de Gstaad, et passant par là avant d'aller à Marrakech. Ils me font penser à cette scène d'ouverture de *Stardust Memories* où Woody Allen observe – mais de loin – le wagon des « riches et célèbres ».

Des grands bourgeois bronzés et leurs femmes pimpantes. Des banquiers, des fortunés, des exilés en Belgique ou en Suisse, venus fêter « la victoire de Nicolas ». Des Africains banquiers, eux aussi parfaitement chics et cosmopolites. Des Canadiens figurant dans le top ten du classement Forbes. Des *golden boys* de quarante ans qui pèsent des milliards d'euros et parlent d'acheter à l'île Moustique, « parce qu'au moins là-bas, on est tranquille ». D'autres bronzés encore, allure Ralph Lauren, parlant tout haut de leurs derniers exploits au hockey.

C'est Neuilly dans tous ses états. Tous les Neuilly du monde.

Long Island pour les Américains, Uccle pour les Belges, Gstaad pour les Suisses, Doha pour les Qataris venus en force.

Je découvre l'Atlantide de Sarkozy. Je pouvais à peine en soupçonner l'existence durant cette campagne, où il a cloisonné, et où elle a dû être mise à l'écart.

C'est un continent discret, puissant, qui avait disparu avec les années Giscard. La « droite d'affaires ».

On n'emploie plus cette expression depuis quarante ans. La vraie droite, avec ses riches, ses vrais riches, ses ultra-riches où, à moins de 500 millions d'euros de patrimoine, vous n'êtes rien. Elle était là, enfiévrée, légère, de retour. Elle avait été chassée du pouvoir voilà trente ans. Elle s'était exilée, transformée, enrichie. Elle revenait dans les fourgons de Sarkozy et de la *mondialisation heureuse*, ébaubie par ce qui lui arrivait. On entendait le chœur des émigrés qui rentraient. Ils avaient été chassés par Mitterrand, qui avait les siens à satisfaire ; bannis même par Chirac, un rad-soc qui ne supportait qu'un seul patron, François Pinault. L'argent était de retour. Il réapparaissait au soleil, avec ferveur. Trente ans de bons et sérieux réseaux venaient se rappeler au souvenir du Prince. C'était sa *clientèle*, et elle trépignait de bonheur impatient.

Je connais peu de monde, mais eux me connaissent. Je suis entré dans leur champ de vision. Ils m'ont repéré à la lecture des journaux. Ce jour-là, je me fais un tas de « bons copains ». J'ai une conversation essentielle sur la marche des affaires dans le monde occidental ; je repars avec une foule d'invitations à dîner, des week-ends à Saint-Tropez ou à Venise en pagaille, et au moins deux croisières en Méditerranée. Ils viennent me glisser leur carte de visite, me parlent de « Nicolas », dont ils sont tous le meilleur ami, et me trouvent si courageux de l'avoir rejoint — ou exotique ?

Cette droite-là est chez elle à l'Élysée, ça saute aux yeux. Depuis mai, dans le palais, on ne voit qu'eux, d'ailleurs : les très grands patrons mondialisés (au-dessous, ils ne sont pas dignes d'être reçus par le président). Le monde entier défile : le patron de General Electric, traité comme un chef d'État, le milliardaire canadien Desmarais. Et le Français Bernheim. Des gourous du patronat s'imposent en coulisse ou servent de poisson-pilote à de banquiers russes qui font le siège de Guéant. Un émir saoudien, européanisé, gare ses bolides dans la cour de l'Élysée. Des cérémonies en l'honneur du « premier cercle », du « deuxième cercle », se succèdent, où l'on remercie les grands bourgeois et les exilés fiscaux, qui ont cotisé. On entend ces brasseurs d'affaires évoquer l'ouverture des marchés de jeux en ligne, à laquelle le futur ministre des Finances ne manquera pas de s'intéresser ; un pactole de 20 milliards d'euros ; ou se tuyauter sur le développement du fret dans les grands ports africains, ou la prochaine fréquence Télécom mise en vente… Il n'est question que de profit, d'EBITDA et encore de « dérégulation ». C'est une ruche heureuse, avec ses capitaines d'industrie, ses conquérants, ses margoulins et ses corrupteurs dangereusement sympathiques. Une ruche enfiévrée qui entonne un « Enrichissez-vous ! ». Certains font penser, ainsi postés sur le perron de l'Élysée, et observant la foule, à Talleyrand, sous le Directoire. À peine nommé ministre, le diable boiteux, encore jeune, s'exclama : « Et maintenant, il va falloir faire une fortune immense. »

11

Philippe Séguin : « Vous verrez, il n'osera pas »

Philippe Séguin sort de la douche, il est nu, et ce corps immense se meut, tête baissée, las, comme écrasé par lui-même. C'est un drôle d'endroit pour une rencontre : les vestiaires d'un club de gym du 16e arrondissement. Je l'observe du coin de l'œil. Ce pas lourd, cette absence à soi, cette pesante solitude, tout cela m'émeut. Je pense, en voyant son air accablé, au de Gaulle de 1940 qui, à Carlton Gardens, a été vu ainsi par un de ses jeunes officiers et s'est aussitôt redressé, par orgueil. Seguin m'aperçoit et ça ne manque pas, lui aussi fait bonne figure. Il se redresse et s'égaye. Il a envie de bavarder. L'homme est imprévisible, il semble dans un bon jour. Toujours à poil, nous nous mettons à blaguer comme des collégiens. Je ne l'ai pas vu depuis un projet commun : adapter son livre sur Napoléon III[1]. Très vite, il ne peut s'empêcher de parler politique.

— Alors, comment ça se passe avec Sarkozy ?

Il va à l'essentiel, sans fioritures, sans les fausses prudences de ces rats de pouvoir que je croise, et dont je

---

1. Philippe Séguin, *Louis Napoléon le Grand*, Grasset, 1990.

commence à me méfier. Je lui réponds qu'il est mieux placé que moi, lui qui a ses émules placés partout dans la Sarkozie. L'un est le Premier ministre Fillon et l'autre, Guaino, conseiller spécial du président.

— Fillon ? Guaino ?

Il se met à ricaner, assez longtemps, énigmatique. Je suis dérouté.

— Mais je ne sais rien. Mais je ne les vois pas... Jamais... »

Je n'arrive pas à le croire. L'époque semble placée sous les auspices de Philippe Séguin, du séguinisme, de ses idées, de ce volontarisme industriel dont le président Sarkozy va s'inspirer. De ses disciples installés au sommet de l'État : Guaino, Fillon, Baverez.

Il confirme avec force.

— Vous êtes bien naïf. Je les emmerde tous.

Il ne cherche pas à feindre, comme les soiffards du pouvoir qui s'inventent de l'influence, ou des visites du soir chez le prince. Il ne triche pas, Séguin, pas son genre. Il me semble en effet véritablement hors circuit.

J'en avais eu le pressentiment, en parlant de lui avec ses plus fidèles, Guaino ou Fillon. Je m'étais rendu compte qu'ils étaient fiers, bien sûr, de cette trace dans leur biographie, mais qu'ils cultivaient leur singularité séguiniste pour autant qu'elle ait un prix dans la Sarkozie. Chacun d'eux se voulait le meilleur des apôtres : Guaino traitant Fillon d'« imposteur », Fillon parlant ouvertement de Guaino comme d'un « fanatique ». Ils l'aimaient, Séguin, mais ce dont ils étaient fiers surtout, c'était de l'« héritage Séguin ». Il est clair qu'ils parlaient d'un mort, d'une sorte de Moïse de la droite qui n'aurait pas connu la Terre promise, l'après-Chirac. Quand on les poussait dans leurs retranchements, on les voyait gênés. Mort politiquement, et enterré à la Cour des comptes, Séguin était bien plus admirable. Vivant, et éventuellement de retour dans le jeu politique, il devenait un gêneur pour eux, et une menace pour le jeune président. La victoire de Sarkozy l'avait en effet tué.

Il a l'air de s'y être fait. Être enterré vivant à la Cour des comptes.

Mais ce jour-là, il veut renifler le pouvoir. Il veut des nouvelles du palais, de Sarkozy, qu'on en dise du mal ou du bien, mais que lui parvienne, jusque dans son tombeau, le souffle du pouvoir, bon sang ! C'est ainsi que je comprends sa question légèrement pressante.

— Alors comment ça se passe avec lui ?

Je ne vais pas la ramener, pas avec Séguin ; il est trop intelligent. J'aurais voulu lui confier mes déboires dans la Cité interdite, mais que puis-je lui répondre, sans trahir ma fonction et l'élémentaire discrétion du conseiller ? Dieu sait, pourtant, si j'ai besoin de m'épancher, de trouver en lui l'impossible ami, et de lui raconter, à lui qui connaît la machine État de l'intérieur, mes doutes, mes espoirs, mes craintes. Les tâches exaltantes auxquelles je m'attache, qui s'enlisent — je commence à le comprendre — sous l'effet de la prudence, du conformisme, de la paresse de l'État. J'aurais bien voulu lui parler de ces ministres qui n'ont pas de pouvoir, de ces conseillers comme moi qui en ont trop ; des députés que l'on méprise ; de ce pauvre Fillon qui a théorisé son inexistence à Matignon et s'ennuie dans son bureau...

J'aurais voulu lui demander des conseils, qu'il me rassure, qu'il me guide, lui qui a su (jusqu'à un certain point) circuler dans l'appareil d'État, qu'il m'aide à ne pas douter. Mais nous sommes là, à poil, trempés, entourés de quelques clients du club impressionnés par notre aparté. Ce n'est pas le lieu pour lui déballer tout ça.

Je préfère revenir sur ce qui fait mal. Je l'interroge sur son étrange isolement. Je ne cache pas mon indignation, réelle, et un peu enfantine.

J'ai l'innocence, dans ce vestiaire absurde, de plaider... Que Sarkozy aura besoin de lui, bientôt... Qu'il est « sarko-compatible », et pas un zombie comme tous ces ministres... Qu'ils se connaissent bien et ont formé, jadis, à la tête du RPR, une équipe solidaire, efficace, inattendue... Oui, si le président veut réussir et avoir les mains libres, demain, pour préparer la bataille de 2012, il aura besoin de lui...

Séguin me laisse parler. Il me regarde drôlement. Mon enthousiasme l'amuse.

— C'est impossible. Il n'osera pas. Vous imaginez... ? *(Un long silence.)* Nous deux ? C'est vrai que nous avons formé une bonne équipe en 1999 au RPR, et c'est vrai qu'il a été correct ; mais non, ce n'est pas possible...

Un autre silence.

— Et puis vous m'imaginez au milieu de tout ce ramassis, assis en Conseil des ministres entre Morano et Hortefeux, non...

Un rire, un autre silence, comme s'il se figurait la scène. Puis comme épouvanté par cette fiction absurde, et comme s'il voulait conclure, passer à autre chose, il répète :

— Il n'osera pas... Il n'y a pas de place pour deux crocodiles. Il aime trop le pouvoir, maintenant qu'il le tient.

Je le gênerais. Je gênerais la technostructure… Souvenez-vous, même Chirac – que j'ai fait gagner en 1995 –, il n'a pas osé.

Nous commençons à nous rhabiller. Je comprends qu'il faut changer de terrain ; je l'interroge sur la RGPP que l'on prépare à l'Élysée, cette politique de modernisation de l'État et de baisse des dépenses publiques. Je veux savoir qui l'emporte chez lui, du président de la Cour des comptes (forcément économe) ou du souverainiste qui a voté « non » à Maastricht, et aux règles édictées par la Banque centrale européenne (et forcément rétif à ces économies).

— Et cette RGPP, qu'en pensez-vous ?

Il retrouve son aplomb et son identité de président de la Cour des comptes, comme on retrouve ses esprits.

— La RGPP, c'est une illusion. Vous y croyez, vous ?

— Je vous le demande.

— Cette RGPP est faite pour amuser la galerie. Elle est faite sans méthode, aveuglément, et elle est superficielle. Ce n'est pas quelques milliards qu'il faut économiser… Ce n'est pas 7 milliards par an (qui deviendront deux ou trois par le tour de passe-passe des hauts fonctionnaires) qu'il nous faut économiser…

J'attends son verdict, son chiffre. Il a une longue et pénible respiration, puis il lâche, un éclair de désespoir (ou de lucidité ?) dans l'œil :

— 70 milliards… C'est tout de suite 70 milliards. C'est possible, il peut le faire, c'est le bon moment. Sinon…

Un silence. Je le relance.

— Sinon quoi… ?

— Sinon, nous allons décrocher. Oui, c'est aussi simple que ça. Nous allons décrocher de l'Allemagne, et nous allons dégringoler. De Gaulle avait employé avec Peyrefitte une expression pour ça : « La portugalisation de la France[1] ».

– Quoi ?

– Oui, la « portugalisation » de la France. Il avait hélas raison une fois de plus, le père de Gaulle. La portugalisation de la France ! Bien vu... Mais, pour en revenir à aujourd'hui, non, vous verrez, là non plus, il n'osera. Il pourrait le faire. Il a une majorité pour ça. Il a du temps. Il a les institutions avec lui, et même une certaine dynamique. Il pourrait le faire, mais...

– Mais... ?

– Manque de courage. Il gesticule, il est une grande gueule, mais il lui manque le courage politique. Il a trop peur, du peuple, des syndicats, des sondages. Vous verrez. Il n'osera pas, et ce sera sa grande faute.

*

70 milliards...

J'ai encore le chiffre de Séguin en tête.

C'est le même chiffre fatidique que, six ans plus tard, on nous présente comme un reproche national ; celui de l'effort nécessaire au redressement qui hélas n'a pas été consenti.

Je repense souvent à cette conversation. Et à l'heure où j'écris et où la France va si mal, je conserve intact le goût de cette rencontre. Une amère prophétie.

La prescription du docteur Séguin était sévère, mais elle était la bonne. Sarkozy n'a pas osé l'appliquer au malade.

---

1. Alain Peyrefitte, *C'était de Gaulle*, Gallimard, « Quarto », 2002.

Il porte là, dans le cortège de ceux qui nous ont gouvernés, une responsabilité majeure, historique. Après dix ans d'immobilisme chiraquien, le pays était prêt à un sursaut et à des sacrifices justifiés. Il n'en fit rien, ou presque... À l'heure où s'exercera enfin ce « droit d'inventaire », Sarkozy ne pourra pas dire qu'il n'y pouvait rien, ne se savait pas à « la tête d'un État en faillite », qu'il n'avait pas été averti.

Philippe Séguin avait alerté le prince. Ce que Séguin m'a dit durant cette insolite rencontre, il l'aura expliqué, répété, rabâché à Sarkozy, à Fillon, à Guaino, à tous ses disciples qui contrôlaient la nouvelle cour, avant et après la prise de pouvoir ; sur tous les modes, sur tous les tons, de la pédagogie à la tragédie, jusqu'à lasser ceux qui voulaient l'oublier, et ne songeaient qu'à servir leur nouveau maître.

Mais le pouvoir resta sourd. Décida de n'en rien faire, pressé par la frivolité, l'ivresse des débuts, le conformisme de la haute fonction publique, au fond toujours la même trouille d'affronter le pays. La trouille autant que la méconnaissance...

Rêvons un instant – la politique n'est-elle pas d'abord un rêve en action ? –, rêvons...

Si Séguin avait été entendu. Si l'autre avait économisé 70 milliards d'euros, s'il avait été au bout de ses idées, s'il n'avait pas eu peur, s'il avait osé, l'Histoire aurait probablement pris un autre tour. La France aurait évité son déclin, cette « portugalisation » que redoutait de Gaulle, cette pente dont on mesure combien elle est difficile à remonter. C'était le moment. Sarkozy avait la carte, l'énergie, les leviers pour mettre en place cette politique de redressement.

Il n'était pas obligé de nommer Séguin à Matignon ou au gouvernement. On peut comprendre que le Premier Sarkozy ait voulu avoir les mains libres, et que, jeune président, il n'ait pas tenu à avoir Séguin pour censeur. Mais alors, que n'a-t-il été cynique, ou intéressé, machiavélien, bref homme d'État ? Il aurait pu tout simplement l'écouter, l'utiliser, en faire son visiteur du soir préféré ; faire du Séguin sans Séguin ; plutôt que faire déjà du Buisson. Faire du Séguin vraiment, pas seulement lui piquer ses hommes, mais appliquer ses idées, et la rupture authentique qu'il proposait. S'en servir, quitte à le laisser dans l'ombre, à la Cour des comptes. Mais non, ce jeune président avait la tête à autre chose…

Pas le temps de voir Séguin, pas l'humeur.

Quelques jours après la mort de Philippe Séguin, le 7 janvier 2010, je rencontrai Sarkozy – jusqu'au discours de Grenoble nous continuons de nous voir. La disparation du président de la Cour des Comptes avait été un choc. Il y avait eu l'hommage aux Invalides, l'émotion de toute la classe politique, et les larmes publiques de François Fillon. Durant un instant, Sarkozy avait prononcé quelques phrases de deuil, m'avait interrogé sur lui et sur nos dernières conversations ; puis, bizarrement, comme si la conversation s'était trop attardée sur le défunt, il s'était emporté et avait lâché : « Arrêtez avec Séguin ! Même Fillon s'y est mis avec ses sanglots… C'était grotesque. Arrêtez tous avec Séguin ! À vous entendre, il est plus grand mort que vivant… »

Le monarque était furieux, comme si le deuil national, et le réel chagrin de ses proches, étaient un défi à son autorité de vivant.

12

La comédie de la réforme

Nous arrivons à Matignon en grand équipage. Claude Guéant se déplace, et c'est un événement que de voir « l'homme le plus puissant de France » présider une réunion dans les locaux du Premier ministre. Le secrétaire général vient mettre en œuvre la RGPP, la tant annoncée « révision générale des politiques publiques ». L'outil révolutionnaire et sarkozyste, brandi pendant la campagne, et censé réformer un État trop dépensier. La tâche est immense. Elle est exaltante et répond à mon inquiétude, déjà connue du lecteur. Enfin du concret, enfin la « rupture » ! Enfin la réforme de ce mammouth dont je découvre tous les jours les pesanteurs, l'inquiétante incurie. J'ai la foi en débarquant à Matignon, et en tête ma conversation avec Philippe Séguin, son impératif catégorique : « Une baisse de 70 milliards d'euros... si la France ne veut pas décrocher. » Je suis convaincu. Sarkozy, lui, peut le faire. Il y a bien eu à gauche la modernité gestionnaire de Mendès France, et à droite la rigueur de Pinay...

Nous nous installons dans une grande salle tout en longueur, dans une annexe de l'hôtel Matignon. Au centre de la pièce, une interminable rangée de tables qui se font face. Les places sont indiquées. D'un côté, l'Élysée, le secrétaire général et ses conseillers par ordre décroissant. De l'autre, les membres du ministère concerné, en l'occurrence le ministère de la Culture dont nous examinons le budget ce jour-là, ainsi que les experts chargés de ce travail d'audit. Une méga-réunion, une sorte de sommet pour technocrates.

Pour être à la hauteur, je m'y suis mis avec sérieux. J'ai travaillé en amont, notamment avec François Riahi, le conseiller chargé de la RGPP à l'Élysée. J'ai répondu au questionnaire. J'ai étudié le sujet avec l'un des meilleurs auditeurs de la place mondiale, j'ai été aidé par mon collaborateur, inspecteur des Finances, j'ai même potassé mes vieux cours de finances publiques.

Tout va commencer. Je suis impressionné. Je les observe et me dis qu'il se trouvera bien dans cette salle quelque grand réformateur, dans la lignée de ceux qui font rêver. Des Simon Nora, des Paul Delouvrier, des François Bloch-Lainé de quarante ans… pour mener à bien cette politique du « mieux d'État » dont l'urgence transcende, selon moi, la droite et la gauche.

La réunion met du temps à démarrer. Chacun doit trouver son rang, et il doit être strictement protocolaire. Ce genre d'ordonnancement, de même que les chemises en papier mou pliées à la verticale, a son importance dans cet univers. Le chef doit « présider » ; il se met au milieu de la rangée ; à partir de lui, l'ordre hiérarchique va là encore strictement decrescendo. On me place à la droite de Guéant.

Il s'installe le premier. Il est froid, raide, à peine cordial avec les hauts fonctionnaires réunis ici et qui semblent glacés par sa présence. Il a son masque de cardinal et devant lui son cahier d'écolier. Je me demande si Guéant leur inspire de la crainte ou bien du respect. Je vais enfin le voir à l'œuvre, ce grand commis de l'État, plus seulement en administrateur du palais ou en exécuteur des basses œuvres. Il va, c'est sûr, mener cette RGPP de main de maître. Il est inquiet lui aussi de l'endettement de la France, il m'en a parlé durant la campagne. Il est favorable à la « règle d'or », qui fait pester Guaino et trembler les murs de l'Élysée. Il sera déterminé. Nous allons faire du bon travail, c'est sûr.

En face de la délégation de l'Élysée, ils ont la mine sombre et les regards baissés. L'ambiance est lourde. Je me dis que ça va batailler ferme. J'entrevois le scénario : l'Élysée veut faire des économies et les représentants des ministères vont refuser…

La réunion s'engage sur un ton volontariste. On rappelle hautement les objectifs fixés : les besoins des usagers, la valorisation du travail des fonctionnaires, et, bien sûr, la réduction des dépenses publiques ; là réside le véritable sujet de cette RGPP, on le reconnaît, on insiste.

On en vient ensuite aux sept questions posées par une méthodologie sourcilleuse : que faisons-nous ? Quels sont les besoins et les attentes collectives ? Faut-il continuer à faire de la sorte ? Qui doit le faire ? Qui doit payer ? Comment faire mieux et moins cher ? Quel doit être le scénario de transformation ?

À toutes ces questions banales, d'évidence, on répond banalement. C'est un tour de table raisonnable et là encore hiérarchique. Chacun a un propos sensé en répondant à chacune des questions. Personne ne dit de bêtise. Tous s'accordent haut et fort sur la nécessaire « valorisation du travail des fonctionnaires ». Personne ne manque de s'intéresser aux « besoins des usagers » ou de s'interroger gravement sur le sens de leur mission. Ainsi, la réponse à la question 1 (« Que faisons-nous ? ») a du succès, et plonge certains technocrates dans un abîme de mélancolie. À la question numéro 3 : « Faut-il continuer à faire de la sorte ? », c'est un concert d'unanimisme. « Non !!! On ne peut pas continuer à faire de la sorte. » Un qui a les rapports de la Cour des comptes sous le bras raconte la gabegie de tel secteur. Un autre aligne une liste de dysfonctionnements si aberrants qu'ils stupéfient l'assemblée des hauts fonctionnaires, qui s'échauffe.

Chacun s'y met, chacun a son aberration budgétivore, et en parle comme d'un musée des horreurs. La majorité gronde, elle n'a aucune hésitation : « On ne peut continuer de la sorte. » C'est un chœur. Mais quand on passe à la question numéro 6 : « Comment faire mieux et moins cher ? », là, les doigts sont rares. Ils n'ont plus de réponses sauf un audacieux, une sorte de Khmer de la réglementation qui embrouille tout le monde avec des transferts de compétence impossibles à organiser, mais si beaux sur le papier.

À un moment, je prends la parole et explique que nous n'avons pas le choix. Nous devons toucher au « périmètre » de l'action de l'État. En effet, depuis 1958 et la création du ministère des Affaires culturelles par André Malraux, le monde a changé, et la politique culturelle s'est balkanisée. En cinquante ans, un « millefeuille culturel » s'est constitué : en plus de l'État sont venus s'ajouter les municipalités, les intercommunalités à venir, les départements avec les conseils généraux, les régions avec les conseils régionaux, sans oublier l'Europe, et le secteur privé, qui lui aussi participe au financement de la culture. Tous ces niveaux font souvent le même travail. Les moyens sont importants, mais dispersés. Il faut « réformer » le « périmètre »…

À l'évocation du mot « périmètre », un frémissement physique traverse l'assemblée. J'en entends un grogner, un autre chuchoter, quelqu'un s'agiter un peu, non pas comme le ferait un auditoire que l'on lasse mais que l'on vient de retourner d'un mot. On m'interrompt, enfin franchement, en objectant que je touche au « périmètre ». C'est donc ça. J'ai blasphémé. Je réponds avec un étonnement un peu forcé que la question du « périmètre » est pourtant dans le cahier des charges de cette RGPP. Mon interlocuteur a un air de propriétaire indigné : « Toucher au périmètre ! »

Je tente de rattraper mon auditoire. Dans la foulée, je prends un autre exemple de ces archaïsmes avec lesquels il faut rompre : les architectes des Bâtiments de France. Cette fois, l'affaire accroche. Leur statut a l'air d'inspirer la petite assemblée. Mon crédit remonte.

Chacun a son histoire sur les architectes des Bâtiments de France. Guéant surtout. Le sujet a l'air de le passionner et il se met, soudain plus cordial, à nous raconter toutes ses déconvenues de préfet avec lesdits architectes du temps où il était en poste dans l'Est. Un moment, je tente poliment de reprendre le fil de ma démonstration. Mais Guéant n'a pas fini. Il adore se souvenir du temps où il était préfet ; cela a été « le meilleur moment de [sa] vie » et sur le sujet des architectes des Bâtiments de France il poursuit, intarissable. Comme il l'est sur tant d'autres sujets d'ailleurs, une véritable encyclopédie administrative. Un « ordinateur », dit le président de la République avec contentement.

C'est l'heure du thé. La réunion de travail se fait plus détendue ; et chacun ayant son avis, ou son anecdote, sur cette caste maudite des architectes des Bâtiments de France, le temps passe plus agréablement. L'ambiance est presque buissonnière.

Au bout de quelques minutes, quand on revient au sujet, tout le monde a oublié ce qui a précédé ; la réforme, les questions, le chemin de la réforme, mon analyse du « doublon » culturel, l'idée d'un État-stratège. Tout cela leur est sorti des têtes...

Il est tard, les architectes ayant servi de défouloir, il faut passer à autre chose. Sans que l'on n'ait finalement rien décidé du sort de leurs exorbitants privilèges.

Il faut conclure. Et à cet instant un blocage se profile sur une question purement technique. Est-ce l'interprétation d'une directive européenne ou une question de nomenclature fiscale ? Bref, le sujet mineur par excellence. Pas pour eux, en tout cas... Il y a un brin de tension, on sent l'esquisse d'un bras de fer entre Guéant et son vis-à-vis. On n'est pas d'accord sur l'interprétation de ce texte et on se le dit. De part et d'autre de la table, les conseillers du ministre et de l'Élysée s'en mêlent, s'échangent des considérations encore plus picrocholines. On entrevoit un incident dans cette dramaturgie jusque-là si tranquille. Face à Guéant, l'autre, qui s'est montré si servile jusque-là, tient bon.

Le secrétaire général paraît agacé. Il se penche vers son conseiller à gauche, il lui fait passer un mot soigneusement plié. L'autre lui répond. Ils s'échangent ainsi ce petit papier à deux reprises.

J'observe ce ballet, je suis les échanges du coin de l'œil, sans pouvoir lire ce qu'ils s'écrivent de si confidentiel. Que se passe-t-il ? Que peuvent-ils bien se dire ? Quel est ce contentieux énigmatique que je vois grossir sous mes yeux ? S'échangent-ils un chiffre secret ? le montant véritable des économies douloureuses à faire dans ce ministère ? le chiffre à faire imposer par Bercy ?

Du coin de l'œil, je parviens enfin à déchiffrer quelques mots sur la feuille. Le conseiller de Guéant ne lui fait pas passer un objectif budgétaire ; il ne revient pas sur le montant des économies à faire, ou sur l'un de ces arbitrages de Bercy dont on saisit l'Élysée. Rien de tel. Il s'agit d'un sujet qui ne peut attendre, d'une question de la plus haute importance.

La question, à l'instant où la France doit trouver tant de milliards d'économie, que pose le secrétaire général, est celle-ci : « De quel corps est-il ? »

C'est ce qui est écrit sur le petit papier. Je ne comprends pas tout de suite puis le sens de la question m'apparaît. Guéant veut connaître le corps d'origine de ce récalcitrant. En savoir plus, s'il vient d'un « grand corps » ou non, j'imagine. Il en va visiblement de sa décision, du sens où il va faire pencher la balance. C'est bien cela, le débat intérieur de Guéant, l'enjeu véritable.

Est-il de l'Inspection des Finances, la « crème de la crème » ? Est-il conseiller d'État, « la noblesse » ? Ou bien encore de la Cour des comptes ? Est-il de ces trois grands corps que l'on respecte, ou bien de ceux que l'on piétine ? À moins qu'il ne soit à la rigueur de la préfectorale, comme lui ?

C'est donc ça, le secret échange qui les passionne. Les grands corps, le corps d'origine, ce fameux classement qui, à la sortie de l'ENA, scelle un destin. Leurs petites histoires claniques. Voilà ce qui les préoccupe au fond en ce jour qui – pensais-je naïvement – devrait les mobiliser. Ça. Et pas les batailles à mener. Pas cette « vaste réforme de l'État » qui, au fond, vient les déranger et doit les faire ricaner dans leur éternité à eux. Eux, les maîtres du temps et du jeu. Ils sont les véritables patrons de la Cité interdite, ils contrôlent la machinerie, les tuyaux, font partir les missives, tiennent tout. Je crois bien que c'est là, devant l'État incarné par cette sinistre comédie où se croisent Ubu et Courteline, que je comprends pourquoi ça ne peut pas marcher. Cette RGPP, cette grande réforme, ne sera qu'un simulacre, un mensonge de plus raconté aux Français, un de ces leurres dont l'État est coutumier.

La haute administration n'a que faire de Sarkozy, de la RGPP, des déficits, du train de vie de l'État et du reste. Sa légitimité se perd dans l'histoire de France. Elle est arrogante et s'illustre par cette phrase entendue lors de l'arrivée de tout nouveau ministre : « Vous, vous êtes les trains, et nous, nous sommes la gare. » La haute administration ne bougera pas pour une raison d'évidence. Toute réforme d'économie ou de simplification est une agression envers son essence. La haute administration mesure son pouvoir à l'aune de son budget : plus il est important, plus elle est puissante. Ce tropisme mène ainsi à tant de conduites budgétaires irresponsables. Que peut attendre le prince, fût-il audacieux, de ce pouvoir invisible, devenu ontologiquement conformiste ? La Réforme, toute réforme, est la mort, ou l'affaiblissement, de la technocratie. Sa survie passe donc par l'inertie.

*

La réunion avait duré longtemps.

À chaque question, à chaque thème, cela avait été le même canevas : idées générales, bonnes résolutions, simulacre d'économie. Ces hommes d'élite faisaient penser aux généraux et états-majors décrits par Marc Bloch[1]. Tous ces savants, hauts fonctionnaires comme généraux de l'équipe Gamelin – celle qui a fait la défaite de 1940 –, frivoles et dépassés, négligeaient les chars et l'aviation, l'innovation et la simplification ; ils croyaient si fort à la ligne Maginot de leurs dépenses qu'ils se blottissaient dans le même moule conformiste et absurde.

Ils avaient passé en « revue » le budget de l'État comme on passe en revue une armée, des bataillons, des soldats, et où l'on rectifie un calot ou un bouton de guêtre.

La tonitruante RGPP se dégonfla comme une baudruche. Son bilan est risible au regard des ambitions d'origine. On prit quelques mesures élémentaires ; on coupa dans les dépenses à la hache par-ci, par-là ; sans discernement, sans efficacité véritable. On fit des réformettes sans intérêt. La RGPP fut un simulacre.

Comment s'en étonner ? Nicolas Sarkozy avait passé un contrat avec la haute fonction publique. Elle tenait l'État et lui – qui n'a pas été Premier ministre – serait

---

1. *L'Étrange Défaite*, *op. cit.*, et la thèse est partagée par Olivier Saby, *Promotion Ubu roi*, Flammarion, 2012.

fidèlement servi. Une alliance entre lui et les grands corps.

Un contrat où les rôles étaient implicites.

À Sarkozy le théâtre de la réforme, le volontarisme, les coups de gueule, les coups de génie. Et à eux, les grands corps, l'intendance et les manettes. Le pouvoir réel. Au moment où il arrive en fonctions, cette distribution des rôles a dû rassurer le nouveau président. La haute fonction publique est là, obéissante, paternelle, en la personne de Guéant ou de Pérol, qui entraînent avec eux leurs bataillons d'élite. Là pour servir le prince, mais aussi le bercer d'illusion et finir par lui enlever de la tête toute velléité de réforme. La haute administration agit avec Sarkozy comme elle l'a fait avec Chirac, et même Mitterrand. Elle agite le spectre des colères françaises pour pousser le prince à ne rien faire, à ne rien changer des déficits qui filent. À ne pas dire la vérité. À ne pas provoquer la bête qui sommeille. Le prince a dû trouver son compte dans cet abandon.

13

Les « grands » discours de Sarkozy

En juillet, il y eut le discours de Dakar.

Je suis à mon poste, et j'entends durant des semaines l'émoi des amis de l'Afrique, des écrivains, des intellectuels, du tout nouvel ambassadeur au Sénégal, Jean-Christophe Rufin. Tout ou presque a été dit sur ce discours. On l'a décortiqué sous toutes les coutures, son caractère scandaleux, ses stéréotypes racistes, son esprit colonial… Mais l'affaire de Dakar, ce n'est pas tant que Guaino ait pu faire dire des énormités au nouveau président – notamment que « le drame de l'Afrique, c'est que l'homme africain n'est pas assez entré dans l'Histoire » –, ou manier maladroitement une image à la Césaire, mais les conditions dans lesquelles cela s'est passé. Elles sont ahurissantes, compte tenu de l'institution.

La véritable affaire, c'est que ce jour-là Nicolas Sarkozy ne sait pas ce qu'il y a dans le discours.

Il ignore ce qu'il va lire, dire, proclamer à la face du monde. L'explication sur le moment aurait été impossible. Nicolas Sarkozy ne connaît pas le discours de Dakar avant de le prononcer. L'indicible, c'est cela aussi, son désintérêt pour le fond, pourvu qu'il y ait l'ivresse des mots.

En effet, la préparation de tout discours important relève de la haute voltige, au palais comme durant la campagne. Le cycle, toujours le même, obéit à la dramaturgie décidée par Guaino. Quelques jours avant de se lancer, il prépare le cabinet et le prince. Il échauffe les esprits, annonce l'épreuve qui l'attend. Il doit se retirer du monde, il rumine. On l'entend grogner dans son coin. Puis il disparaît pour écrire. Il travaille, il souffre. Il étale alors ses tourments, ses nuits blanches, le don de son corps et de ses mots, comme s'il s'agissait d'un calvaire.

La séquence discours peut durer des jours. Alors qu'au palais la règle est stricte : le texte de tout discours doit être remis une semaine – à la rigueur quarante-huit heures dans des cas exceptionnels – avant qu'il soit prononcé afin d'être relu par le cabinet, Guaino, lui, n'en fait qu'à sa tête. Il a pris pour habitude de ne lâcher son texte qu'à l'extrême limite, à quelques minutes de sa lecture en public. Jamais on ne le prend en défaut, mais il a imposé ce processus fou. L'avantage pour Guaino ? Il rend dramatique l'accouchement du parolier, se donne un statut d'oracle ; et surtout il évite toute intervention extérieure, toute souillure. Personne n'a le temps de relire, de corriger, d'amender, de comprendre. Il court-circuite la relecture par le cabinet, les conseillers, Guéant. Le texte restera immaculé jusqu'à ce qu'il le remette au chef de l'État.

L'ennui, c'est que le prince n'a pas le temps, pas la patience de relire, plume à la main, à tête reposée, ce discours arrivé tout chaud, tout beau, tout ronflant des formules du barde. Il apprécie les mots, les envolées, la musique de Guaino, et c'est assez. Fort de ses précédents succès oratoires, épuisés par la tâche et prisonnier de ce processus, Nicolas Sarkozy se contente alors d'être un interprète. Il a bien dû le survoler avant de le prononcer, ce discours de Dakar, mais sans prendre le temps de lire, ou d'y voir les excès qui s'y trouvaient. L'eût-il lu d'ailleurs que le passage sur « l'homme africain » ne l'aurait pas choqué – il est alors inconditionnel de Guaino

La « méthode Guaino » lui convient. En dépit de tous ces tourments, il trouve toujours un grand et beau discours sur son pupitre, ou son prompteur, et cela seul compte. Mais cette épreuve fait paniquer tout le cabinet. Il faut ruser, mentir, harceler la secrétaire de Guaino, le suivre à la trace, trouver la parade à ses ruses, pour au final obtenir les quelques minutes nécessaires à la relecture, avant que le président ne donne, parfois trop vite, son aval. Il faut chaque fois batailler, et c'est miracle qu'il n'y ait pas eu plus d'incidents politiques ou internationaux de l'ampleur de celui de Dakar.

Durant la campagne, c'est par hasard que nous avons évité une fâcherie du candidat avec toute l'Europe. Nous sortions d'une réunion Place Beauvau, Fillon demanda à voir le discours sur l'Europe que le candidat s'apprêtait à prononcer le soir même à Strasbourg. Nous nous mîmes à la relecture sur un coin de bureau, et nous ne l'avons pas regretté. C'était une déclaration de guerre à l'Allemagne, dans la capitale même de l'Europe. Un changement de ligne, une folie souverainiste. Fillon s'en émut, moi aussi. Nicolas Sarkozy était de bonne composition ce jour-là, et Guaino heureusement absent. Ainsi, c'est en catimini et dans l'urgence que Nicolas Sarkozy consentit à des modifications majeures, « mais vite, vite qu'Henri ne les voie pas ». Ce jour-là, nous avions eu deux chances : celle de tomber par miracle sur le discours ; celle aussi que le volcanique Henri ne soit pas présent.

Emmanuelle Mignon connaissait le manège de Guaino. Un jour, elle décida de s'y mettre à son tour. Elle arriva même à sophistiquer le procédé. Il conduisit à une autre polémique, cette idée cauchemardesque que chaque élève de CM2 sera porteur du souvenir d'un enfant victime de la Shoah, figurant dans le discours prononcé devant le CRIF, le 13 février 2008. Le matin de l'événement, Mignon me fait passer la première partie de son texte. L'a-t-elle écrit elle-même ou est-ce l'un des jeunes technos à son service ? Il est confus. Certaines erreurs sont grossières et dangereuses, surtout dans la bouche du président – notamment cette confusion entre la République, suspendue le 10 juillet 1940, et l'État français de Pétain. Je le corrige, Mignon accepte de bon cœur mes corrections ; puis m'annonce que la suite du discours me sera envoyée bientôt. Je me libère donc dans l'après-midi. Étant donné le nombre d'erreurs que j'ai repérées dans la première partie, il y a urgence à relire. Je relance Mignon, son secrétariat, et ne trouve là qu'explications dilatoires. Finalement, rien ne vient.

Le soir, Sarkozy fait son entrée au dîner du CRIF, son discours en poche, mais la tête des mauvais jours. Les sondages sont terribles, les municipales s'annoncent catastrophiques, l'ambiance est épouvantable au palais. Je l'observe, il n'a pas la tête à ce dîner. Il est assis à côté de Simone Veil, son amie pourtant, la présidente de son comité de soutien. Il la considère à peine. Il préfère envoyer des sms d'un air bougon. Pourquoi ne lui a-t-il pas alors parlé de son discours et de cette spectaculaire annonce ? N'est-elle pas la plus avisée, la plus légitime des conseillères sur ce sujet ? Il ne le fait pas, car pas plus que pour le discours de Dakar, il n'a vraiment connaissance de ce qu'il va dire au nom de la France.

La première partie du discours de Nicolas Sarkozy à l'adresse du président du CRIF se passe très bien : une condamnation de Vichy dans la lignée du discours de Chirac de 1995. Mais je découvre la seconde partie du discours en direct, et la bombe qu'elle contient : « J'ai demandé au gouvernement, et plus particulièrement au ministre de l'Éducation nationale Xavier Darcos, de faire en sorte que, chaque année, à partir de la rentrée scolaire 2008, tous les enfants de CM2 se voient confier la mémoire d'un des 11 000 enfants français victimes de la Shoah. »

C'est alors que je comprends le jeu de Mignon. À l'évocation de cette idée, des mouvements bizarres agitent l'assemblée, des protestations se font entendre, l'émotion est perceptible.

Je reçois un étrange sms de Mignon. Il est laconique. « Ce n'est pas le bon discours. » Dit-elle vrai ? S'est-elle vraiment trompée ? Cherche-t-elle à se couvrir ? Toujours est-il que c'est bien l'aveu que le président n'a pas pu le relire. Ce jour-là devant le CRIF, et alors qu'il tapote ses sms, le président de la République n'a pas conscience de ce qu'il dit. Mais c'est trop tard, la bombe est lancée.

Que s'était-il passé ?

Emmanuelle Mignon avait appliqué la « méthode Guaino ». Elle avait dû en parler vaguement, monter le coup avec le cabinet Darcos pour se réserver son effet, offrir ce « cadeau à Nicolas », un cadeau jalousement gardé. N'est-il pas le fruit de sa vision du monde catholique et sacrificielle sur le sujet ? Cette idée un peu dingue, c'était son présent au président. Elle avait concocté sa bombe mémorielle dans son coin.

Cette histoire, tout comme le discours de Dakar, me met de mauvaise humeur. Cela n'échappe pas à mon petit garçon, alors âgé de sept ans. Alors qu'il me demande en zozotant ce qui ne va pas, je lui réponds : « Problème de bureau. Méthode de Sarkozy... » J'entends cette fulgurance d'écolier : « Tu veux dire qu'il bâcle, c'est ça ? » Il a vu juste. Il bâclait, et moi qui, pourtant, n'incarnais pas la rigueur prussienne, cela commençait à me dérouter.

14

Été 2007, sa jouissance d'abord

Je reste à Paris cet été-là.

Je travaille. Je m'y mets avec ardeur. Je me dis que c'est ma seule planche de salut. La légitimité par le travail, la légitimité par la méthode du « bulldozer Sarkozy ». Je suis ambitieux, pragmatique, pressé, trop pressé ; ce qui m'attire des inimitiés. À mon menu, trois priorités : la lutte contre le téléchargement illégal (qui aboutira à la commission Olivennes, puis à la loi Hadopi) ; la réforme de l'Audiovisuel extérieur de la France, avec la mise en place d'un groupe d'une dizaine de hauts fonctionnaires ; et enfin les États généraux de l'audiovisuel français. Sans oublier le sommet des plus grands architectes du monde autour du président qui va se tenir à la rentrée. En ligne de mire, le Grand Paris.

Tandis que je me démène sur tous ces fronts, je découvre en provenance des États-Unis ces consternantes images de mon « patron » dans la presse people. Deux semaines de vacances dans une luxueuse propriété de Wolfeboro, sur les bords du Lac Winnipesaukee, dans le New Hampshire. Lui dans l'Amérique des riches, ces séances de yachting, lui à la pagaie, avec ses amis les Cromback, et Rachida qui a réussi à se faire inviter. Lui et Cécilia, qui, de cette retraite dorée, fait la gueule au monde entier. Je ne comprends pas qu'il ait commis une telle erreur, il se conforme à sa caricature. L'Amérique ! De telles vacances alors que c'est son premier été de président français. C'est une hérésie esthétique autant que politique. Quelle faute de goût ! Goudard avait raison : « Il compte avoir une vie de nabab à laquelle il estime avoir droit, vivre plutôt comme les Kennedy que comme les de Gaulle. »

Il n'y eut de pires journées pour moi que celle de la visite aux Bush, le 11 août 2007. J'imagine sans cesse la terrible scène qui a dû se passer à Wolfeboro. Je le connais, lui et son cirque. Cécilia lui a annoncé qu'elle ne se rendrait pas à l'invitation des Bush, et je l'imagine tentant de la convaincre, se mettre en colère, se radoucir, lui ordonner, puis la supplier. Elle ne peut pas lui faire ça, une scène de ménage devant la planète entière. Pauvre maître du monde. Il avait dû tout tenter, faire intervenir Rachida, toutes les femmes de la maison, tous les hommes. Remuer ciel et terre. Rameuter toutes ses amies au téléphone pour conjurer l'impossible humiliation qu'elle allait lui infliger... Poser un lapin au président des États-Unis ! Et étaler ainsi, à la face du monde, le spectacle de son impuissance devant sa femme.

J'ai suivi les événements en direct. Ce retard de 45 minutes chez les Bush ; cette arrivée pitoyable de lui tout seul alors que l'invitation a été officiellement lancée par Laura Bush à l'intention de Mme Sarkozy. Ce prétexte minable, cette angine blanche, alors que la veille elle se fait bronzer avec Rachida et Mathilde Agostinelli ; avant que le lendemain on ne la trouve faisant son shopping en short et tee-shirt dans les rues de Wolfeboro. L'humiliation sera commentée dans le monde entier ; et les sarcasmes innombrables, on s'en souvient, devant les malheurs du prince.

Je vis des moments douloureux.

Je reçois les images de Nicolas, l'étalage de cette jouissance heureuse, ce spectacle clinquant, lointain, irritant pour les Français.

Ce corps du roi exposé, photoshoppé pour gommer ses bourrelets disgracieux, cet étalage de richesse, tout cela me consterne. Je vis mal ce spectacle pathétique, car j'y ai associé ma vie.

Je m'éloigne, je dérive. Je crois que c'est en août, en rentrant à Paris après quelques jours en Bretagne, que je me dis qu'un an suffirait. Qu'il faut penser à sortir de ce « bourbier ». Je me donne jusqu'en mai pour finaliser trois dossiers auxquels je tiens. Mon salut ne passerait ni par la cour ni par le bon plaisir d'un roi que je découvrais défaillant, mais par le travail. Tenir un an, faire mon boulot, ne pas leur donner l'impression de zapper. Puis sortir.

« Sortir par le haut, toujours sortir par le haut », comme me l'avait enseigné Mitterrand. Je dois m'y employer.

15

Premiers succès

La rentrée est heureuse. Le sommet des grands architectes du monde[1], qui se tient à l'Élysée le 17 septembre 2007, est un succès. Quatorze stars internationales se réunissent pour travailler sur le Grand Paris, puis inaugurent la Cité de l'architecture et du patrimoine avec le président. *Libération* couvre l'événement et reconnaît que ce n'est pas qu'une « opération de communication ». Jean Nouvel déclare à l'AFP : « C'est une première dans l'histoire de la Vᵉ République, de voir un président conscient des défaillances dans la façon de fabriquer la vie d'aujourd'hui, se proposer de changer les choses. » Les milieux culturels et artistiques tendent l'oreille, ce président commence par les surprendre. Tout comme les milieux scientifiques l'ont

---

1. Sarkozy annonce une série de mesures en faveur de l'architecture et de la ville, une amélioration « considérable des régimes du mécénat », ainsi qu'un renforcement des mesures de protection. Sont présents Rem Koolhaas, Jean Nouvel, Kazuyo Sejima, Christian de Portzamparc, Zaha Hadid, Dominique Perrault, Massimiliano Fuksas, Shigeru Ban, Richard Rodgers, Thom Mayne, Patrick Berger, Jacques Herzog, Norman Foster, Rudy Ricciotti.

fait quelques jours plus tôt lors d'un événement monté avec la complicité de Claude Allègre. Il s'agissait d'un grand hommage à Pierre-Gilles de Gennes et, à travers lui, à la recherche française. Nicolas Sarkozy a appelé, en direct de la Maison de la chimie, à une « révolution culturelle » et déclaré qu'il soutiendrait la recherche et l'enseignement supérieur français pour les hisser « aux meilleurs standards internationaux ».

Mon état d'esprit est inchangé, je bosserai jusqu'à ce départ programmé au mois de mai et je suis heureux de dérouler mon plan de charge pour les mois à venir. Je bouclerai ainsi mes trois dossiers et je laisserai une trace de mon passage. Tout va pour le mieux. On commence à me prendre au sérieux. Jack Lang, après le sommet des grands architectes, ne m'a-t-il pas appelé, épaté : « C'est bien, Georges-Marc, votre sommet des architectes du monde... C'est un peu ce que je faisais avec Mitterrand au début... » Il avait ajouté toutefois cette mise en garde : « Mais soyez vigilant. Il faut que vous gardiez son soutien ; sinon "ils" vous bloqueront. » Je ne lui ai pas demandé quels étaient ces « ils ». J'imagine la technostructure, la cour, le ministère de la Culture... Mais je n'en ai cure. J'ai la confiance du président.

En cette rentrée, je gagne du crédit avec ces deux événements. Le président m'a dit : « Fonce. » Il m'a donné cette singulière carte blanche et, à tout propos, me cite en exemple et m'oppose à « l'immobilisme de cette versaillaise d'Albanel ».

Je m'affirme donc. J'ai bien compris que, sur mon chemin, je rencontrerai des résistances, des oppositions, et que j'aurai à me frotter aux grands barons de la République et des médias. Il y a les lobbies de la télé, les lobbies de la radio, les lobbies de l'Audiovisuel extérieur, ceux de RFI et ceux de France 24, le lobbying intense de son P-DG Alain de Pouzilhac, qui, je vais m'en rendre compte, a le bras long au palais. Il y a Bernard Kouchner, qui entend que Christine Ockrent ait son mot à dire sur ce dossier ; mais lui ne m'inquiète pas. Il sera mon allié, d'ailleurs je m'entends bien avec les diplomates du Quai affectés au comité de pilotage de cette réforme. Il y a surtout le président de France Télévisions, Patrick de Carolis, qui dès le premier jour me traite en ennemi ; Alain Seban, mon prédécesseur, m'a prévenu de cette hostilité de Carolis à l'égard de toute tutelle.

Et il y a bien sûr la ministre de la Culture, Christine Albanel. Je vais la trouver sur mon chemin. Elle n'est plus la bonne camarade que j'ai connue durant la campagne... Je l'ai défendue et soutenue fortement. Peu avant l'élection, le sort du ministère de la Culture est menacé. Emmanuelle Mignon avait repris une vieille idée en vogue à droite : la suppression pure et simple du ministère de la Culture pour l'intégrer à un vaste ministère de l'Éducation. Je me méfie de cette idée trop « libérale ». Avec François Fillon, nous avions obtenu gain de cause et dans le même temps conforté Albanel pour ce poste. Mais à présent elle se comporte en ministre. Elle préfère que je traite avec son cabinet. Et déjà un indice m'alerte : cette confidence rapportée dans le *Canard* qu'elle fait en septembre à Venise à François Pinault : « Il ne faudrait pas que Benamou joue la mouche du coche. »

Mais pourquoi m'inquiéter ? Quand je lui parle de l'écho du *Canard enchaîné*, le président me rassure. Il appelle Guéant, et il se plaint d'elle, de ses « lenteurs », de son « chiraquisme », de ses « manières de chaisière versaillaise »... Je n'en demandais pas tant.

À la fin de leur conversation, le secrétaire général laisse tomber une phrase que je parviens à entendre : « Le problème c'est que Benamou cherche des noises à Albanel. Il entrave son travail. »

Je sors de ce rendez-vous avec le président perplexe et effrayé par ces complications. D'un côté, c'est vrai, le soutien de Sarkozy est sans faille. De l'autre, je viens d'apprendre que le grand chambellan joue un jeu étrange. À plusieurs reprises, il m'a poussé à contrer Albanel, a moqué son cabinet, et voilà qu'à présent il me le reproche. L'information est importante. Je ne peux pas faire confiance à Guéant.

Mais qu'importe, le président me soutient ! Alors, sur mes fronts, j'avance. Je suis blindé. Je mène une blitzkrieg, une guerre éclair contre ce que je crois être les conformistes, les prudents, et ce temps administratif qui me semble d'un autre âge. Je ne traînerai pas longtemps au palais, mais au moins...

16

Sortir par le haut

Je suis toujours décidé à « sortir par le haut », mais à mon heure et avec un bilan. En attendant, pauvre fou, j'entends donner une autre cadence à ce train de l'État qui m'exaspère par sa lenteur. J'impose mon calendrier, mes choix et les nominations à la ministre. Elle souhaite confier la présidence de la mission contre le téléchargement illégal au réalisateur Jean-Jacques Annaud ; je préfère Denis Olivennes, et une fois de plus, après la nomination au château de Versailles de Jean-Jacques Aillagon, j'ai gain de cause. Le pragmatisme de ce haut fonctionnaire, sa connaissance des arcanes me semblent des gages de confiance.

J'impulse mon rythme aux jeunes technocrates du palais, de Matignon, et au cabinet du ministre de la Culture. J'entends leur prouver – ce que je crois toujours – que l'on peut sortir une loi en neuf ou douze mois, et pas en deux ans. À ceux qui rechignent, je rappelle d'un ton péremptoire et naïf que la loi sur les congés payés de 1936 a été bouclée en une nuit... Sur le front de la réforme de l'Audiovisuel extérieur de la France, je suis satisfait du Copil, « comité de pilotage ». J'ai réussi un tour de force :

faire travailler ensemble, et très bien, les représentants de cinq ministères ou administrations qui se chamaillaient depuis des années sur cet Audiovisuel extérieur dont ils ont tous la tutelle[1]. Ces hauts fonctionnaires, qui au départ se regardaient en chien de faïence, ont fini par former une équipe soudée et dynamique. Les responsabilités sont partagées et assumées, nous faisons du bon travail, partageant la même conviction : il faut, pour rester dans la bataille mondiale et numérique, créer une grande marque « France ».

En travaillant avec cette équipe de hauts fonctionnaires, j'allais réviser mon jugement sévère sur la technostructure. Il existe encore, au sein de l'État, de ces grands serviteurs admirables. Ils font figure d'exception dans un univers où l'on se préoccupe surtout de carrière ou de pantouflage royalement payé. Ils ont chevillé à l'âme le sens de l'intérêt général, mais ils sont seuls, légèrement démodés, moins sociaux que leurs brillants comparses. On les oublie, on les néglige, ils ne sont pas promus, alors ils s'étiolent, prisonniers des conformismes de caste. Ils me font penser, ces nobles hauts fonctionnaires de l'ombre, à ce Michel Blanc bouleversant dans le film de Pierre Schoeller, *L'Exercice de l'État*.

Pour l'essentiel, je me suis mis sur le tempo de Sarkozy. Si je répugne à ce césarisme naissant, j'en ai adopté la méthode : le volontarisme. La fin ne justifie-t-elle pas

---

1. Quatre ministères, le ministère des Affaires étrangères, le ministère de la Culture, le secrétariat d'État à la Francophonie, le ministère de l'Industrie et des Finances, et à travers lui l'Agence des participations de l'État.

les moyens ? J'ai écouté Sarkozy ; je fonce, puisqu'il m'a donné mandat pour le faire. Je crois à ce qu'on m'a dit sur ces « ministres qui n'existent pas », j'en ai tous les jours la confirmation, en voyant Patrick Ouart recadrer Dati ; François Pérol intervenir comme le super-ministre de Bercy ; Guéant faire le boulot de la ministre de l'Intérieur ; et Jean-David Levitte s'essuyer les pieds sur les plates-bandes de Bernard Kouchner. Je suis leur exemple, je n'ai guère d'égards pour la ministre. On me le reprochera, on fera tout un feuilleton de la prétendue guerre qui nous aurait opposés.

Cela mérite que l'on s'y arrête.

Sur la forme, je dois l'avouer, j'ai bousculé la fonction ministérielle. J'ai demandé à la ministre et à son équipe une action plus marquée, plus soutenue, moins conventionnelle, et en cela j'empiétais sur ses attributions. J'intervenais. Tous les mardis, je tenais une réunion avec son cabinet. Mais sur le fond, il était impossible d'agir autrement si l'on voulait rompre avec une politique trop souvent routinière. Car ce qui pose problème, c'est le ministère de la Culture, pas le ministre ; sa nature, sa fonction, l'administration et ses pratique, le sens même de son action. Au fil des années, la rue de Valois est devenue une citadelle assiégée. Une absurdité généreuse où plus rien de stratégique ne se décide, une caisse redistributrice de subventions, dont les moyens s'amenuisent tous les ans, et où la principale préoccupation du ministre qui arrive est de savoir par quelle coupe commencer à tailler son budget de misère.

Le ministère de la Culture n'existe plus depuis Jack Lang. Non pas que le bilan de celui-ci soit immaculé, mais Lang avait réussi ce que seul Malraux avait su faire. Créer

un rapport de force favorable avec l'État, avec le ministère des Finances. Et tous deux, Malraux puis Lang, ne
purent y parvenir qu'avec le soutien sans faille du prince.
C'est gonflé par ces chimères que je tente d'impulser une
autre politique culturelle présidentielle, imaginant qu'à
ma modeste place de conseiller j'avais moi aussi le soutien du prince.

17

Le cinquième « fantastique »

La une de *Libération* du 9 octobre 2007. Un grand dossier est consacré aux conseillers du palais. *Libé* titre : « Guéant, Guaino, Benamou, Pérol, Levitte : les 5 fantastiques ». À l'intérieur, un article m'est consacré, fielleux, mais qui dit l'homme important que je suis censé être devenu : « L'écrivain a pris la haute main sur l'audiovisuel. » « Christine Albanel ne se trouve pas seulement face à un sérieux rival dans le domaine culturel. Car Benamou se comporte en véritable ministre du PAF. C'est lui qui est en charge de réformer l'Audiovisuel extérieur, qui engage plusieurs ministères, dont celui des affaires étrangères. Et cela ne lui suffit pas… » J'aurais dû me délecter de cette une, de ces papiers, de cette toute-puissance qu'ils me prêtent. Mieux qu'un ministre !

C'est la preuve que je ne serai pas un météore au palais, que je ne suis pas un dilettante, un caprice du prince. Mais je n'arrive pas à tout à fait me réjouir d'être considéré comme un « super-ministre ». Je suis perplexe, vaguement inquiet, troublé. C'est à ce moment que je reçois un appel de mon ex-compagne, C. Nous sommes restés proches, même si ces derniers mois elle m'a boudé à cause de Sarkozy. Elle a lu *Libé*, et elle est inquiète : « Georges-Marc, tu devrais faire attention... Tu es trop exposé, tu vas te faire tuer... »

Je fais mine de ne pas comprendre. Je fanfaronne. Je la rassure sur la solidité de ma position, et je la taquine. Je mets son inquiétude sur le compte de son « anti-sarkozysme primaire ».

Mais son coup de fil m'alerte. C. me confirme cette vision d'effroi, cette prémonition, ce que j'ai senti en ouvrant le journal. Une image fugace, nette, presque palpable, le souffle de la lame du bourreau...

Tout cela va trop vite. Je suis monté trop haut. Je suis sorti de l'ombre, j'ai commis cette erreur que je sens fatale.

Je suis devenu un gibier.

Troisième partie

LA CHUTE

1

Premières emmerdes

C'est alors que les choses se compliquent. Un jour, je reçois un coup de fil d'un journaliste du *Parisien*. Je suis en réunion, je prends l'appel. Il me demande de confirmer une information « : Ai-je bien eu une altercation au bar de l'hôtel Raphael avec le barman ? » Son coup de fil m'étonne, mais je confirme. L'incident remonte à deux mois. Il est mineur pour moi. Il m'était sorti de la tête. J'avais donné un rendez-vous dans ce palace parisien. Je m'étais installé au bar, désert à cette heure-là. Le barman me répondit d'un ton agressif – il devait être alcoolisé – qu'il n'y avait pas de place, que je devais m'en aller. Je m'en étonnais, puisque l'endroit était presque vide. Il insista, le ton monta. Je m'en allais et devant son incorrection, je renversai d'un coup de main une assiette de cacahuètes.

Je confirme donc au journaliste, puis je reviens à ma réunion en me disant que j'aurai droit à un entrefilet vachard.

Le lendemain, ce n'est pas un entrefilet, c'est une bombe. *Le Parisien* consacre une véritable enquête à ce qui est devenu une affaire[1]. Car « l'incident a pris une drôle de tournure avec la punition prise par la direction du Raphaël à l'encontre de son employé... Une mise à pied... Le barman a saisi les prud'hommes... La direction aurait reçu un appel de l'Élysée suite à l'épisode des cacahuètes ». Je reste confondu. L'altercation a bien eu lieu, mais tout le reste, l'intervention de l'Élysée, le chantage, les prud'hommes, c'est de la manipulation. Je comprends. Le barman est en conflit avec la direction de l'hôtel, et je suis pris en otage dans ce litige privé. Cela devient une affaire politique, une « affaire Élysée », une « affaire Benamou ». Faut-il répondre, au risque de donner du crédit, et plus d'écho encore à cette affaire ? Ou laisser glisser et s'éteindre ce non-événement ? Et au palais, que vont-ils penser ? Faut-il parler à Guéant, à Sarkozy, s'en expliquer ? Faire une note par le circuit administratif ? Je tente de trouver une issue à cette histoire de corneculwhen je reçois un autre coup. France Info reprend en boucle cette information – il faut le dire, capitale – sur mes aventures à l'hôtel Raphaël, et même en ouverture de ses journaux. Puis c'est au tour de France Inter et des autres radios. Toute la journée. Ça ne cesse pas : les chaînes d'infos en continu, les quotidiens le lendemain, le grouillement vengeur des sites Internet, et bien sûr le *Canard* qui, cette fois, ayant été moins rapide que *Le Parisien*, en remet une couche.

Les coups continuent à pleuvoir. Des répliques de cette affaire, des enquêtes malveillantes et infructueuses sur mes proches ou sur moi-même, des fuites après certaines réunions importantes, toutes sortes d'intox. Je tente de m'y

---

1. Geoffroy Tomasovitch, « Le conseiller de l'Élysée, le barman et les cacahuètes », *Le Parisien*, 12 juillet 2007.

faire en me disant que tout de même je ne suis ni Salengro ni Bérégovoy ; un « petit poisson » qui n'a rien à se reprocher, pas de casseroles. Pourtant, tous les jours, je me lève avec la terreur du vieux Gaulois, celle que le ciel me tombe sur la tête.

Mais ce qui, par-dessus tout, me terrorise, c'est de ne pas savoir d'où viennent les coups. Qui en est à l'origine ? Qui a balancé l'histoire du Raphael, inconnue de tous, seule connue des RG, et deux mois après ? Guéant ? Pourquoi l'aurait-il fait ? Qui parle au *Canard* ? Qui active certains médias ? Quelle est la main invisible ? Y en a-t-il une ? Je cherche. Je me perds en conjectures. Je me méfie de tous et de tout, je deviens plus parano encore. Tout cela donne à ma vie un caractère d'« inquiétante étrangeté ».

Je m'interroge sur mes ennemis de l'intérieur. J'en vois partout au palais. Le conseiller Éducation à qui Guéant avait promis mon poste ? Mon voisin de bureau, Dominique Paillé, qui se prétend informateur du *Canard* ? Mon conseiller technique, soutenu par l'Inspection des finances, qui se sent à l'étroit ? D'autres au cabinet qui lorgnent aussi la fonction ? Ou bien encore Guéant, qui sait tout, écoute tout, à qui tout remonte ? À moins que ce soit Louvrier ? Non, pas Louvrier. Peut-être Soubie qui, l'autre fois, lâcha cette pointe en réunion : « Benamou, c'est l'homme qui fait monter la pression. » Il est lui aussi courtisé par Carolis qui fait feu de tout bois pour maintenir son autorité. Ou bien Guaino, qui a dégoisé dans *L'Express* sur moi l'autre jour, puis qui, devant mes reproches, a juré ses grands dieux qu'il n'avait jamais prononcé ces mots.

En vérité, il n'y a pas de complot, mais une convergence d'hostilités. Je devine les ombres. Je vois non pas la main invisible, mais plusieurs mains.

Je me suis fait tant d'ennemis. Ceux de l'extérieur commencent à ne plus cacher leur hostilité. Mon premier entretien avec Patrick de Carolis s'était mal passé, en dépit de la présence du compétent et tempéré Patrice Duhamel, son bras droit. Depuis, rien ne va. Il s'estime en guerre contre moi, qui ose m'intéresser au programme, et contre Sarkozy qui en dit du mal un peu partout en ville.

Il y a Christine Albanel aussi, ou plus exactement son cabinet. Dès l'origine, la ministre était menacée. Sarkozy l'avait nommée sans y croire, il avait besoin d'une caution chiraquienne. Elle fit de moi le bouc émissaire de ses infortunes.

J'ai l'impression d'être en guerre, une guerre de l'ombre, et je suis bien démuni. Ceux que je dérange font vraiment de la politique, ils disposent d'armes et d'alliés puissants. Ils sont des professionnels, soutenus par des cabinets de relations publiques ; des attachés de presse au contact quotidien de tous ces rubricards, avides de leur rendre service. Ils ont des copains, comme ce jour, durant le bouclage de *Marianne*, où des personnes bien intentionnées convainquent le rédacteur en chef qu'il fallait me « monter à la une », en me désignant comme étant un des « boulets » de Sarkozy[1]. Parfois, c'est pis : des indicateurs de police à l'ancienne diffusent des nouvelles délirantes. Après la décision de geler l'édification de dizaines de milliers de mètres carrés à l'île Seguin, afin d'éviter le bétonnage entrepris par le maire UMP de Boulogne, une

---

1. *Marianne*, 27 octobre 2007.

officine commença à diffuser une rumeur : j'avais été arrêté à l'Élysée pour trafic de cocaïne, j'entreposais le magot et la drogue dans mon bureau au palais ! J'étais sous les verrous. Je découvrais que la vieille méthode barbouzarde, celle du « gaullisme immobilier » des années 1960, n'avait pas disparu quand il s'agit des Hauts-de-Seine.

Un dimanche, un écho étrange parut dans le *JDD*. Il annonçait que Sarkozy avait décidé de me nommer à la villa Médicis. J'étais surpris par cette annonce, je n'en avais jamais entendu parler ; on m'avait justement demandé d'instruire les dossiers de candidature de nombreux postulants. Ce devait être une intox de plus, mais d'où venait-elle ? Du cabinet de l'Élysée ? De l'entourage de Christine Albanel ? De l'imagination du journaliste ? Cette information étrange me préoccupait. J'appelai Mignon, c'était la seule à peu près fiable du cabinet que je pouvais interroger. Elle m'affirma qu'elle n'en avait jamais entendu parler, qu'elle ne connaissait pas la source, non, ça ne venait pas du cabinet… Elle m'avait rassuré, mais avant de raccrocher, je lui demandai : « Qui peut bien me détester dans le cabinet ? » Elle eut une hésitation puis me répondit, avec une franchise désarmante : « Mais tout le monde te déteste ! » Cette phrase résonna en moi : « Mais tout le monde te déteste ! » J'étais sonné. Elle avait vu juste. En effet, quelle raison auraient-ils eue de m'aimer ?

2

Divorce sismique

Après cet épisode je fais souvent le même rêve.

J'avance dans la pénombre, je traverse une sorte de marécage, je dois passer de pierre en pierre en évitant de marcher sur des crocodiles ou des serpents dans l'eau. Pour cela, il faut passer d'une roche à une autre qui affleure sans se tromper, éviter des œufs énormes que l'on peut confondre avec une roche. Si par malheur je marche dessus, des reptiles en sortent...

Mes nuits sont terribles. Je me demande toujours ce qui m'attend le lendemain, quelle affaire, quelle pique, quelle peau de banane, quelle bombinette ; surtout le mardi soir à la veille de la sortie du *Canard*.

Le jour, je continue à jouer au maître du monde. Je serre les dents. Je carbure sur tous les fronts, je prépare la future Hadopi. Surtout ne montrer aucune faiblesse, sinon ils vont me dévorer. Je suis devenu un robot flippé. Je me projette sans y croire dans ces longues réunions où l'on refait le monde et la Culture ; je me sens menacé, cerné de plus en plus, pas encore condamné...

Je me rassure en me disant que mes adversaires eux-mêmes ne sont pas en très bonne posture. Le prince ne les supporte pas. Ce qui me sauvera de la meute à mes basques, et de tous ces ennemis à l'intérieur, c'est lui, son amitié, la confiance qu'il a mise en moi. Il ne faut pas m'inquiéter, non. Ne m'a-t-il pas défendu contre Guéant, qui soutient Albanel ? Ce lien avec Sarkozy représente tout. Ne suis-je pas l'un de ses efficaces conseillers ? Il le répète à tout le monde. Certes, j'ai parfois été un peu directif, trop pressé, sans égard pour le rythme de l'État. Mais si j'ai été, comme disait Séguin, « un éléphant dans un magasin de porcelaines », j'ai choisi ce que je cassais. J'ai été fidèle. Loyal. J'ai été, à certains égards, plus sarko-zyste que lui, en bouclant « piratage sur Internet » en six mois, et en ayant presque finalisé le difficile dossier de l'Audiovisuel extérieur de la France. Que puis-je redouter ? Une fois de plus, je n'écoute pas assez les conseils de Goudard, toujours en exil : « Méfie-toi de ce panier de crabes. Ne crois pas que ta loyauté et ton efficacité suffiront. »

En effet, le problème, en cette rentrée, est que le président a bien d'autres soucis que son « loyal » conseiller à la Culture. À l'automne, le divorce éclate. Il annonce la rupture officielle le 18 octobre, sous la forme d'un com-muniqué : « Cécilia et Nicolas Sarkozy annoncent leur séparation par consentement mutuel. Ils ne feront aucun commentaire. » Durant la période qui précède, comme celle qui suit, l'ambiance est lugubre au palais. La para-noïa règne, tout est verrouillé. C'est l'occasion d'une redis-tribution des cartes. Les colères et le malheur présidentiel étant terribles, la Cour s'est transformée en cocon, elle s'est rétractée. La course au prince s'est accentuée et les rapports se sont durcis plus encore. Il faut être à son écoute, le matin quand il est seul, ou quand il erre le soir sans projet. Il faut pouvoir jouer le messager avec Cécilia ; le panser, le comprendre, le soutenir, être au plus près de ses humeurs et de son chagrin. Certains le font avec zèle. Je n'en suis pas, je suis détaché.

D'ailleurs, les favoris d'hier n'ont plus la cote, tandis que ceux de demain se devinent. David Martinon commence à être critiqué. Rachida Dati est en péril Place Vendôme, elle tente de faire oublier qu'elle est la « sœur » de Cécilia. Claude Guéant, lui aussi longtemps proche de Cécilia, n'en mène pas large. Tandis que Louvrier et d'autres revivent. On voit même des bannis revenir des « mines de sel », comme Pierre Charon, qui a jugé mon bureau agréable, et s'en sert de base arrière pour ses messes basses. Il me fait rire. Au palais, tout le monde tremble à la perspective des glissements de terrain à venir. Ils connaissent Sarkozy. Personne n'est assuré de sa place. Le prince est « surdoué mais versatile », alors on redouble de zèle courtisan.

C'est durant ce moment d'abandon que les plus avisés assurent leur position. Claude Guéant, pourtant fragilisé, établit un pouvoir total, administratif autant que fonctionnel. Il tient le système de l'aurore à la nuit. Il gère tout, traite tout, pense à tout, plus encore qu'à l'ordinaire. Il épargne le président, puisqu'il est un « malade d'amour ». Il prend le contrôle de la machine. Il n'a guère de mal à marginaliser Emmanuelle Mignon. Il pallie tout et donne l'illusion que le prince va bien. Il établit autour de lui une sorte de cordon sanitaire.

C'est ainsi que toutes mes initiatives se trouvent bloquées. Jusqu'ici, j'adressais mes notes au PR en direct ; mes idées, les demandes de rendez-vous avec des intellectuels ou des artistes, ou les événements à soutenir. Sarkozy me les retournait dans la journée, les commentait, généralement les validait. Désormais, elles me reviennent surchargées par la petite écriture de Guéant. « Non, monsieur le président, est-ce vraiment opportun ? » Ou encore : « monsieur le président, vous ne pouvez pas voir tout le monde. » Le secrétaire général considère, par exemple, que le soutien du président de la République au prix Simone-de-Beauvoir ne serait « pas convenable » et l'annule. C'est aussi le cas pour l'hommage à la Résistance sur lequel j'ai travaillé depuis des mois, en bonne entente avec l'Éducation nationale. Il s'agit de l'hommage à Guy Môquet. Nous voulions l'élargir aux résistants, à proprement parler, rendre hommage à toutes les « lettres de martyrs », jusqu'aux Allemands de la « Rose blanche ». Un dispositif savant allait venir réparer la « bourde mémorielle » du président. Tout sera annulé dans un réflexe de prudence propre à la haute administration. Darcos, le ministre, prend peur devant une supposée fronde des profs. Le conseiller Éducation, Dominique Antoine, qui avait impulsé tout ce travail avec moi, opère un repli tactique. Guéant le soutient, puisque Sarkozy, tout à son divorce et à ses effets somatiques (il avait été hospitalisé pour un phlegmon à la gorge, le 22 octobre) a laissé le champ libre. Il devient incontournable.

En 1994, j'avais vu agir Anne Lauvergeon durant la maladie de Mitterrand. Elle avait pris le pas sur Hubert Védrine, pourtant son supérieur hiérarchique. Elle avait troqué son costume d'ingénieur du corps des Mines pour celui d'infirmière, de maman, d'intime. Elle y avait mis sa vie, son temps, son cœur et avait su se rendre indispensable, alors que Védrine, vertueux et pudique, était resté en retrait. Cette fois, c'est Guéant qui est devenu cette personne indispensable, et aussi Catherine Pégard, dont le président apprécie la compagnie dans cette période sensible. Elle est intelligente et elle le materne. Mais cette prédominance n'est pas exclusive. Il ne faut pas oublier Guaino. Il consolide lui aussi à ce moment-là son pouvoir affectif, je le constate. Sarkozy l'a loué dans un déjeuner que j'ai organisé pour des intellectuels. Il l'a hautement salué comme son « frère », en me défiant curieusement du regard. Il avait l'œil noir en disant cela, comme s'il me reprochait quelque chose, de ne pas être devenu ce « frère » ? Ou ce manque d'absolutisme de ma part, qui commence à devenir perceptible, et qui fait dire ces temps-ci au palais que je suis « un peu trop électron libre ».

Le problème en effet c'est que je n'ai pas le tempérament d'une nurse et que je ne peux partager leur inconditionnalité. J'aurais aimé. J'aurais préféré être habile dans leur cirque courtisan, mais c'est au-dessus de mes forces. Je n'y crois plus.

À ce moment-là, je perds le contact.

3

Retour sur le coup d'État permanent

« Les institutions ont été dangereuses avant moi et le redeviendront après moi. » Cette sentence que Mitterrand martela à la fin de sa vie, reprenant sa thèse du *Coup d'État permanent*[1], je ne l'avais pas prise au sérieux. Je croyais que c'était une phrase de grand-père, une espèce d'autocélébration, sa manière à lui de justifier sa thèse de jeunesse sur le « coup d'État permanent » justement, alors qu'il s'était si bien lové dans ces institutions jadis honnies. Ce n'est qu'une fois à l'Élysée, sous la présidence de Nicolas Sarkozy, que la phrase de Mitterrand me revint en tête et prit tout son sens.

Étrangement, cela se passe dans le même bureau où le vieux président avait prophétisé cela, lors de nos entretiens. Le nouveau chef d'État reçoit, en ma présence, le patron du CSA, Michel Boyon. Il s'agit d'une prise de contact institutionnelle avec ce haut fonctionnaire centriste. Sarkozy le connaît, il a été le directeur du cabinet de Jean-Pierre Raffarin à Matignon. Comme souvent, c'est Sarkozy qui parle. En tant qu'ancien ministre de la Culture et de la Communica-

---

1. François Mitterrand, *Le Coup d'État* permanent, Plon, 1964.

tion – le temps de l'intérim de Carignon en 1994 –, il estime connaître le sujet. Il nous fait donc un cours sur l'audiovisuel français, qui date de ce temps-là. Il ressasse sa détestation de France Inter, son goût pour des programmes ambitieux, sa méfiance à l'égard des gauchistes de l'information de France 2, le martyre que lui fait endurer « Laurent Rouquier » *(sic)*, dont « il faut bien sûr supprimer l'émission ». Enfin, il en arrive à ses idées du jour.

Il veut d'abord parler d'un sujet brûlant : le temps de parole du président de la République dans les médias[1]. En effet, la polémique enfle. L'opposition et la presse considèrent qu'il faut aménager ce temps de parole devenu exorbitant. Le président nous annonce qu'« il ne veut pas en entendre parler. On ne change rien ». Le problème est réel et la position de la gauche justifiée. Je vois Boyon embarrassé, le statu quo est difficilement tenable pour lui.

Le président du CSA aborde la question en douceur. Il fait un état des lieux objectifs de la situation. Il comprend la position du président et avance une idée.

D'un coup de menton, Sarkozy lui demande d'en dire plus.

Boyon poursuit, il a travaillé en juriste. Il propose une évolution, mais en douceur. Il y aura « deux présidents » au regard du CSA. Le *président-chef de l'État* – qui lui ne verrait pas son temps de parole limité –, et l'autre, le *président-politique*, dont le temps de parole serait comptabi-

---

1. Le 25 septembre 2007, François Hollande et le député socialiste Didier Mathus avaient saisi Michel Boyon pour dénoncer l'« omniprésence » de Nicolas Sarkozy dans les médias. François Hollande demandait la prise en compte des interventions du chef de l'État au même titre que celles du gouvernement.

lisé avec celui de la majorité. Cette solution très « Conseil d'État » est en effet astucieuse. C'est bien la seule issue.

Hélas, elle ne convient pas au président, mais alors pas du tout. Il est remonté et ne veut rien entendre. Il s'estime dans son bon droit. « Je ne leur céderai pas une minute de mon temps de parole ! » Il s'échauffe devant nous, il défend son statut, et même l'honneur de la Ve République.

Bref, il n'en est pas question.

Et rien n'y fait. Ni les arguments pondérés de Boyon ni mes recommandations. La pression monte et il s'en moque. N'est-il pas président ? Actionnaire de la télé ? L'État n'est-ce pas lui ?

Boyon et moi nous nous regardons du coin de l'œil. Nous sommes atterrés par son intransigeance, ou plutôt par son aveuglement politique car sa position n'est pas tenable. Boyon reprend, avec douceur et pédagogie extrême, sa théorie des « deux présidents ». Je le trouve courageux, on le dit sur le gril à cause de mauvais souvenirs du temps où il était directeur de cabinet de Raffarin, et chapeautait Sarkozy. Il défend pourtant sa position, jusqu'à épuisement de ses arguments.

Nous faisons face à un mur. Fermez le ban.

Mais ce jour-là, le président n'a pas fini… Il a eu une autre grande idée. Ses yeux brillent, nous allons en savoir plus ; il ménage son effet.

Il nous annonce qu'a décidé de nommer lui-même les patrons de l'audiovisuel public, France Télévision et Radio France. N'en est-il pas là encore « le propriétaire ? Ou du moins l'actionnaire ? Non ? Alors, il n'y a pas de raison, je vais prendre mes responsabilités, vous allez voir… Il faut en finir avec l'hypocrisie de cette nomination par le CSA ».

Il nommera donc, et tout seul. Pour Boyon et moi, c'est un coup de massue. En direct, Sarkozy vient de lui apprendre que le CSA qu'il préside n'a plus de sens. Tandis que le président l'émascule, j'admire son stoïcisme de grand commis de l'État. Pour moi aussi, c'est un choc. Je suis censé « penser » le secteur des médias, et voilà qu'il me prend en traître.

Au sortir de cette réunion, je me dis que l'idée est trop dingue, trop archaïque, trop ORTF, pour qu'elle soit un jour mise en application (elle le sera pourtant !).

C'était le temps où le président franchissait allégrement toutes les lignes jaunes.

*

Sur le moment, je n'avais guère de souvenirs du *Coup d'État permanent*, le livre de Mitterrand contre de Gaulle. Je l'avais enfoui. Depuis, je l'ai relu, et je comprends mieux à présent ce qui me pesait, et qui resta longtemps informulé. Comment n'avais-je pas vu que toutes les caractéristiques du « coup d'État permanent » — et d'autres encore plus modernes et plus inquiétantes — étaient réunies là, dans ce pouvoir naissant ?

Rien ne manque au « coup d'État permanent », qui se déroulait sous nos yeux, inconscients ou aveuglés. Pas même le ridicule recours au « délit d'offense » au chef de l'État dont le Parquet, sous le Premier Sarkozy, va user[1].

---

1. Le président portera plainte sept fois pendant son mandat (*L'Express*, 30 avril 2012). De Gaulle avait fait embastiller un quidam qui sur son

Durant la première année, Sarkozy pratique son « hyper présidence », un pouvoir sans limites et sans complexes. Rien ne manque aux critères du coup d'État permanent selon Mitterrand : pouvoir personnel, primat de la police, mise au pas de la justice, mépris du parlement, hégémonie sur les médias, rapport césariste au peuple... Cette ferveur est incontestable, saisonnière, elle est une « marche consulaire[1] ». Elle paraît irrésistible, la République semble reculer devant elle.

Durant dix-huit mois, rien ne vient l'interrompre. Sarkozy pousse toujours un peu plus loin le césarisme. Il passe les bornes institutionnelles comme comportementales : par la pratique du « pouvoir personnel » que dénonçait le jeune Mitterrand, par une exploitation éhontée du fait divers propre aux régimes autoritaires, par la désignation de boucs émissaires, qui focalisent la haine de la piétaille. Et rien, aucune digue sérieuse, aucun sursaut populaire, aucun surmoi républicain ne vient se mettre en travers de sa route. Les partis d'opposition KO, leurs leaders sans voix et sans charisme, le monde syndical divisé, la société civile atone, la presse de gauche lui faisait encore les yeux doux. Seul François Bayrou dénonce, ferraille et tombe juste souvent lorsqu'il s'en prend au style présidentiel[2], ou à l'incurie face à la dette. Il est aussi le plus avisé lorsqu'il s'agit de révéler les cadeaux faits à la haute finance (sur le dos de l'État), comme la scan-

---

passage avait crié « hou ». C'est d'ailleurs sur cette scène, et par une colère voltairienne, que Mitterrand ouvre son *Coup d'État permanent*.

1. Qu'Alain Duhamel conceptualisa un an plus tard dans son essai *La Marche consulaire*, Plon, 2009.

2. « Bayrou : Sarkozy est le porte-parole d'un clan », *Le Figaro*, 9 juillet 2008 : « L'armée, les syndicats, le service public, tout cela c'est la France, et c'est cela qu'on humilie. Dangereusement. »

daleuse privatisation des autoroutes. Hélas, il est isolé, dans son coin, sans moyens. En ce temps-là, la France ne veut pas de Cassandre. Elle aime Sarkozy. Elle veut un chef. C'est la « tyrannie de la majorité » dont parlait Tocqueville.

Cette « marche consulaire » fut heureusement ralentie, et finalement interrompue. À partir du dérapage sur l'ADN[1] à l'automne 2007, il y eut un léger réveil. Le régime perdit de sa popularité du fait du comportement du président. Au bout d'un an, le peuple se lassa. Les institutions, d'abord un peu sonnées, commencèrent à se rebiffer. Puis des députés, les juges suprêmes, le Conseil d'État, certains médias. Pourtant, je dois témoigner de ce que j'ai vu et senti, de ces courants porteurs et inquiétants qui traversaient alors le pays. Tout semblait possible, surtout les attitudes les moins démocratiques. Ce voyage au cœur du pouvoir fut un cours de droit constitutionnel *in vivo* et grandeur nature. Durant cette première année, c'est ce flottement, cet inquiétant flottement au sein des institutions, où tout semblait possible – le pire surtout –, qui m'épouvanta. L'effacement du gouvernement, la mise sous le boisseau du Parlement et au passage de quelques libertés publiques fondamentales. Mais la leçon de droit constitutionnel que l'on doit selon moi en tirer, ce n'est pas que Nicolas Sarkozy ait succombé à cette tentation césariste à ses débuts. Cela, c'est de la psychologie élémentaire. Elle va bien avec son

---

1. Dans le cadre de la loi sur l'immigration, un amendement vise à rendre possible le test ADN pour vérifier la filiation des candidats au regroupement familial.

tempérament, sa fougue, son impatience ; et il sut heureusement la domestiquer[1].

La véritable leçon vaut par-delà Nicolas Sarkozy. C'est celle que nous a laissée Mitterrand. *La dangerosité des institutions.*

Elle est réelle, elle est avérée. La France était sur le point de *marcher* dans cette histoire bonapartiste.

Elle en avait envie, elle voulait de la Force, de l'Autorité, et de la Transgression. Il faut se souvenir de cette aimantation des premiers mois. À l'époque, on ne disait pas « l'Élysée », mais « le palais », avec vénération. On avait « envie de chef ». Comme en d'autres temps on avait eu la « douce France » avec Mitterrand, la France « rad-soc » avec Chirac, on était en train de goûter au césarisme à la française.

« Les institutions ont été dangereuses avant moi et le redeviendront après moi », martelait Mitterrand. Cette phrase n'était pas une ratiocination. C'était une exigence de mémoire républicaine, un rappel permanent. Un devoir de vigilance. J'en avais manqué au sein de la Cité interdite.

---

1. En suscitant notamment son antidote, avec la réforme constitutionnelle proposée en 2008 par Édouard Balladur ; Sarkozy procéda même, par la suite, à des réformes renforçant le Parlement ou les droits du justiciable.

4

Fillon : « Sarkozy ? Je ne le vois jamais »

Bureau du Premier ministre, une fin d'après-midi.

François Fillon est sombre. Du temps a passé depuis ce 17 mai où ils faisaient leur jogging ensemble avec Sarkozy, grimpaient dans cette tenue les marches de l'Élysée, et proclamaient à la France former une équipe « soudée ». À peine installé, il a découvert non pas « l'enfer de Matignon » – il aurait préféré – mais le néant, auquel il ne s'habitue pas. Cet été, chose inédite et incroyable sous la Ve République, Guéant l'a court-circuité en donnant une grande interview au quotidien *La Tribune*, à la veille de son discours de politique générale. Quelques jours plus tard, Sarkozy l'a humilié, en parlant de lui comme d'un « collaborateur ». Il a encaissé puis a cherché à se venger en prononçant cette phrase étrange : « Je suis à la tête d'un État en faillite[1]. » C'est de cela dont il a envie de me parler, de ce calvaire à Matignon.

---

1. Déclaration du Premier ministre Fillon en Corse, le 22 septembre 2007.

— Tu ne peux pas savoir les histoires qu'il m'a faites après cette déclaration... Mais contrairement à ce que tu peux croire, Sarkozy n'a pas protesté – sur le fond, l'état lamentable de nos finances publiques... Non, ça n'a pas l'air de l'intéresser. Tu vas te marrer, ce qui l'a fait enrager c'est que je dise que j'étais « à la tête de l'État ». Tu vois à quoi ça tient.

Je crois bien que je suis le seul conseiller du Château à ne pas détester Fillon, et réciproquement. Guaino est le plus violent, le plus outrancier envers lui. Il fait fureur à l'Élysée avec son antienne devenue un défouloir, il parle de Fillon comme d'un « dégénéré du séguinisme ». Le président en rit, on sait combien la rivalité des apôtres peut être teigneuse. Pour Mignon, le dédain est manifeste, elle le dit et le martèle : « Matignon c'est l'ennemi, Matignon on s'en fout, Matignon n'existe pas. » Quant à Claude Guéant, il a fini par croire ce que les flatteurs lui répètent : « À quoi bon un Premier ministre puisque le Secrétaire général fait son travail ? » Du coup, il rêve parfois de Matignon, dit-on. Fillon est devenu la bête noire de l'Élysée, le bouc émissaire idéal, surtout quand pointent les premiers sondages où la popularité du Premier ministre dépasse celle de Sarkozy. Le palais ne supporte pas ce crime de lèse-majesté et, avec l'assentiment du prince, se déchaîne.

Pourtant, que peut-on reprocher à Fillon ? Il est là dans son bureau de Matignon. Il s'y rend tous les matins. Tous les mercredis, il est présent au Conseil des ministres. Les décisions lui échappent. Les arbitrages lui passent au-dessus de la tête. Les réunions interministérielles n'ont pas lieu à Matignon mais à l'Élysée. Il fait bonne figure, il ne gêne pas. On ne le laisse rien faire.

Et cet état de fait étrange se traduit dans cette pièce : il ne s'y passe rien. Personne ne nous interrompt durant ce long tête-à-tête mélancolique ; c'est à peine si son directeur de cabinet, Jean-Paul Faugère, passe une tête à travers la porte. Matignon, dont on dit que c'est la maison aux cinq cents arbitrages par jour, est endormie. Déconnectée. Calme plat dans le bureau du Premier ministre de la cinquième puissance mondiale.

Avait-il à ce point d'être envie d'être appelé Monsieur le Premier ministre, d'occuper ce grand bureau sans vie ? Ce néant qu'il incarne, il l'a voulu après tout. C'est le résultat de ce pacte faustien que, dans le secret, il a conclu en 2005 avec Sarkozy. Il lui amène sa caution gaulliste sociale, sa modération, et ses réseaux catholiques de province, un peu de son âme, et Sarkozy en ferait un vice-roi. Fillon, maltraité par Chirac, s'était livré pieds et poings liés à son nouveau maître. Il a même fait du zèle, théorisé sans prudence son inexistence future dans ce livre[1] où il réclamait la suppression du poste de Premier ministre. Sa vassalisation est une souffrance silencieuse, une sorte d'automutilation. Il la vit jusqu'à l'extrême, dans l'impressionnant silence de l'hôtel Matignon. Ce Premier ministre qui s'était rêvé – j'en suis sûr ! – en Michel Debré, s'est résolu à n'être qu'un « vice-président », une potiche, un eunuque ; et personne dans le pays, pas même lui le gaulliste, ne trouve à y redire.

Il y a toujours quelque chose d'enfantin dans nos rencontres. Ce qui nous réunit, au fond, dans ces moments,

---

1. François Fillon, *La France peut supporter la vérité*, Albin Michel, 2006.

c'est la maltraitance du chef, nos jérémiades, et nos questions rabâchées sur lui. « Que me reproche-t-il ? répète-t-il. Si je fais quelque chose, si je me mets à gouverner, il me le reprochera. Et si je ne fais rien, si je ne prends pas la parole assez fortement, et si je ne le défends pas à tout bout de champ, il me le reprochera aussi. »

Il est piégé, tétanisé face à Sarkozy :

– Tu te rends compte, il me reproche tout et son contraire. Par exemple d'être trop pessimiste. C'est son mot, je suis trop « pessimiste ». Quand je lui parle des comptes publics et du déficit, je suis trop pessimiste. Quand je constate le manque de croissance, je suis trop pessimiste. Quand je fais mon métier, je suis trop pessimiste... Je ne sais pas, je ne sais plus comment faire avec lui...

Tout y passe. Les grands dossiers comme les autres petites humiliations. Les scènes de jalousie que lui fait Sarkozy lorsqu'il ose recevoir des écrivains à Matignon ou s'exprimer dans les médias. La gouvernance baroque du palais, en se demandant (lui aussi) qui le déteste le plus. Guéant, « étroit d'esprit comme un petit fonctionnaire » ? Mignon, cette « pasionaria boy-scout » ? Guaino, « cette teigne » ? Soubie, « ce manigancier d'un autre temps, qui en réalité est en cheville avec la CGT, et plaide pour l'immobilisme » ?

C'est l'heure des confidences : des vraies, des fausses ?

– Et puis il y a des choses que je ne pourrai pas accepter vu mon histoire. Ce retour dans le commandement intégré de l'OTAN. Pour moi, ça ne passe pas. Je ne suis pas sûr que je puisse accepter cela.

Coup de théâtre dans ce rendez-vous trop tranquille. Il évoque une démission.

Est-il sincère ? Ou bluffe-t-il, en souhaitant que je le répète, fasse passer un message au palais ?

Mais plus que toutes ces humiliations ou de cette démission qui, je m'en doute, ne viendra pas, ce qui me stupéfie, c'est cet aveu qu'il me fait tout à coup, comme à bout de récriminations.

— Tu vas être étonné... Je n'arrive pas à le voir, pas à lui parler... Depuis le mois de mai, je n'ai pas réussi à le voir en tête à tête... Je suis inquiet. On ne peut pas continuer à fonctionner ainsi. Si les Français savaient...

La chose est invraisemblable, ahurissante, inouïe pour tout citoyen.

Il n'arrive pas à voir le président. Et cela dure depuis des mois !

Je m'étonne. Il exagère, il force le trait. C'est vrai que Nicolas est insaisissable. Une pile électrique, un lapin Duracell. Fillon redresse la tête.

— Ce n'est pas une image ce que je te dis. C'est la vérité. Je n'ai eu aucune réunion en tête-à-tête avec le président depuis des mois.

— Tu exagères ! Il y a tout de même votre rendez-vous du mercredi matin...

En effet, la tradition républicaine veut que tous les mercredis, avant le Conseil des ministres, le Premier ministre et le président se parlent en tête à tête, qu'ils préparent le Conseil, qu'ils définissent leurs arbitrages. C'est un rendez-vous sacré, un point fixe de la vie démocratique depuis toujours.

— Non, depuis des mois, Sarkozy a annulé tous les tête-à-tête, ou bien il les a transformés en réunions collectives, avec la présence de Guéant. Il fuit son Premier ministre, je te dis… Sarkozy ? Je ne le vois jamais !

C'est donc vrai.

Je ne suis ainsi pas le seul dans ce cas, à ne pas pouvoir le voir, à ne plus pouvoir capter son attention, à voir mes rendez-vous hebdomadaires annulés, déplacés. Il agit ainsi avec tout le monde, à commencer par le numéro 2 de l'État. Cette révélation me stupéfie. J'avais bien remarqué que Sarkozy n'aimait pas les tête-à-tête, ne supportait pas le bilatéral, ne concevait une réunion que s'il la dominait, mais à ce point. Comment est-ce possible ? Comment Fillon peut-il accepter cela ? Peut-on fonctionner ainsi ? Comment le char de l'État peut-il avancer ?

« L'État a perdu la tête », me dis-je en quittant le triste François Fillon qui jamais ne démissionna.

5

Chanoine de Latran

Réunion au Salon Vert, un dimanche en fin d'après-midi. Je n'ai pas été invité à une de ces réunions au sommet depuis un certain temps. Je ne sais comment l'interpréter. Un retour en grâce ? J'ai peut-être retrouvé son oreille. Je m'y rends sans plaisir, avec la curiosité de voir ce que l'on me veut. L'objet de la réunion est la préparation de la visite du président au Vatican ; je me dis qu'il a besoin de mon regard, laïque, juif, distancié, à l'intérieur d'un cabinet nettement catholique.

Et en effet, au moment où je rejoins le Salon Vert, la cour se réjouit de la nouvelle, la fête déjà... Nicolas Sarkozy va être fait chanoine honoraire au Vatican. J'entends s'exclamer le chœur du cabinet devant l'insigne d'honneur. Personne ne sait exactement ce que veut dire « être fait chanoine de Latran », mais on se pâme. La réunion tarde à commencer ; l'un nous précise comment et pourquoi, en 1482, Louis XI avait accordé des droits au chapitre de la cathédrale de Latran concernant l'abbaye de Clairac, en Aquitaine. Guaino tranche : « C'est bien la preuve que le président de la République est le successeur des rois de France », et on s'extasie avec lui. Chacun autour de la table y va de son commentaire, tous feignant de voir là une distinction exceptionnelle, là où il s'agit somme toute d'une coutume poussiéreuse et automatique. Le président de la République française, considéré par le Vatican comme le successeur des rois de France, est fait chanoine d'honneur de la basilique Sant-Jean-de-Latran. La tradition a été négligée jusqu'en 1957, quand René Coty l'a rétablie. Pompidou et Mitterrand acceptèrent le titre, mais sans cérémonie, sans effectuer le déplacement. Sarkozy veut, lui, faire ça en grand.

Et tandis que l'on se gargarise autour de la table, lui laisse dire. Il laisse se poursuivre cette musique douce à ses oreilles. Emmanuelle Mignon a donné le ton. L'ambiance n'est pas à la tempérance laïque.

Plusieurs raisons viennent expliquer ce geste en rupture avec ses prédécesseurs.

Un affolement sondagier d'abord. Des études d'opinion sont tombées. L'électorat catholique – où il était jusque-là majoritaire – s'effondre. Comme tous les Français, et plus encore, il sanctionne le comportement transgressif du président. L'été américain, le jogging à l'Élysée, le divorce, sa désinvolture aux sommets internationaux... Il faut reconquérir d'urgence la France catholique. Mignon en est chargée. Elle veut retrouver son autorité perdue dans cette « Opération Vatican ». Elle agit sur son territoire de légitimité, le dernier qui lui reste. Elle poursuit son dessein. Le terrain est aisé car il y a Lui. Lui et son immense orgueil, celui du « monarque républicain » qui, devenant un spectaculaire chanoine de Latran, se voit forcément inscrit – puisqu'il est l'Élu – dans la longue lignée de Louis XI. Tel est le levier de cette « Opération Vatican ». Ce qui donne sa force au projet de Mignon. Il y croit, il aime y croire, heureux de cette perspective sacrée. Il ne modère ni son ardeur ni sa bonne volonté de catholique exemplaire. Il fera, lui, ce que ni de Gaulle ni Mitterrand n'ont osé faire. Il écrira, lui, tiens, comme Napoléon l'avait fait, une nouvelle page de l'histoire entre l'Église et sa fille aînée…

À cette vanité s'ajoute le zèle du « nouveau converti ». Sarkozy, qui se revendique « enfant au sang mêlé », n'a rien du « juif honteux ». Il déteste d'ailleurs ce genre de reniement. Il n'a aucun mal à parler de son grand-père séfarade, Bénédict Mallah, né Aaron « Beniko » Mallah, juif de Salonique comme Albert Cohen. Mais il y a chez lui le zèle de bien faire. Il en fait trop, il en donne trop, ce soir il veut être plus catholique que le pape. Il entre dans les moindres détails, ne néglige aucune mise en garde protoclaire. Il est tout à son sujet, le pape, et les catholiques de France. Il ne lésine pas. Je me dis que son zèle est excessif, peu conforme à la tradition républicaine. Je songe à intervenir, à lui dire que de Gaulle, en visite au Vatican en tant que président d'une République laïque, avait choisi de ne pas se signer en public. Je préfère m'abstenir.

À un moment pourtant, j'interviens.

– Pour préparer vraiment cette visite, ce serait bien d'avoir le discours…

Je redoute un texte outrancier, antilaïque. Tous se tournent vers moi : j'ai dit une incongruité, le discours n'est pas prêt. J'agace le prince, et avec lui la petite assemblée, qui hausse les épaules.

Ils préfèrent poursuivre la visite anticipée du Vatican, et le futur chanoine de Latran est aux anges.

Il est temps de faire une pause. Un gendarme, qui fait fonction de majordome, apporte des consommations ; cela détend l'atmosphère. Une fois le gendarme sorti, et la porte refermée, le président prend un air de confidence. « Il est comme ça, celui-là… Top. » Un mouvement de pouce levé. Il marque un silence, se tourne vers moi, et poursuit sur ce ton confiant, un peu plus acide cette fois :
— Et puis, il parle pas… lui.

Il complète en faisant un signe de croix – ou de ferme-ture Éclair – sur sa bouche. Le genre de geste que l'on voit, dans la mafia, chez les Italo-Américains de Scorsese. Il me regarde toujours et le climat déjà lourd devient tout à coup suffocant. Pourquoi cette phrase, cette allusion, ce regard sur moi ?

Il se passe quelque chose. Je ne comprends pas mais ces insinuations, ces attaques sournoises sans réponse pos-sible, cette manière d'être mis sur le gril, je l'ai déjà vu les pratiquer avec d'autres. C'est le premier signe de la dis-grâce. Son verdict, sa manière de vous sabrer, de vous jeter aux chiens ; car il ne dit jamais les choses désagréables en face…

Il poursuit :
— D'ailleurs, ceux qui parlent ne savent pas.

Il marque un autre silence. Toute l'assemblée est sus-pendue à ses lèvres, il n'est jamais aussi bon que quand il parle de lui :
— Peut-être que ceux qui parlent ont une femme de retard.

On rit autour de la table de cette mise en boîte supplémentaire. Nouveaux ronrons d'aise. Ils se gondolent. Pas moi.

Cette fois, pas d'erreur, pas de parano possible, c'est bien de moi qu'il s'agit. Tout à coup, je comprends. Je rembobine dans ma mémoire. Il y a eu un événement anodin, la semaine précédente.

Une rumeur a couru d'une escapade du président au Maroc avec une présentatrice télé. Un ex-confrère m'a prévenu que l'information sortirait sur une grande radio très vite. La source me paraissait fiable, j'ai alerté Guéant. Il a pris note et m'a remercié. Que s'est-il passé ensuite ?

La chose a-t-elle été présentée autrement à Sarkozy ? Mon alerte se serait-elle transformée, dans la bouche du chambellan, en aveu ? Si j'étais si bien renseigné, c'est donc que j'avais parlé. À toute allure, j'imagine la scène :

— Vous comprenez, monsieur le président… encore Benamou… Voilà ce que risque de sortir RTL… Oui, j'ai fait le nécessaire, monsieur le président…

— C'est bien, mon petit Claude, mais celui-là, vous me le tenez à l'œil.

— Bien, monsieur le président, il a des qualités, Benamou… Mais il parle trop…

Tout va vite dans ma tête. Que dire, que faire ? Se défendre ? Impossible, l'attaque est si oblique. Mais ce ne peut être que ça.

Un piège grossier, une peau de banane du cabinet. Ils ont trouvé le bon argument, imparable, improuvable, pour capter la colère du président. Il est si facile de le conduire là où on veut, parfois. Cette accusation-là a dû faire mouche. À la fin de la réunion, tandis que les conversations s'effilochent, je veux vérifier. Je tente d'aborder avec lui une question urgente, celle de la présidence de l'Audiovisuel extérieur français. Je lui parle des candidats les plus sérieux, Emmanuel Hoog, le président de l'INA, et un tandem dont nous avons discuté avec Levitte : la diplomate Catherine Colonna, associée à Pierre Lescure, l'ancien patron de Canal +. Aussitôt, les courtisans s'approchent, se regroupent autour de lui. À l'évocation de Lescure, il hausse les épaules, comme si j'avais dit une incongruité. Les autres enchaînent, offusqués : une hérésie, une faute de goût, encore de l'ouverture et, « l'ouverture, ça commence à bien faire », en me regardant comme si je l'incarnais à moi seul – en tout cas dans ce salon. Ils s'y mettent à plusieurs, et je n'entends que cela : le grondement de leur haine libérée. Lui aussi marque son désaveu : « Oui, l'ouverture, ça va bien comme ça ! » Il ne discute même pas. Il a l'air agacé par mon idée, ma présence, puisque j'aurais été « le mouchard ».

J'ai perdu son soutien, je suis devenu le mouton noir du palais.

6

Hantise de la disgrâce

Ce n'est pas encore la disgrâce officielle et déclarée. À partir de cette réunion, c'est pis : la hantise de la disgrâce. Ce moment d'attente et de tourment, avant le châtiment, la mise à mort – car on ne s'imagine plus d'autres vies quand on est dans ces sommets. C'est ainsi que l'on doit considérer la disgrâce dans toute monarchie, fût-elle républicaine. La mort, une disparition, ou plutôt une maladie mortelle, décrétée par le prince. C'est le même processus, cruel et animal, qui se répète toujours. En les quittant ce dimanche soir, j'avais respiré l'haleine de leur haine ; j'avais entendu leur chœur uni contre moi et compris que cette agressivité soudaine, manifestement approuvée par le prince, était une autorisation donnée à la meute.

La chasse est ouverte, la haine libérée, même théorisée avec ce haro sur « l'ouverture ». J'ai bien senti ce soir-là ce qui les unissait, les échauffait, les excitait : préparer la potence. C'est le passe-temps favori de toute Cour, je le sais depuis Mitterrand : le feuilleton des disgraciés. Les choisir, les cibler, faire renifler au prince la proie, lui en présenter plusieurs : Rachida Dati, Martinon, Benamou ?

Forcer sur celle qui leur fait le plus envie, et la faire chuter. Ça occupe, ça soude. Ça permet de survivre.

« Pour survivre dans ce monde », écrivait d'ailleurs Mazarin dans son *Bréviaire des Politiciens*, que je relis alors comme pour me sauver de la noyade, il faut être « serpent » ou « aigle ». Je me rends compte que je ne suis ni l'un ni l'autre. Au palais, certains assurément aigles ou serpents, ont trouvé la parade : ils pensent se sauver eux-mêmes en orientant le courroux du président, en repérant dans l'assemblée le « coupable idéal », pour expliquer la mauvaise tenue de l'Élysée ou les mauvais sondages. Je les ai vus faire. Ils savent allumer son humeur de taureau. C'est même parfois un jeu : détecter le bon chiffon rouge. Lui parler d'une certaine manière de certains sujets alors que son énergie semble inemployée, l'entretenir de Fillon, de ce qu'il a fait ou de ce qu'il n'a pas fait. Lui apprendre la présence d'un ancien de la firme dans le bureau de Louvrier. Lui rapporter des propos de table mais précis, détaillés, géolocalisés, d'un rival que l'on voudrait dégommer. Ça marche. C'est toujours ça de gagné pour eux. Ils sont menacés aussi tant que la disgrâce est dans l'air.

Guéant a eu très peur ces dernières semaines. Martinon est toujours sur la sellette. À présent, c'est mon tour, et moi aussi, après la soirée de préparation du voyage au Vatican, je me dis qu'avec un peu de chance, demain un autre que moi prendra la foudre. Rien n'est figé dans ce *Dallas*.

Les jeux ne sont jamais faits en cette période incertaine. « Ça change d'un jour à l'autre et plus souvent que tu ne crois », se rassure Martinon. Il revient de loin, en effet. En octobre, cela a été sa fête. Il s'est vu traité, en direct et devant les caméras de CBS, d'« enfant » et d'« imbécile », par le président, au moment où la journaliste américaine ose aborder la « question Cécilia ». Sarkozy interrompt en direct l'interview, arrache son micro et l'insulte. Martinon a bien reçu une raclée planétaire. Deux mois après, il tient encore debout.

Personne n'est à l'abri du courroux, Guéant lui-même peut être une cible. Au cours d'une réunion de cabinet, la conversation suit son cours autour du président. Face à lui, Guéant et quelques conseillers. On sent que le président est sur les nerfs. Il a l'œil mauvais, il tressaute. Tout le monde en dit le moins possible, le strict minimum ; on a compris qu'il cherchera des poux au premier qui la ramène. Quand tout à coup, contre toute attente, sous un prétexte futile, il s'en prend à Guéant. Il se met à lui hurler dessus. Le spectacle est saisissant : après ce calme, une telle tempête. Il se lève de son siège, le désigne du doigt, et répète une phrase sibylline mais que tout le monde comprend autour de la table :

— Si ça ne va pas, je change… Si ça ne va pas, je change !

Il menace tout bonnement de le virer, devant nous et sans égards. Cette menace de disgrâce, il ne l'annonce pas à Guéant en tête à tête, il n'a pas dû y avoir entre eux de bilan après quelques mois, pas même un reproche. Il brandit cette menace à l'attention de tous. Il évite ainsi ce qu'il déteste le plus au monde : les tête-à-tête, par lâcheté ou par timidité, on ne sait. Autour de la table, on se demande quelle est la cause de ces attaques contre Guéant. Mille questions se posent. Pourquoi une telle violence ? L'arrivée de Carla Bruni dans le paysage ? Guéant est-il trop lié à Cécilia, à ce passé maudit ?

J'observe le secrétaire général tandis qu'il reçoit l'avoinée. Le président s'agite, répète le doigt dressé : « Si ça ne va pas, je change », et lui ne bronche pas. Il reçoit les insultes comme s'il notait des instructions. Est-il comme nous tous, tétanisé ? Ou plus habile que le président enragé ? Il reste figé, pas un geste, pas un mot, qui aurait aggravé son cas, il laisse passer l'orage.

Guéant est d'autant plus prudent qu'un séisme se prépare au palais. La rumeur Carla n'en est plus une. Sarkozy ne cache plus ses projets : « l'alliance avec l'Italie se précise », a-t-il lancé l'autre jour en réunion. Et cette « alliance » va rebattre les cartes au palais et au gouvernement. Personne n'en doute. Les plus avisés cherchent le contact avec Carla Bruni. Dans Paris, on dresse déjà la liste des menacés. Tous les jours, la rumeur de la ville charrie son lot de disgraciés : Rachida Dati, la « petite sœur » de Cécilia ; David Martinon, le conseiller le mieux doté du palais, qui voit son horizon hier si radieux tout à coup s'obscurcir ; Claude Guéant, je l'ai dit, accusé par la firme d'être un « collabo » de Cécilia… On se doute que le président veut trouver quelque offrande à sa nouvelle bien aimée, Carla Bruni, qui ne lui en demande pas tant, mais il est ainsi, Sarkozy. Il doit lui prouver son amour, lui en apporter la preuve forte et irréfutable. En sacrifiant les protégés de Cécilia… Le ressort est monstrueux, informulé, évident.

Et pendant ce temps-là, à la Cour, les presque disgraciés survivent.

Ils font *buona figura*, comme moi. Ils continuent à faire illusion, mine d'exister, de compter encore, de traiter, comme avant, comme toujours, les affaires du monde, alors qu'ils ne seront bientôt plus rien. Ils se prennent le pouls social tous les matins, trouvent chez les solliciteurs moins d'empressement, moins de flamme, pis, ces derniers se détournent. Ils portent beau en ville, là où la rumeur de leur déconvenue n'est pas encore parvenue.

Au palais, on reconnaît le disgracié. Il s'agite, travaille plus encore, cherche le contact. Il en fait trop et ça se voit. Il passe son temps à démentir sa disgrâce annoncée ; et en s'agitant ainsi, comme dans des sables mouvants, il s'enfonce plus encore. Quoi qu'il fasse, il est condamné. Tout au plus, cherche-t-il à sauver quelques instants de sa vie à la Cour, à espérer un miracle, un accident heureux, la disgrâce d'un autre qui lui permettrait un sursis. Tout plutôt que de quitter le palais ! La rumeur de sa disgrâce n'ayant pas été confirmée, il vit dans l'espoir d'un rétablissement. Il le guette : revenir en grâce, comme ce duc croisé chez Saint-Simon qui, tant qu'on n'annonce pas sa mort, s'accrochait à la Cour.

Il fait bonne figure, mais il porte le masque du « mort vivant ». La disgrâce se voit sur son visage, gris d'inquiétude, frappé par une coulée d'acide. La disgrâce saute aux yeux, elle porte son nom. La dis-grâce.

Il devient un fantôme qui se met à errer dans le palais ; une ombre attentive à tout ; particulièrement à ce regard d'effroi du collègue ambitieux qu'on voit fuir et se signer, si par malheur il le croise. Car la disgrâce est une maladie contagieuse.

Il se place sur le chemin du prince, guette un signe, une phrase affectueuse ; l'approbation sur une note envoyée ;

une aumône qui viendrait le rassurer. Il guette ce rien qui le maintiendrait en vie. Un regard, il implore ce regard après une allocution ou dans un couloir. Cela, le prince le sait, et il en joue. Bienveillant ? indifférent ? noir ? ou affectueux comme avant ? Je dus être misérable moi aussi, durant cette période. Passer son temps à traquer dans leurs regards un signe de rétablissement ou d'aggravation de la maladie dont je venais d'être atteint. Je hais cet état où je suis rendu de meuble du palais. Cet idiot addict et inquiet qui avait fini par être convaincu que sa vie ne tenait qu'à ce fil qui le relie au prince.

7

Le clash

Je continue mon travail, en espérant trouver ma « sortie par le haut », et j'entretiens encore quelques chimères, dont celle de protéger Sarkozy.

Ainsi en est-il de la déconvenue finale.

Une commission chargée de l'audiovisuel public va être installée. Il a été convenu d'en confier la présidence à Frédéric Mitterrand. L'idée de cette nomination vient de Sarkozy et elle me satisfait. « Frédo », que j'ai connu dès les débuts pionniers de L'Entrepôt, est un bon choix. On peut compter sur son sens du service public. Avant l'installation de cette commission, je veux toutefois rencontrer les parlementaires chargés de ces questions à l'Assemblée nationale et au Sénat, afin de les impliquer dans cette instance.

Mais, au cours de mes consultations, je prends conscience que cette commission « société civile » est très mal perçue par les députés et les sénateurs, aussi bien à gauche qu'à droite. Le climat est mauvais. Les sénateurs et les députés UMP en ont assez d'êtres négligés. L'hyperprésidence les écrase. Je prends conscience qu'avec une nouvelle commission « société civile », ça ne manquera pas, la fronde sera au rendez-vous. Elle n'est pas retombée depuis la commission Attali[1], qui, malgré ses qualités anticipatrices, les avait frustrés. Cette nouvelle commission sera la commission de trop, j'en suis certain.

Je fais mon job. Je signale la difficulté au président et à Guéant. Dans une note, j'évoque le mauvais climat parlementaire, dont personne ne se soucie à l'Élysée – ce qui fait l'affaire de Jean-François Copé, isolé, qui va prospérer sur ce terreau… Je suggère la possibilité d'une commission mixte, codirigée par Frédéric Mitterrand et un parlementaire légitime. Je n'ai aucun retour. J'en reparle à Guéant, à ces quelques conseillers de l'Élysée, qui, dans le désordre de l'époque, suivent les relations avec les parlementaires. Mon constat est sans appel pour qui a un peu de flair politique, mon propos de bon sens. Pourtant, je sens chez Guéant une gêne, et chez les autres carrément de l'agacement.

Une après-midi, je suis convoqué dans le bureau du président. Il veut me voir. Je ne suis pas mécontent de ce rendez-vous. Je pourrai enfin lui parler, en direct. Cela se réglera en quelques mots. Il est fin politique, il comprendra ce que Guéant ou d'autres ne comprennent pas. Je suis sûr de mon fait et détaché des frayeurs du courtisan quand j'arrive au rendez-vous.

Mais au bout du Salon Vert qui sert de couloir pour accéder au bureau du président, l'huissier n'a pas le

---

1. La publication sans concertation des 316 propositions du rapport Attali a soulevé la colère des députés UMP qui ne souhaitent pas que toutes les mesures soient appliquées sans modifications, comme le voulaient Attali et Sarkozy. Ils exercent leur droit d'inventaire.

temps de m'annoncer. Au moment de franchir le seuil de ce bureau familier, je suis happé. La pièce est dans la pénombre, et dans ce contre-jour, je vois fondre sur moi une masse qui fonce en hurlant :

– C'est moi qui nomme... C'est moi qui nomme... C'est moi qui nomme !

Je suis saisi et incapable de savoir de quoi il parle. Je le vois tourner autour de moi, il a son regard en vrille, le même qui m'a cloué un jour de colère, l'an passé, à propos de Johnny Hallyday. Il hurle plus fort encore que sur Guéant l'autre fois. Tout tourne dans la pièce.

Je suis groggy, dans ma tête les questions se bousculent : de quoi parle-t-il ? Qu'a-t-il à me reprocher ? Où ai-je mis les pieds... ? Quand ce cauchemar cessera-t-il ?

Je reprends mes esprits. Il ne peut s'agir que de cela : il parle de cette « commission Mitterrand ».

Et tandis qu'il crie encore, je me demande, comme par un réflexe de survie, d'où vient cette cabale : une simple mise en garde ne vaut pas une telle fureur... Qui l'a remonté ainsi ? On a dû charger la barque. Tout secoué que je suis, j'imagine ce qu'on a pu lui dire pour le mettre dans cet état : le chauffer ainsi à blanc.

Au bout d'un moment, il cesse de tourner et de hurler, et je découvre qu'il y a quelqu'un d'autre dans la pièce. Le principal intéressé : Frédéric Mitterrand.

La rencontre est inattendue et pour le moins scabreuse. Il s'agit de lui, de sa nomination. Je tremble de rage. Je lui en veux de ces cris, de cette folie, de m'avoir mis dans une telle situation. Je me rétablis et je décide de faire face.

Je m'assieds en vis-à-vis de Frédéric Mitterrand, qui lui est sur le canapé. Je marque une pause ostensiblement, j'ai besoin de souffler après cette tempête. Je cherche son regard, son attention à lui, Frédéric. Pas celle du président qui, dévasté par sa colère, rumine dans son coin. Je suis si sonné que paradoxalement je retrouve une certaine sérénité. J'explique tout à l'encombrant témoin, je ne lui cache rien : la commission Attali et ses effets pervers chez les parlementaires, la réaction des commissions du Sénat et de l'Assemblée, la température dans le groupe UMP et une possible fronde à venir...

Frédéric Mitterrand m'écoute avec attention. Il semble découvrir le bourbier où on va le mettre. La conversation entre nous est pacifiée. Je répète à Mitterrand mes craintes. J'assume ma position. Je tiens bon. Nicolas Sarkozy, que j'ai décidé d'ignorer, nous a rejoints.

Il suit la conversation désormais. Il s'est calmé et approuve même certaines de mes mises en garde. Il participe même carrément. Nous évoquons des noms pour la composition de cette commission mixte ; à cette idée de nomination, Nicolas Sarkozy semble retrouver sa bonne humeur. Il veut voir la liste, il a oublié la fureur, tout au bonheur de nommer, ou de ne pas nommer, approuvant, heureux de celui-ci, inquiet de celui-là, trop proche de Carla. Tout s'est effacé. Il retrouve la paix et les manettes. Il s'est radouci et je commence à comprendre. La cour avait trouvé le bon chiffon rouge avec la nomination de Frédéric Mitterrand, auquel il tenait. On lui avait caché les véritables motifs de ma réticence : la mauvaise humeur des parlementaires. On avait mis en avant mon opposition à son bon plaisir. Ils lui avaient fait croire à un petit putsch domestique. Je m'opposais à sa nomination. Je m'étais emparé d'un des attributs du prince. Son autorité. Son sceptre.

La commission Frédéric Mitterrand ne vit jamais le jour. Nicolas Sarkozy et Claude Guéant convinrent un peu plus tard qu'il n'était pas opportun de provoquer les parlementaires. Et tous ceux qui avaient soutenu la candidature voulue par le Prince cherchèrent des arguments pour ne pas le nommer. C'est ainsi que je vis passer la note d'un technocrate zélé qui, après avoir manœuvré en faveur de Frédéric Mitterrand, mettait en garde Claude Guéant contre la « mauvaise réputation sexuelle » du pressenti.

Cette scène est décisive. Ce traumatisme est salvateur. Ses cris m'ont réveillé.

L'explosion de rage du Prince est venue non pas me dévaster, mais m'habiter. Je le revois avec son regard en vrille. Je l'entends. « C'est moi qui nomme... C'est moi qui nomme... » Je repasse le film, depuis les saisons heureuses de *À la Maison-Blanche* jusqu'à ce cauchemar balzacien où je me suis fourré.

8

Disgrâce provoquée

Je suis dans un train fantôme, c'est le souvenir que j'ai de la période qui suit. Je suis KO, je suis lucide. Curieusement, je ne lui en veux pas. Je le plains, ce pauvre roi qui dans l'obscurité m'a hurlé dessus. Le misérable, ce n'est pas moi, c'est lui, cet impuissant qui donne l'illusion de la toute-puissance s'accrochant au seul pouvoir qui lui reste : nommer, nommer, nommer.

Je glisse. Je n'ai plus envie de me battre, plus envie de faire semblant, j'accepte ma fin ; je désire même la hâter, fuir, sortir à tout prix. Je ne cherche même plus « à sortir par le haut » comme je l'avais ambitionné, je n'ai plus ce luxe, il faut en finir. Je marche vers la disgrâce totale, sans regret. J'ai hâte que « ça » se termine. Je vais vers elle dans un état de dignité absurde.

Je trouve une occasion unique d'en finir : la réunion « conclusive », avec ministres et président, sur le projet de l'Audiovisuel extérieur de la France. Elle se tient le 15 février 2008.

Je me rends à cette réunion avec sous le bras les préconisations du Copil, et porté par la confiance du groupe de hauts fonctionnaires avec qui j'ai travaillé des mois. Nous avons bâti un projet ambitieux et moderne, nous en sommes fiers. Mais je vais le défendre devant les « chefs », ils le savent tous, dans un climat peu favorable. Le président, après s'être désintéressé de l'affaire, vient de s'en emparer. Et il a son idée sur la question : supprimer l'anglais, garder le français comme langue unique de diffusion – une abberration –, et aussi sa petite idée sur la nomination. Une rumeur absurde circule ; il voudrait nommer Christine Ockrent. La propre femme du ministre des Affaires étrangères à la tête de cet ensemble public ! C'est un peu gros, je sais que la journaliste désire ce poste – une consécration pour elle – mais je n'y crois pas, ce serait une folie. Je rassure les membres du Copil dont certains peu convaincus font une drôle de tête.

En arrivant dans le Salon Vert, je trouve une atmosphère particulière. On l'attend, tout le monde debout, surjoue la bonne humeur, sans perdre du regard la porte du bureau présidentiel qui va s'ouvrir d'un instant à l'autre. Les ministres se tombent dans les bras les uns des autres et leurs conseillers échangent. Je m'étonne de la grande complicité entre Albanel et Kouchner. Il lui fait des mamours, alors qu'il la traitait jusque-là comme quantité négligeable. Elle, que l'on dit menacée, semble tellement heureuse de trouver un allié puissant. Je ne les avais jamais vus aussi proches, je trouve ça bizarre.

Le président déboule. Tout le monde se raidit. Kouchner lui lance un regard énamouré auquel il répond. Ils sont au mieux à cette époque[1]. Bernard Kouchner et son

---

1. Emmanuel Berretta, « L'histoire secrète de la nomination de Christine Ockrent à France Monde », *Le Point*, 21 février 2008.

épouse étaient pour les vacances de Noël en Égypte, où séjournait également Nicolas Sarkozy. Le couple figurait parmi les rares invités à l'anniversaire surprise du président, chez Carla Bruni, le 30 janvier.

Un léger flottement s'ensuit. Qui va présenter le rapport ? Kouchner me propose alors la *place du mort*, celle qui consiste à défendre le projet face au PR, avec un grand sourire, et sans quitter des yeux Albanel. Je décline.

La réunion est menée à la hussarde. On ne prend pas le temps de détailler le compte-rendu du rapport qui a pris six mois de notre temps, mobilisé une bonne dizaine de hauts fonctionnaires et coûté des milliers d'euros au contribuable en consultations privées. On passe l'essentiel de la réunion sur la question de la suppression ou non de l'anglais sur les antennes de France 24. C'est l'événement de la réunion. Sarkozy argumente. Kouchner lui répond. La joute amuse la galerie et on finit sur une motion mi-chèvre mi-chou : « On verra pour la suppression de l'anglais, puisque Bernard y tient tant. » Les deux hommes échangent encore un regard langoureux. Puis on survole le reste, toutes les questions vraiment importantes, passées elles en revue express. On ne perd pas de temps « avec Internet et toutes ces fumeuses histoires dans le rapport » ; le président, en disant ça, me fusille du regard. C'est mon idée, ambiance. Malgré cela, on valide la réforme.

À un moment est évoqué un détail administratif. La tutelle de TV5, détenue et financée depuis des décennies par le Quai d'Orsay, passera sous celle du ministère de la Culture et de la Communication. La ministre de la Culture remercie de son « cadeau » le ministre des Affaires étrangères, qui s'empourpre – un cadeau de plus de cent millions soustraits au budget de son propre ministère ! On n'avait pas vu telle magnanimité dans l'État depuis longtemps. Tout à coup, je comprends la manipulation. Non, ce n'est pas possible ! Ils n'ont pas osé ? La ficelle est grosse. Je n'avais pas imaginé l'étendue de leur culot ; pas vu venir ce tour de passe-passe administratif qui tout à coup rend possible l'impensable. Grâce à ce transfert de compétences, plus rien ne s'oppose, dans leur esprit, à la nomination de l'épouse du ministre des Affaires étrangères.

Et c'est alors que l'on décide de nommer.

S'ensuit un semblant de tour de table sur le nom du président de l'ensemble audiovisuel. Mais bizarrement, tout le monde passe son tour, aucun nom n'apparaît. Autour de la table, on a l'air de patauger. Les ministres ont pourtant été informés. Ils ont tous reçu les notes du Copil. Ils disposent d'une *short list* de candidats qui ont été suggérés par leurs administrations. Elle fait consensus chez les spécialistes. Mais non, à ce moment-là, personne n'a la moindre idée... Alors, faute de candidature désirable, on en vient à trouver quelques qualités au P-DG en place de France 24, Pouzilhac, dépassé, contesté, nommé par Chirac... De fil en aiguille, Albanel évoque même la possibilité – et pourquoi pas ? – de le reconduire et de lui confier en plus l'ensemble de l'audiovisuel extérieur. Le moins bien noté par le comité d'experts.

Au bout de quelques minutes, plus rien ne s'oppose à ce qui est devenu une évidence : reconduire Pouzilhac. Car, tous le savent, la reconduction de Pouzilhac conduira à la nomination de Christine Ockrent, qui formera avec lui un tandem.

Je suis estomaqué.

Les jeux étaient donc faits. Tout avait été réglé dans la coulisse. Le « cadeau » de la tutelle fait par Kouchner ; la nomination de Pouzilhac, le plus mal noté ; le deal avec

Ockrent ; l'axe Kouchner-Albanel. Je découvre cette décision folle, digne d'une république bananière, le bon plaisir dans toute son horreur.

Je me sens floué. J'ai donc travaillé pour ça, durant tous ces mois, et l'équipe du Copil avec moi. Depuis le début j'ignorais tout. Soudain la conscience aiguë de ce gâchis provoque en moi une réaction inattendue.

Je lève le bras pour intervenir, alors que l'on s'apprête à lever la séance, heureux et soulagé que cette affaire ait été rondement menée. Je me souviens d'avoir fait ce geste, comme on caresse le détonateur d'une bombe. Les ministres accueillent mon intervention avec étonnement – les échanges ont été concluants, que puis-je bien ajouter ? Et je vois surtout un éclair d'agacement chez le président – qu'allais-je encore dire qui allait rompre la concorde autour de la table... ?

Et là, je propose que l'on prenne en compte « d'autres personnalités susceptibles d'aller dans le sens de l'intérêt général ». Devant cette petite assemblée, abasourdie par mon indiscipline, je cite le tandem Colonna-Lescure, atypique et complémentaire ; ou encore Emmanuel Hoog, qui a fait du bon travail à INA...

C'est à cet instant que la bombe explose.

J'entends un ronron de réprobation, un grondement. Puis un terrible fracas, comme si le décor du Salon Vert chavirait. Je vois les regards indignés, affolés, des ministres et des conseilleurs braqués sur moi ; j'entends la voix de Sarkozy me jeter à la figure : « Ça suffit, Hoog et tes fabiusiens ! »

Et je revois son œil furibard de roi qui veut nommer, et dont je suis encore venu gâcher le bon plaisir.

Je suis mort.

9

« Il faut que tu quittes le palais »

« Il faut que tu quittes le palais. »

C'est par cette simple phrase que Guéant m'annonce la nouvelle. Je l'attendais, je la guettais, je me demandais quand et comment elle viendrait.

Je ne proteste pas. Je suis même soulagé et je me fais spectateur.

Je l'ai déjà vu couper des têtes, ou plutôt « opérer », c'est comme ça que l'on dit au palais. Claude Guéant est un maître dans ce genre d'exercice. Il en a l'exclusivité à la tête de l'État. Il exécute les préfets, les hauts fonctionnaires, un conseiller de cabinet qui a déplu ou un ministre que l'on va virer avec un doigté remarquable, celui de l'étrangleur ottoman. Sans souffrance inutile et surtout sans un cri. Sarkozy décide de « l'opération », ensuite il ne veut rien savoir : le prince est sensible et la vue du sang, du malheur, toutes ces complications sentimentales le bouleverseraient, ou, qui sait ? le feraient changer d'avis. C'est donc le sacerdoce du secrétaire général. On ne peut pas dire qu'il aime cela, « opérer ». Couper des mains, des jambes, des têtes ; il a sa sensibilité, Guéant. Mais, comme le bourreau, il a sa fierté ; avec lui, le travail est bien fait, sans états d'âme.

J'ai imaginé ce moment, l'exécution. Mais cette phrase ainsi formulée, « Il faut que tu quittes le palais », donne à la chose une réalité, un sens nouveau, plus cruel encore. Jusque-là, la disgrâce était redoutée mais abstraite. Elle était devenue une menace dans laquelle je vivais et aussi une espérance. À présent, elle est un couperet. Dans la voix du secrétaire général, c'est un décret brutal. Une sentence d'éloignement.

À travers lui, la République me chasse. Elle me veut hors de sa vue. La disgrâce, c'est donc aussi cela. La disparition.

Durant l'entretien, qui est courtois, un instant la porte s'ouvre ; celle qui donne sur le Salon Vert et fait presque un sas avec le bureau du président. C'est lui, Sarkozy. Il me voit, nos regards se croisent, il reste ainsi derrière la double porte entrebâillée. Il fait signe à Guéant, qui s'approche. Il lui chuchote une banalité sur des courses en ville qu'il va faire. Tandis qu'il lui parle il continue à me regarder, de loin, du coin de l'œil, fuyant. Pourquoi est-il venu ? Pour vérifier si le travail est fait ? Si « l'opération » s'est bien passée ? Pourquoi n'est-il pas entré ? N'a-t-il pas osé me le dire lui, les yeux dans les yeux ? Derrière sa porte et les dorures dans lesquelles il se barricade, il paraît tout à coup autre, mesquin.

Guéant revient à sa place. Il note une recommandation du président sur son petit cahier, toujours son petit cahier, puis il revient à moi. Maintenant que « l'opération » est faite, il a l'air soulagé. Il se détend :

— Tu sais, ton départ, c'est plutôt un signe de réussite, pour toi. Tu existes, tu as existé, tu es gênant... Tu as réussi à compter. Si ça peut te rassurer.

Il veut me consoler. Il a une hésitation et il continue :
— Tu sais, aussi… Aujourd'hui c'est toi… *(Un silence.)*
Mais je ne sais pas si tu as remarqué… *(Un autre silence.)*
Demain, ce sera peut-être moi. Ces temps-ci, ce n'est pas facile…

Je ne lui en veux pas. On croirait un exécuteur sentimental qui cherche à survivre dans la cour de Staline.

Ensuite, il envisage avec moi l'« exfiltration », c'est ainsi qu'on dit au palais. Notre accord de la rue Saint-Dominique prévoit de me « trouver une sortie » après l'abandon de mes activités de journaliste et de producteur.

Il me propose la villa Médicis.
— Tu seras heureux… Tu es veinard…

Il éprouve tout à coup du bonheur. Il m'exécute et en même temps il me fait un cadeau de rêve, croit-il. À cette évocation, je comprends que l'idée de me confier la villa Médicis traîne depuis des semaines ; ce jour de décembre où, alors que je venais lui remettre mon dossier d'instruction des candidatures, il avait mystérieusement décidé de bloquer la procédure. Ils en avaient parlé à Sarkozy – j'ai compris – à la veille de ce voyage au Vatican que nous avions préparé ensemble, et cet écho paru dans le *JDD* avait été un ballon d'essai. La villa Médicis, cela venait donc de loin.

Contrairement à ce qu'il doit attendre, je refuse sans hésiter. La villa Médicis, je n'en veux pas. Je ne veux pas de cet exil au nom de son bon plaisir. Et puis j'ai des motifs sérieux : l'éloignement de mon fils de sept ans, ma vie privée, ma compagne qui refusera de quitter Paris. En vérité, je n'en veux pas, de cet exil stendhalien, de ce cadeau royal. En rejoignant Sarkozy, je voulais agir. Non, je ne veux pas de la villa Médicis, de cette retraite à mon âge. Guéant s'étonne. Il insiste.

— Tu ne connaîtras pas ton bonheur.

Il plaisante même.

— Alors, décide-toi ! Il faudra que tu me gardes ma chambre quand tu seras là-bas !

Il s'évertue à me faire l'article. Je reste sur ma position. Je veux bien quitter le palais, mais à condition qu'on m'assure une sortie honorable. À Paris, pas à Rome.

*

Quelques jours plus tard, le secrétaire général me convoque à nouveau.

— Alors, tu as réfléchi ?

Je persiste dans mon refus.

— La villa Médicis, tu es fou, tu ne sais pas ce que tu perds !

Je comprends que je complique l'exfiltration. Je n'en suis pas mécontent : après tout c'est mon « bon plaisir » à moi de ne pas vouloir être exilé à Rome. Je fais la mauvaise tête. Je mets dans une position impossible le patient Guéant. Je persiste à refuser le royal cadeau, lui réponds qu'il n'a qu'à se débrouiller.

Guéant garde sa placidité et note sur son petit cahier.

*

Quelques jours plus tard, il me convoque derechef, c'est la troisième tentative.

Le secrétaire général a l'air ravi, enfin soulagé d'avoir trouvé une solution. Il me propose toujours la villa Médicis. Ou bien… si je le souhaite, une ambassade, l'ambassade de France à Malte.

Il dit ça avec joie, et du soleil dans l'œil. Cette fois sera la bonne, doit-il se dire. Je fais la grimace. Je n'ai guère à me forcer.

Malte ! C'est une plaisanterie, une provocation sadique. Malte, dans mon esprit tourmenté, ce n'est plus un exil, c'est une humiliation. Me voir associé à cette horrible image fondatrice, avec la soirée du Fouquet's, lui sur le yacht de Bolloré. Retourner sur les lieux du crime. Pas question. Ni Malte, ni Rome. Je persiste dans mon refus.

*

Les jours passent. Les mauvais sondages et les nuages s'accumulent au-dessus du palais depuis le « casse-toi pôv' con » du salon de l'Agriculture. Les élections municipales s'annoncent comme un désaveu pour le président. À l'Élysée, l'ambiance est sombre, électrique, plus que jamais. On ne parle que de « remaniements » : remaniement à Matignon, remaniement au gouvernement, remaniement au cabinet du président. Ambiance de terreur. On attend la grande purge.

Guéant revient vers moi. Cette fois, sa patience semble à bout.

Il ne cherche pas à me convaincre, ou à me vanter les solutions ou les villégiatures qu'il m'a trouvées. C'est à prendre ou à laisser. La villa Médicis ou rien.

Il ajoute, pour me convaincre, que je pourrai souvent revenir à Paris. Henri Guaino aura certainement besoin de moi dans son projet d'Union méditerranéenne.

Je n'ai plus le choix. Pas assez courageux ni assez riche, j'accepte de mauvaise grâce.

C'est alors que débute ce qu'on a appelé « l'affaire de la villa Médicis ». Une pétition est lancée contre moi à l'initiative d'un candidat malheureux et par des figures de la gauche orthodoxe ou mondaine.

L'affaire émeut les médias. Elle se complique lorsque Carla Bruni et sa sœur, proches de Richard Peduzzi, directeur à cette époque de la villa Médicis, s'en mêlent. Elles le soutiennent. L'affaire devient carrément ubuesque lorsque Guéant m'apprend que je ne pourrai être officiellement nommé que six mois plus tard, pour des raisons administratives.

Pendant ce temps, la polémique s'amplifie. Le président se laisse circonvenir par son entourage. Les pétitions l'impressionnent.

Quelques jours plus tard, je retourne dans le bureau de Guéant. Il a l'air bien ennuyé et m'annonce tout à trac : « Le président a renoncé à te nommer à la villa Médicis. »

Je le regarde, je me demande s'il s'agit d'un canular tant la chose me semble énorme. Ils insistent depuis des semaines avec cette villa Médicis et voilà qu'ils me lâchent en pleine tempête !

« Tu comprends, avec ce mouvement, cette pétition, c'est intenable pour le président. »

Et tandis que Guéant est à son meilleur, impassible, j'explose : « Me faire ça ? M'exécuter une seconde fois ? M'humilier publiquement, me flinguer socialement alors que je n'en veux pas, de ta villa Médicis ? »

Je me perds dans ma colère. Le cauchemar continue : ce n'est plus la disgrâce, c'est l'enfer. La promesse de l'enfer. J'entends d'ici les rires de la ville, les moqueries de mes pairs, la joie des humiliés et des snipers. Moi qui voulais sortir par le haut, me voilà jeté aux chiens avec cette reculade du prince.

C'était la pire des sorties. La sortie par le bas.

L'affaire de la villa Médicis fit si grand bruit que le prince voulut réparer. On me proposa par la suite l'ambassade de Malte à nouveau (mais je savais Kouchner hostile), si je le voulais la présidence de la Cité de l'architecture (« le président peut dégager, il sera maire de Versailles, et les architectes t'aiment bien, on s'est renseigné »), le poste – paraît-il très convoité – de conseiller culturel au Maroc, sans trop y croire l'ambassade de Monaco, l'ambassade de France au Vatican – certains y virent une provocation ; on parla d'un beau consulat général quelque part en Espagne et aussi du Centre national du cinéma…

Je n'avais qu'à choisir.

Je refusais tout, je ne pensais pas. Je refusais, usé, dégoûté, épuisé. Je ne voulais plus rien, sortir de cela, de cette dépendance, de la Cour, de mon mal-être ; n'avoir plus à croiser un ministre ou son cabinet, quitter cette comédie du pouvoir où je serais de toute façon en position d'obligé.

Je voulais reprendre ma liberté. Je pensais que ce serait facile.

10

Dead Man Walking

« Rien ne te sera épargné », m'avait prévenu un de ces « corsaires urbains » que l'on croise à Paris, en parlant de la suite, la vie après la disgrâce.

Je devais payer, mais quoi au juste ? On ne pouvait rien me reprocher (et pourtant ils avaient cherché), pas de malhonnêteté, pas d'affaire de mœurs, pas de « conflit d'intérêt », pas même une déloyauté à l'endroit du palais. Ils n'avaient rien sur moi, aucune affaire qui tue. Ma « disgrâce » était chimiquement pure. Néanmoins, il fallait bien nourrir le ventre médiatique : les articles allaient se délecter de ma descente aux enfers, les portraits de moi en « marquis » autoritaire ou dilettante, c'est selon, allaient se multiplier ; et puis, comme il fallait faire ronfler l'anecdote, on m'accrocha cette « affaire de la villa Médicis ». Le prince m'ayant doublement lâché, le « cadeau » symbolique, fait puis retiré, était mieux qu'une disgrâce. La marque d'une infamie.

La plus exemplaire inscription de cette disgrâce sera ce portrait du *Monde*, et cette affichette accrochée dans tous les kiosques de France. Il y était écrit : « La chute d'un courtisan ». Cette affichette, je ne la vis pas, car je restai terré chez moi ces jours-là. Et c'était pire. Je ruminais en l'imaginant. Les badauds du week-end qui passaient devant l'affichette ; ces couples avec enfants qui parlaient de moi comme d'un mort ; ces rivaux ou ces pairs qui rigolaient de mon accident ; ces compagnons de route qui apprenaient par la presse ma triste fin chez Sarkozy ; ceux de gauche, ceux de droite, de Paris, de province ; ceux du palais attirés par le sang, le mien...

Circonstance aggravante pour moi : les gens du *Monde* n'avaient pas choisi d'écrire « La chute d'un conseiller », ils avaient pesé leurs mots : « La chute d'un courtisan ». Un courtisan à terre. Je n'étais plus que cela ; ma vie bousillée, oubliés les journaux, l'aventure *Globe*, mes livres, mes films, toute une vie réduite à cela. Cette misère. Cette affichette. Car j'y croyais. Je croyais en effet que j'étais celui-là. C'est l'effet de la Cour, de toute dépendance, au fond. Croire à ce miroir qu'on vous tend. L'époque n'a pas beaucoup d'imagination. La puissance rétinienne de l'affaire de la villa Médicis autant que la double disgrâce prononcée étaient telles que tout me renvoyait à cela. Un courtisan. Un courtisan mort.

Une ombre, pis, un maudit de Sarkozy.

J'étais « cramé », comme ils disent. Carbonisé. Je n'avais pas voulu de leurs postes officiels, toutes leurs sucreries. Je n'avais pas écouté ces proches qui m'avaient conseillé d'accepter n'importe quoi, dès lors que Guéant me le proposait : cela adoucirait ma disgrâce. Je ne les avais pas écoutés. Je faisais le fanfaron.

Je me reconstruirais, et sans lui.

Longtemps c'est un sparadrap dont je ne parviens pas à me débarrasser, qui colle et m'encombre : qu'est-ce que j'avais été faire chez Sarkozy ? Parfois, je lis du chagrin chez le possible ami, de l'incompréhension chez ceux qui me suivaient depuis *Globe*, ou ces vieux profs de gauche qui avaient aimé mon *Dernier Mitterrand*, ou cru que le héros du *Promeneur du Champs de Mars* me ressemblait en tout point.

À d'autres occasions, c'est carrément de la haine, j'étais devenu un « ennemi de classe ». C'est aussi un poncif, un tic de journaliste, ce commentaire incontournable, répliqué à souhait : « Le sulfureux Benamou, allé de Mitterrand à Sarkozy. » Il y a toujours à un dîner un peu mondain ce regard lourd que je connais bien, de celui qui, narquois et renseigné, prétend en savoir long sur moi, et qui, tandis qu'il ripaille, me félicite de « savoir si bien nager ». J'ai fini par avoir en horreur cette mauvaise connivence avec la canaille.

Je me mets à chercher du travail. Je ne doute pas d'en retrouver, mais partout je reçois le même accueil gêné. Les journaux me sont fermés. Je suis trop à droite pour la presse de gauche, trop à gauche pour la presse de droite ; et trop qualifié pour les autres. Je comprends que j'ai brûlé mes vaisseaux. Les radios et les télévisions où j'ai longtemps éditorialisé sont aussi embarrassées. À Europe 1, où j'ai tant travaillé, on préfère éviter de déplaire à Sarkozy.

Je tente de reprendre le fil de certains projets audio-visuels abandonnés en entrant à l'Élysée. Je me heurte à l'hostilité de Carolis et de ses hommes. Seul Patrice Duhamel m'ouvre sa porte en acceptant que France Télévisions s'engage dans ce qui deviendra un très beau film, tiré du livre de Daniel Cordier, *Alias Caracalla*. Au moment de ma chute, un autre grand projet commence – bizarrement – à devenir moins désirable. Le film adapté de mon *Fantôme de Munich* rencontre des difficultés inattendues, et le grand Milos Forman est traité lui aussi comme un « maudit »... « Rien ne te sera épargné. » On m'avait prévenu : « Tu auras la droite contre toi, la gauche contre toi, et aussi les antisémites. »

Le pire vient de la gauche, ces deux générations, les gauchistes et les quadras, qui ensemble me reprochent Mitterrand, Bergé, le trop jeune patron de presse que j'ai été. Pour eux, je suis non seulement un traître, mais pis encore : un « traître dont on n'a pas voulu ». J'évite la rive gauche, je n'ai rien à faire rive droite, sinon rencontrer parfois d'autres disgraciés de Sarkozy qui vivent à distance de la Cour et dans l'espoir d'y revenir. Je ne sors plus. Je fuis les autres, ou ce que j'imagine, les regards fermés, les sarcasmes, et le risque que quelques-uns se détournent. Je déprime. Je rumine. Je crois n'entendre que des fous rires à mon passage. Je rase les murs, sauf ce soir où un idiot se moque de moi dans la rue : « Alors toujours pas à la villa Médicis ? » Je manque de le boxer devant sa fiancée paniquée.

Je cherche ailleurs que dans les médias. Je me souviens aussi de la gêne que je provoque chez les puissants. Il n'y a plus chez eux la bonne humeur de l'entre-soi. Une ombre passe dans leur regard. Ils se demandent, me soupèsent (mes chances de revenir, mon pouvoir de nuisance). Finalement, le poids de ma disgrâce l'emporte toujours. Ils ne veulent pas désobliger le prince. Ils m'éconduisent.

Mes meilleurs amis d'une saison sont pires que les autres. Humiliés de s'être trop courbés, ils me le font payer.

Je me souviens aussi que la femme pour qui j'étais resté à Paris s'éloignait de moi. Et que mon fils pleura un soir en tombant sur un article de *Marianne* qui m'était consacré. Je me souviens que je n'arrivais plus à écrire.

Deux années passèrent dans ce tunnel.

Je mis du temps à le comprendre.

Le plus difficile à vivre, ce ne fut pas d'avoir été ce disgracié de Sarkozy – il y en eut tant, et tellement plus à plaindre que moi. Ce qui me coupa les jambes après cette chute, c'est que l'infamie avait été décrétée par la plus haute autorité.

Avoir été mis « au piquet de la République ».

C'est ce sentiment qui domine, s'éclaircit ; cette névrose républicaine qui se précise avec le temps. Elle me tétanisa jusqu'au jour où je parvins à le formuler durant mon analyse : j'avais été au « piquet de la République ». Le Petit Chose avait failli. Il devait tourner le dos au monde, se taire, bonnet d'âne sur la tête.

Paradoxalement, le discours de Grenoble fut ma sortie de deuil. L'éclatante, la désespérante, la tardive preuve que mes inquiétudes étaient fondées, et que je n'avais pas mérité ce bonnet d'âne. Je recouvrai une estime de soi démolie, et une parole disqualifiée. Le discours de Grenoble, ce coup de menton haineux, raciste, minable, était la preuve absolue que le prince avait fait fausse route. Lui, et pas moi. Jusque-là, j'avais pu douter. J'avais à lui reprocher un style autoritaire et extravagant ; des divergences sur l'amplitude des réformes ; une approche cynique des choses, mais je respectais l'Élu, l'institution. Je ne m'en étais pas encore libéré. Mais là, plus de doute, avec le discours de Grenoble, il avait porté atteinte aux valeurs morales comme républicaines. *J'avais été mis au piquet de la République par un piqué...* Le déclic se fit de la sorte devant mon analyste. Avec cette formulation injuste, excessive, insultante, je le reconnais. Mais c'est un des détours de la thérapie ; c'est ainsi que je l'ai vécu, et pus me rétablir.

Il était le président certes, il était le « PR », il restait au centre de cette comédie française qui tous les jours se rejouait, mais j'avais saisi qu'il n'était qu'un homme défaillant.

Un père de la nation défaillant...

Conclusion

De « petits présidents »

Je veux cependant le préciser : être ce « père de la nation défaillant » n'est pas une exclusivité de Sarkozy. La singulière situation du chef de l'État en ce début du XXIe siècle me rappelle – encore lui, mais comment l'éviter sur le sujet ? – cette phrase du dernier Mitterrand : « Je suis le dernier des grands présidents. »

Le jour de son dernier Conseil des ministres à l'Élysée, le président m'avait invité à déjeuner dans son appartement privé au palais. Il avait longuement médité sur la lignée des chefs français dans laquelle il s'inscrivait ; il avait mêlé dans son énumération les républicains et les autres, avait regretté de ne pas avoir duré plus que Napoléon III (sa bête noire, pourtant, puisqu'il avait toujours eu le projet d'écrire un livre sur le coup d'État du 2 décembre), et comme pour conclure, il avait lâché cette phrase folle : « Je suis le dernier des grands présidents... dans la lignée de De Gaulle. Après moi, il n'y aura que des comptables, des petits présidents. » La formulation, et le ton plus fataliste qu'inquiet, m'avaient marqué. On a cru qu'elle était l'effet de son historique orgueil. Elle est restée dans les esprits.

Après lui, des « petits présidents »[1]...

En 2007, la France s'était donnée à Sarkozy, impatiente d'entrer dans son siècle, volontaire pour l'ardeur et même le sacrifice. Mais il avait failli. Il avait la possibilité pourtant, les troupes, le talent, la force, le non-conformisme, l'idiosyncrasie, pour enrayer le déclin français. Il lui manqua l'essentiel, comme à son successeur d'ailleurs, un dessein et la foi. La force de parler au pays, une vision, cette espèce de messianisme que l'on trouve chez de Gaulle ; ou cette mystique de la cohésion nationale propre à Mitterrand. Comme tant d'autres, il avait voulu le pouvoir pour le pouvoir, par jouissance d'abord, sans savoir qu'en faire une fois en place. Sans cap et sans le courage d'affronter les Français et leurs chimères.

Voulant durer, seulement durer et nommer, Sarkozy n'est pas venu contrarier le « peuple versatile », de peur qu'il ne se braque.

Depuis Sarkozy, un autre président est venu, et malgré sa tonitruante volonté de se distancier en tous points de son prédécesseur, François Hollande apparaît lui aussi comme un père de la nation défaillant. Autrement, bien sûr, avec son style corrézien, son tempérament placide et parlementaire, cette normalité sur laquelle on a glosé. Hélas, celui qui s'était constitué en anti-Sarkozy n'aura su éviter aucune des ornières de cette comédie française : une concentration archaïque des pouvoirs qui masque mal une impuissance politique ; un apparat monarchique

---

1. De Gaulle ne faisait pas une analyse très différente du futur de notre pays quand il parlait de « portugalisation de la France », cf. Alain Peyrefitte, *C'était de Gaulle*, *op. cit.*

et des histoires de cour, de cœur, qui viennent infantiliser la République ; et le plus grave, ce qui enlaidit le reste du tableau commun à ces deux présidents : le mensonge sur l'état réel du pays ; la peur d'affronter les Français. Les hésitations, les reculades, le temps perdu. Ce flottement de désarroi secret que l'on devine chez eux face à la France et son devenir.

Étonnante proximité de ces présidents que l'on croyait aux antipodes. Pour l'essentiel comme pour le contingent, de l'un à l'autre, de droite, de gauche, hyper ou normal, c'est la même comédie française. Un chef pour cinq ans, qui se cherche, perd deux ans, prend ses marques dans un règne trop ajusté ; tâtonne un temps avec les manettes de l'État, qui ne répondent pas, se résigne à ne rien faire donc, ou si peu, avant de ne songer qu'à sa réélection. On lui raconte, et il le croit, qu'il est un demi-dieu pour cinq ans, du moins selon notre Constitution de 1958, remaniée en 1965 et pas mal depuis. Il croit aussi qu'il est à la tête de la « cinquième puissance mondiale ». Il se le répète, s'en gargarise, avant de s'apercevoir qu'il n'en est rien ; et de se colleter avec la puissante Allemagne sans trouver de prise.

En vérité, ces « petits présidents », qui marquent un cycle français, font penser aux rois de Shakespeare, ils feignent la vertu et la puissance, alors que tout leur échappe. Mais on le sait depuis lors, comme le pouvoir n'est plus divin, ils doivent établir leur pouvoir ailleurs. Leur légitimité se gagne auprès des sujets, par la manipulation et le spectacle, ils sont contraints à la séduction permanente, au court-termisme. Ces souverains ne parviennent à survivre que par l'institution, la ruse et les ors du palais, par leurs talents de comédien. De loin, ils ont parfois de l'allure, semblent des chefs puissants ou pondérés, magnifiés par cette Vᵉ République aberrante, vermoulue et pourtant solide ; mais dès que l'on s'approche, on découvre un autre spectacle. Des êtres fragiles, errants, tourmentés.

Il faut avoir vu cela pour le croire, et se méfier à jamais des images pieuses que nous renvoient les médias, cette fabrique à émotions. Il faut avoir fait ce voyage dans les entrailles du pouvoir pour déciller, et comprendre l'affreuse vérité. Ces « petits présidents » sont des simulacres. Des rois glorieux qui n'existent pas, dont la fonction n'est qu'illusion… L'inconscient collectif français fait de l'élu ce demi-dieu ; l'éclaire d'un halo glorieux, lui et sa famille, la Cour et ses femmes ; tout cela pour mieux masquer la terrible vérité contemporaine qu'il découvre en arrivant dans son palais : le roi est nu, et le pays dans le désarroi.

En dépit de cela, il doit continuer – c'est le pathétique du personnage – à contenter ce « peuple versatile » et sa tyrannie qui « exige d'être trompée[1] », car en France l'art de régner semble être établi, depuis le milieu du xxᵉ siècle, sur un mensonge fondateur.

Camoufler le déclassement de la France. Le faire disparaître derrière l'illusion de la grandeur.

De Gaulle et Mitterrand furent les meilleurs illusionnistes. Ils en avaient les moyens, le temps, et le génie. Le Général nous mit en 1945 dans le camp des vainqueurs,

---

1. Cf. Sandra Coulaud, *Les Rois de Shakespeare : des rôles sous contrôle ?*, www.raison-publique.fr, 18 mai 2010.

et nous fit croire à la belle histoire de la France résistante depuis le 18 Juin. Malraux prétendit même que de Gaulle portait comme personne « le cadavre de la France[1] ». Son rival Mitterrand sut lui aussi masquer notre déconvenue historique. L'Europe en fut l'occasion. Il choisit de nous arrimer, et pour longtemps, à la puissante Allemagne.

Nos « petits présidents » ne peuvent plus se permettre cela. Le mensonge est devenu intenable. Le voile s'est déchiré sur l'état réel du pays qui n'a su ni s'adapter ni s'imposer en Europe, faute de gouvernants digne de ce nom et d'un peuple pour les suivre. La France va mal ; la République semble se défaire, perdre de ses territoires ; le « désespoir français » pointé par Marcel Gauchet est à son comble ; le contrat social se rompt, craque un peu partout ; le sentiment de l'impuissance des politiques l'emporte ; la xénophobie, l'antisémitisme sont redevenus des passions mortelles, et le régime menace d'accoucher du pire. Sans parler à l'extérieur du décrochage économique de la France, de son déclin industriel en dix ans, de sa perte d'influence et de leadership en Europe et dans le monde. Le spectre d'une « portugalisation de la France » qu'agitait de Gaulle devient tangible.

On voit où nous ont menés ces « petits présidents », et leur comédie française : au bord du chaos. Vers une tragédie.

À l'heure où se conclut ce livre, l'histoire s'accélère, je vois que Nicolas Sarkozy s'est rasé, et qu'il repart en

---

1. « En croyant, en faisant croire au monde qu'elle était vivante », Janine Mossuz-Lavau, *André Malraux. La politique. La culture*, Gallimard, 1996.

guerre. Plusieurs fois, il a joué la scène de la transformation, sans tenir longtemps sa métamorphose. « J'ai
changé », disait-il déjà le 14 janvier 2007 dans son meeting
d'investiture. Pourquoi pas ? La défaite laisse certes une
marque, qui améliore les grands politiques. Sans remonter à de Gaulle ou Mitterrand, les cas de ce mûrissement
par l'absence sont nombreux. Mais Nicolas Sarkozy s'est-il
vraiment absenté ? A-t-il fait ce travail de deuil ? A-t-il
traversé son désert ? Ou a-t-il feint, trop pressé, trop
avide, trop imperméable à l'introspection ? A-t-il fait, ne
serait-ce qu'en lui-même, un honnête bilan de son quinquennat ? Ce serait la condition élémentaire à tout retour,
à la consistance même de ce « Sarkozy deux » qu'on nous
promet... Car ce n'est pas du premier Sarkozy que l'on
trouve parfois dans ces pages, d'un homme centré sur son
propre destin, dont la France a besoin, mais d'autre chose,
d'un sursaut démocratique venu des profondeurs. D'une
réforme de ses institutions monarchiques, centralisatrices,
souvent inefficaces jusqu'à la caricature ; d'une démocra-
tisation réelle, à l'instar de nos voisins européens, pour en
finir avec cette nomenkaltura française qu'on a pu voir
vivre et agir ici. D'un sursaut de la nation, et d'un homme
d'État. Pas le moins du monde d'un homme providentiel, ni de cette femme providentielle dont rêve la droite
extrême. Comme il y a un siècle d'un Clemenceau, d'un
chef de guerre pour temps et pays difficiles, qui viendra
rompre le pacte du mensonge, tenir au pays divisé le discours de vérité qu'au fond il attend. Celui-là, s'il vient,
devra prononcer une belle oraison funèbre, avouer que
« le royaume se meurt », que « le royaume est mort », et
nous aider à passer à autre chose.

Table

Première partie
La conquête

Deuxième partie
La Cité interdite